Sports Physical Therapy Seminar Series ⑧

骨盤・股関節・鼠径部の
スポーツ疾患治療の
科学的基礎

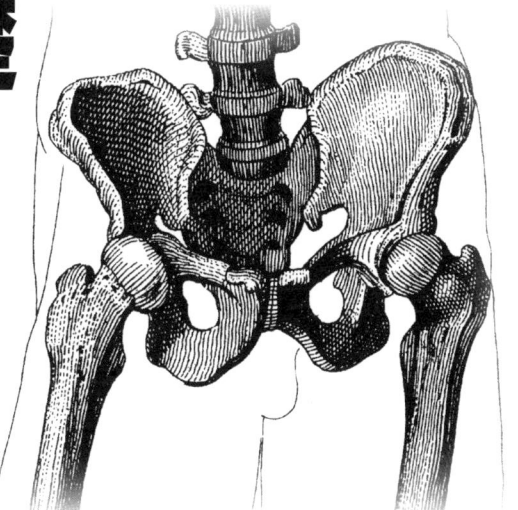

監修

早稲田大学スポーツ科学学術院教授　福林　徹
広島国際大学総合リハビリテーション学部准教授　蒲田和芳

編集

新潟医療福祉大学健康科学部　永野　康治
亀田クリニックリハビリテーション科　山内　弘喜
北翔大学生涯スポーツ学部　吉田　昌弘
横浜市スポーツ医科学センターリハビリテーション科　鈴川　仁人

NAP Limited

監　修：	福林　　徹	早稲田大学スポーツ科学学術院
	蒲田　和芳	広島国際大学総合リハビリテーション学部リハビリテーション学科
編　集：	永野　康治	新潟医療福祉大学健康科学部健康スポーツ学科
	山内　弘喜	亀田クリニックリハビリテーション科
	吉田　昌弘	北翔大学生涯スポーツ学部スポーツ教育学科
	鈴川　仁人	横浜市スポーツ医科学センターリハビリテーション科
	蒲田　和芳	広島国際大学総合リハビリテーション学部リハビリテーション学科
執筆者：	伊藤　　渉	横浜市スポーツ医科学センターリハビリテーション科
		鹿屋体育大学体育学研究科
	角張　　勲	新潟医療センターリハビリテーション科
	丸山　　潤	新潟医療センターリハビリテーション科
	井上　雅之	新潟医療センターリハビリテーション科
	上松　大輔	新潟経営大学経営情報学部スポーツマネジメント学科
	星　　賢治	広島国際大学大学院医療・福祉科学研究科医療工学専攻
		医療法人社団飛翔会寛田クリニックリハ・トレーニング部門
	伊藤　一也	貞松病院リハビリテーション科
	窪田　智史	広島国際大学大学院医療・福祉科学研究科医療工学専攻
		横浜市スポーツ医科学センターリハビリテーション科
	戸田　　創	札幌医科大学大学院保健医療学研究科理学療法・作業療法学専攻
		札幌医科大学附属病院リハビリテーション部
	池田　祐真	札幌医科大学大学院保健医療学研究科理学療法・作業療法学専攻
	河合　　誠	札幌医科大学大学院保健医療学研究科理学療法・作業療法学専攻
		札幌医科大学附属病院リハビリテーション部
	中村　絵美	横浜市スポーツ医科学センターリハビリテーション科
	河端　将司	相模原協同病院医療技術部リハビリテーション室
	佐藤　正裕	八王子スポーツ整形外科リハビリテーションセンター
	野口　　敦	北九州リハビリテーション学院理学療法学科
	内田　宗志	産業医科大学若松病院整形外科スポーツ関節鏡センター
	蒲田　和芳	広島国際大学総合リハビリテーション学部リハビリテーション学科

注意：すべての学問と同様，医学も絶え間なく進歩しています．研究や臨床的経験によってわれわれの知識が広がるに従い，方法などについて修正が必要になります．本書で扱ったテーマに関しても同じことがいえます．本書では，発刊された時点での知識水準に対応するよう著者および出版社は十分な注意をはらいましたが，過誤および医学上の変更の可能性を考慮し，著者，出版社および本書の出版にかかわったすべての者が，本書の情報がすべての面で正確，あるいは完全であることを保証できませんし，本書の情報を使用したいかなる結果，過誤および遺漏の責任も負えません．本書の読者が何か不確かさや誤りに気づかれたら出版社にご一報くださいますようお願いいたします．

SPTSシリーズ第8巻
発刊によせて

　SPTSはその名の通り"Sports Physical Therapy"を深く勉強することを目的とし，2004年12月から企画が開始された勉強会です。横浜市スポーツ医科学センターのスタッフが事務局を担当し，2005年3月の第1回SPTSから現在までに9回のセミナーが開催されました。これまでSPTSの運営にご協力くださいました関係各位に心より御礼申し上げます。そして，この度，SPTSシリーズ第8巻を発刊させていただく運びとなりました。

　本書は第8回SPTS「骨盤・股関節・鼠径部のスポーツ疾患治療の科学的基礎」を内容をまとめたものとなっています。文献検索は，発表準備時期である2012年1月前後に行われ，さらに本書の原稿執筆時期である2012年4～8月ころに追加検索が行われました。したがって，2012年夏ころまでの文献レビューが記載されています。

　骨盤・股関節・鼠径部は，スポーツ疾患として近年加速度的に注目度が増してきた部位です。股関節疾患については，1990年代以降大腿骨寛骨臼インピンジメント（FAI）という疾患概念が提唱され，またMRIや関節鏡による関節唇損傷，関節軟骨損傷の病態が解明され，急速に診断と治療が進歩しつつあります。一方，骨盤輪不安定症は，明らかな構造的異常を検出する検査法が確立されていないため，客観的な診断法が確立されていない疾患概念といえます。鼠径部痛症候群については，1990年代からサッカーが盛んなヨーロッパを中心に注目度が増してきた疾患概念ですが，症状が多彩・広範囲に及び，そのメカニズムは十分に解明されていません。上記のように，まだまだ医学的に確立されていない面もありますが，近年の学会などにおいて注目度の高い部位であり，この時期に包括的レビューを行うことは，今後の研究を加速する意味で有意義であると考えております。

　本書が，骨盤・股関節・鼠径部のスポーツ疾患に携わるすべての医療従事者や研究者のパートナーとなることを祈念しております。臨床家はもとより，論文執筆中の方，研究結果から臨床的なアイデアの裏づけを得たい方，そしてこれからスポーツ理学療法の専門家として歩み出そうとする学生や新人理学療法士など，多数の方々のお役に立つものと考えております。本書が幅広い目的で，多くの方々にご活用いただけることを念願いたします。

　末尾になりますが，SPTSの参加者，発表者，座長そして本書の執筆者および編者の方々，事務局を担当してくださいました横浜市スポーツ医科学センタースタッフに深く感謝の意を表します。

2013年11月

広島国際大学総合リハビリテーション学部リハビリテーション学科　蒲田　和芳

第2巻発刊によせて

【SPTSについて】

　SPTSは何のためにあるのか？　SPTSのような個人的な勉強会において，出発点を見失うことは存在意義そのものを見失うことにつながります。それを防ぐためにも，敢えて出発点にこだわりたいと思います。その質問への私なりの短い回答は「Sports Physical Therapyを実践する治療者に，専門分野のグローバルスタンダードを理解するための勉強の場を提供する」ということになるでしょうか。これを誤解がないように少し詳しく述べると次のようになります。

　日本国内にも優れた研究や臨床は多数存在しますし，SPTSはそれを否定するものではありません。しかし，"井の中の蛙"にならないためには世界の研究者や臨床家と専門分野の知識や歴史観を共有する必要があります。残念なことに"グローバルスタンダード"という言葉は，地域や国家あるいは民族の独自性を否定するものと理解される場合があります。もしも誰かが1つの価値観を世界に押し付けている場合には，その価値観や情報に対して警戒心を抱かざるを得ません。一方，世界が求めるスタンダードな知識（または価値）を世界中の仲間たちとつくり上げようとするプロセスでは，最新情報を共有することによって誰もが貢献することができます。SPTSは，日本にいながら世界から集められた知識に手を伸ばし，そこから偏りなく情報を収集し，その歴史や現状を正しく理解し，世界の同業者と同じ知識を共有することを目的としています。

　世界の医科学の動向を把握するにはインターネット上での文献検索が最も有効かつ効果的です。また情報を世界に発信するためには，世界中の研究者がアクセスできる情報を基盤とした議論を展開しなければなりません。そのためには，MedlineなどのNIH国際論文を対象とした検索エンジンを用いた文献検索を行います。MedlineがアメリカのNIHから提供される以上，そこには地理的・言語的な偏りが既に存在しますが，これが知識のバイアスとならないよう読者であるわれわれ自身に配慮が必要となります。

　では，SPTSは誰のためにあるのか？　その回答は，「Sports Physical Therapyの恩恵を受けるすべての患者様（スポーツ選手，スポーツ愛好者など）」であることは明白です。したがって，SPTSへの対象（参加者）はこれらの患者様の治療にかかわるすべての治療者ということになります。このため，SPTSは，資格や専門領域の制限を設けず，科学を基盤としてスポーツ理学療法の最新の知識を積極的に得たいという意思のある方すべてを対象としております。その際，職種の枠を超えた知識の共通化を果たすうえで，職種別の職域や技術にとらわれず，"サイエンス"を1つの共通語と位置づけたコミュニケーションが必要となります。

　最後に，"今後SPTSは何をすべきか"について考えたいと思います。当面，年1回のセミナー開催を基本とし，できる限り自発的な意思を尊重してセミナーの内容や発表者を決めていく形で続けていけたらと考えております。また，スポーツ理学療法に関するアイデアや臨床例を通じて，すぐに臨床に役立つ知識や技術を共有する場として，「クリニカルスポーツ理学療法（CSPT）」を開催しております。そして，SPTSの本質的な目標として，外傷やその後遺症に苦しむアスリートの再生が，全国的にシステマティックに進められるような情報交換のシステムづくりを進めて参りたいと考えています。今後，SPTSに関する情報はウェブサイト（http://SPTS.ortho-pt.com）にて公開いたします。本書を手にされた皆様にも積極的にご閲覧・ご参加いただけることを強く願っております。

もくじ

第1章　骨盤・股関節の機能解剖（編集：永野　康治）

1. 骨盤輪の解剖・運動学・バイオメカニクス ……………（伊藤　　渉）……… 3
2. 股関節の解剖・運動学・バイオメカニクス ……………（角張　　勲 他）…… 13
3. 骨盤・股関節の筋・筋膜 ……………………………………（上松　大輔）……… 21

第2章　骨盤輪不安定症（編集：山内　弘喜）

4. 骨盤輪不安定症の疫学・病態 ………………………………（星　　賢治）……… 33
5. 骨盤輪不安定症の診断・評価 ………………………………（伊藤　一也）……… 44
6. 骨盤輪不安定症の保存療法 …………………………………（窪田　智史）……… 56

第3章　股関節病変（編集：吉田　昌弘）

7. 股関節病変の疫学・病態 ……………………………………（戸田　　創）……… 79
8. 股関節病変の診断・評価 ……………………………………（池田　祐真）……… 86
9. 股関節病変の保存療法と手術療法 …………………………（河合　　誠）……… 92

第4章　鼠径部痛症候群（編集：鈴川　仁人）

10. 鼠径部痛症候群の疫学・病態 ………………………………（中村　絵美）……… 101
11. 鼠径部痛症候群の診断・評価 ………………………………（河端　将司）……… 112
12. 鼠径部痛症候群の手術療法と保存療法 ……………………（佐藤　正裕）……… 121

第5章　骨盤・股関節・鼠径部疾患の私の治療（編集：蒲田　和芳）

13. 骨盤輪不安定症の治療 ………………………………………（野口　　敦）……… 141
14. スポーツ選手の股関節痛の診察の仕方と股関節鏡視下手術 …（内田　宗志）……… 155
15. 鼠径部痛症候群の保存療法 …………………………………（蒲田　和芳）……… 163

第1章
骨盤・股関節の機能解剖

　骨盤・股関節は上肢・体幹からの荷重を下肢に伝達するため，高い安定性が求められる関節である。同時に股関節は6自由度の運動方向をもち，大きな運動性も有している。この相反する2つの機能を実現する骨盤・股関節の機能解剖を理解することは，同部位に発生する疾患の理解に不可欠であるといえる。本章では，「骨盤輪」「股関節」「筋・筋膜」と3つの視点から，骨盤・股関節の機能解剖についての知見を整理した。

　「骨盤輪の解剖・運動学・バイオメカニクス」では，骨盤輪を構成する骨・関節の形態，解剖，運動学についてまとめた。骨盤輪は腰部疾患に関連して語られることが多いが，股関節疾患とも機能的関連が深く，さらに骨盤輪不安定症では骨盤輪の理解が疾患の病態理解においても必要不可欠である。また，骨盤輪および体幹インナーユニットの支持機構の1つである骨盤底筋群についてもその構造と機能を整理した。

　「股関節の解剖・運動学・バイオメカニクス」では，まず，大腿骨，寛骨臼の骨形態について種々の指標から整理した。次に，安定化機構として股関節の靱帯，関節唇における解剖，バイオメカニクスを整理した。関節唇については寛骨臼蓋インピンジメントによる関節唇損傷が近年注目されており，その機能について整理した。最後に，近年報告が散見されはじめた関節包内運動について記載した。

　「骨盤・股関節の筋・筋膜」では，股関節周囲筋の形状，機能について筋ごとに整理した。筋機能については，各筋の機能が肢位によって大きく変化することが明らかになり，真実と思われていたが，実は疑わしいと思われる機能も散見された。また，筋のモーメントやモーメントアーム算出においてはより詳細な骨格筋モデルが必要であることも示唆された。

　股関節のスポーツ外傷・障害にかかわる機能解剖は，肩関節や膝関節に比較すると情報量が少なく，さらなる研究の必要性が感じられた。しかし，疾患の理解に必要な内容であるため，第2章以降の疾患別の章に進む前に是非一度目を通していただきたい。また，日常のリハビリテーションメニューの基礎となる内容も多分に含んでおり，臨床の現場にも本章の内容を生かしていただきたい。

第1章編集担当：永野　康治

1. 骨盤輪の解剖・運動学・バイオメカニクス

はじめに

仙骨，寛骨の形態，仙腸関節，恥骨結合の解剖・運動学・バイオメカニクスに関する報告は古くから存在する。本項では精度の高い方法を用いた研究を中心に，正常・異常な形態および運動についてレビューを実施した。特に，超音波診断装置を用いた仙腸関節の評価法，骨盤輪の支持機構となる骨盤底筋の解剖，運動学について整理した。以上について近年詳細に研究が進められていることを踏まえ，最新の知見を網羅するように努めた。

A. 文献検索方法

検索エンジンとしてPubMedを用い，2012年6月に文献検索を実施した。「pelvis」「pelvic ring」「pelvic girdle」「sacroiliac joint」「pubic symphysis」「abdominal muscle」「transversus abdominis」「multifidus」「pelvic floor muscle」「anatomy」「biomechanics」「movement」「mobility」「kinesiology」「kinematics」「kinetics」の単語のいずれかを組み合わせて検索した。そのうち骨盤輪の解剖・運動学・バイオメカニクスに関連する文献を抽出し，さらに文献中の引用を加えて55文献をこのレビューの対象とした。

B. 解剖学

骨盤輪（骨盤帯）は左右2つの寛骨，その中央に位置する仙骨，尾骨によって構成される。骨盤輪の関節として，寛骨と仙骨を後方でつなぐ仙腸関節，寛骨を前方でつなぐ恥骨結合，仙骨と尾骨をつなぐ仙尾連結，尾骨間をつなぐ尾骨間連結がある。これらの関節が閉じて輪となり，骨盤帯が構成されている[1]。

1. 骨形態
1) 寛　骨

腸骨，坐骨，恥骨の3つの骨から構成される。成人では3つの骨が融合し，1つの骨となる[1]。腸骨は水平面では正弦弧を示し，前方は内側に凹面を示し，後方は内側に凸面を示す[1]。恥骨は寛骨の内側下方を構成し，対側の恥骨と恥骨結合により連結する[1]。坐骨は寛骨の内側下方を構成し，対側の恥骨と恥骨結合により連結する。坐骨体の下部から坐骨枝が前内側へ突出し，恥骨下枝に連結する[1]。

2) 仙　骨

仙骨は三角形の骨であり，脊柱の基部に位置し，両側の寛骨の間にはまり込んでいる。5つの仙椎が融合して構成されており，個々の椎骨は容易に同定できる。S1からS4の棘突起は，正中線上で融合し正中仙骨稜が形成される。正中仙骨稜の外側には，S1からS5の椎骨の関節突起の遺残が融合し中間仙骨稜が形成される。S5またはS4の下関節突起は正中で融合せず仙骨角を形成する。S1からS5の横突起が融合して外側仙骨稜が形成される。S1，S2，S3の外側仙骨稜にある深い窪みが骨間仙腸靱帯の頑丈な付着部となる。仙骨外側面は上方へは広く，下方へは狭くなっており，内

第1章 骨盤・股関節の機能解剖

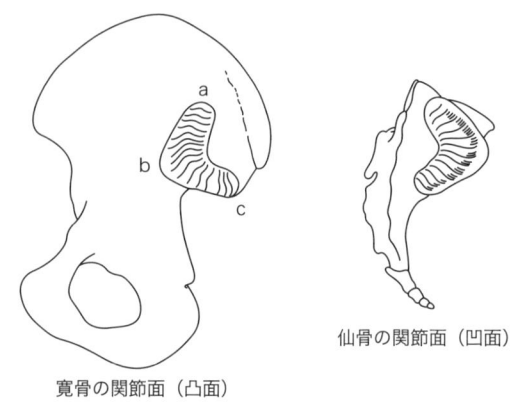

図1-1 仙腸関節の関節面の形態（矢状面）（文献3より引用）
a-b：短腕，b-c：長腕。仙骨の凹面と寛骨の凸面により仙腸関節は適合している。

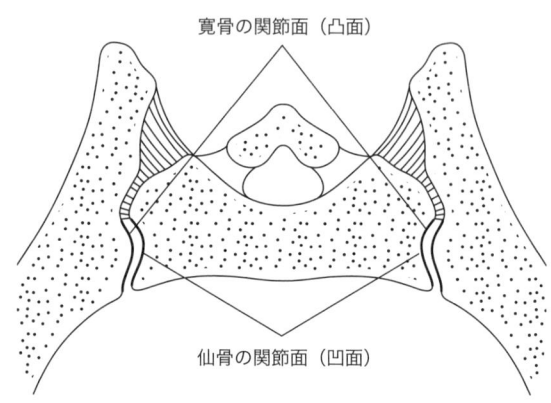

図1-2 仙腸関節の関節面の形態（水平面）（文献3より引用）
仙骨側は凹面，寛骨側は凸面を示す。

側へカーブしS5に連結し下外側角を形成する[1]。Fryette[2]は23個の仙骨を3つのタイプに分類した。タイプAはS1，S2が下方へ，S3が上方へ狭くなり，上関節突起は前額面上にある。タイプBはS1が上方へ狭くなり，上関節突起は矢状面上にある。タイプCはS1で片側が上方に，もう片側は下方に狭く，上関節突起はタイプA側では前額面上，タイプB側では矢状面上にある。

2. 関節

1）仙腸関節

屍体解剖による組織学的研究より，仙腸関節は半関節に分類され，線維軟骨と硝子軟骨により結合されている[3〜5]。関節面の軟骨の厚さは寛骨に比べ仙骨が厚い[6,7]。腸骨の関節面には線維軟骨が多く含まれ，仙骨の関節面には硝子軟骨が多く含まれる。

仙腸関節周辺には関節包により囲まれて滑膜，滑液包が存在していることから[5]，滑膜性関節（可動関節）に分類されるとの報告もある[5,8]。関節包は，線維芽細胞，血管，コラーゲン線維を含む外側の線維層と内側の滑膜層からなる2層構造となっている[5]。

仙腸関節の形態は耳状面と呼ばれるL字型をしている（図1-1）。関節面において仙骨側は凹面，寛骨側を凸面で，垂直方向の短い関節面は短腕，水平方向の長い関節面は長腕と呼ばれる（図1-1，図1-2）[3]。仙腸関節は仙骨の凹面と寛骨の凸面による適合のほか，関節面の微細な凹凸構造により適合している[3,9〜11]。その微細な凹凸構造は加齢によって変形すること[3,10]，男性に比べ女性の凹凸は小さく滑らかであること[10]，出産後に関節面の適合性が減少すること[9]，が報告されてきた。仙腸関節は多くの靱帯により補強され[3,12〜20]，靱帯や筋膜が関節包を覆っている[21,22]。仙腸関節の運動に伴う靱帯の緊張の変化について，nutation（うなずき運動）により骨間仙腸靱帯，仙棘靱帯，仙結節靱帯が緊張し（図1-3），couter-nutation（起き上がり運動）により長背側仙腸靱帯が緊張する（図1-4）[18]。

2）恥骨結合

恥骨結合は，線維軟骨により結合されており，半関節に分類される。恥骨結合には硝子軟骨に挟まれた厚い線維軟骨性の円盤が存在する。硝子軟骨の厚さは200〜400 μmであった[23]。関節面は縦が30〜35 mm，横が10〜12 mmと報告された[23]。

1. 骨盤輪の解剖・運動学・バイオメカニクス

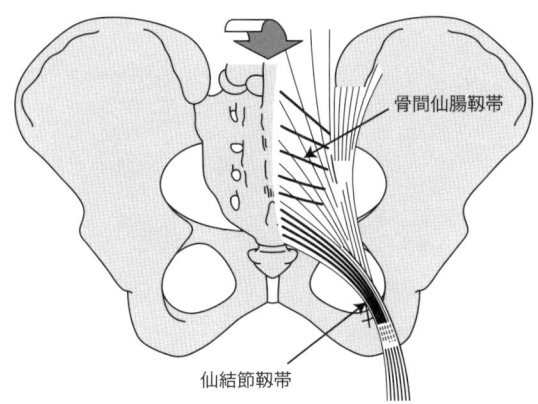

図1-3 うなずき運動による靱帯の緊張（文献18より引用）
うなずき運動では，骨間仙腸靱帯，仙棘靱帯（図では隠れている），仙結節靱帯が緊張する。

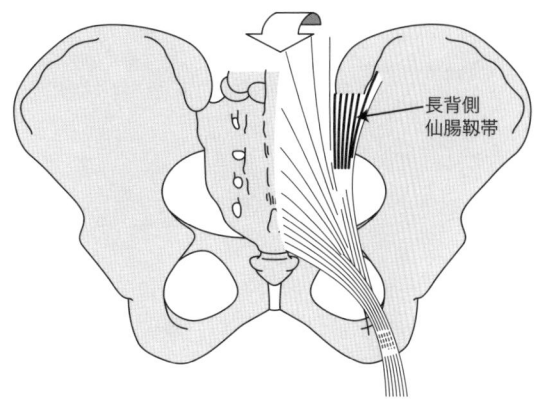

図1-4 起き上がり運動による靱帯の緊張（文献18より引用）
起き上がり運動では，長背側仙腸靱帯が緊張する。

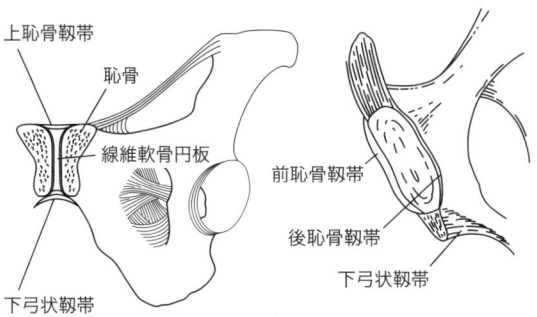

図1-5 恥骨結合の靱帯（文献23より引用）
恥骨結合は上下前後の恥骨靱帯によって補強されている。

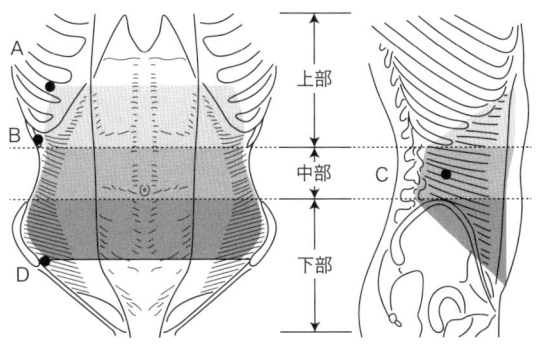

図1-6 腹横筋の部位（文献24より引用）
上部，中部，下部に分かれて構成される。A：第8肋骨肋軟骨，B：第11肋骨肋軟骨，C：肋骨角と腸骨稜の中点，D：上前腸骨棘。

恥骨結合は上下前後の恥骨靱帯によって補強されている（図1-5）。上恥骨靱帯は厚く，恥骨結節間を横切って走行する。下弓状靱帯は線維性の円板と結合して，両側の恥骨下枝に付着し，関節の支持性に最も貢献する。後恥骨靱帯は膜状で，隣接する骨膜と混ざり合う[23]。

3. 骨盤輪の筋

骨盤輪の安定化に関与する筋として，仙腸関節においては多裂筋と大殿筋・胸腰筋膜，恥骨結合において腹横筋下部，そしてほかの骨盤輪に関連する筋として骨盤底筋があげられる。これらの筋は単独で，または協同して骨盤の安定化に寄与すると考えらえれている。

1）腹横筋

腹横筋は腸骨から下位肋骨に付着部をもち，腹腔側面を囲むように走行している。Urquhart[24]は女性6名，男性6名を対象とした屍体研究から腹横筋の部位を同定した。腹腔側面を広く覆う腹横筋内には水平方向に向かう筋間中隔の存在が認められ，これにより腹横筋は上部，中部，下部に分けられる（図1-6）[24]。筋間中隔は肋骨角と腸骨稜に存在し，その存在率は肋骨角で42%，腸

第1章 骨盤・股関節の機能解剖

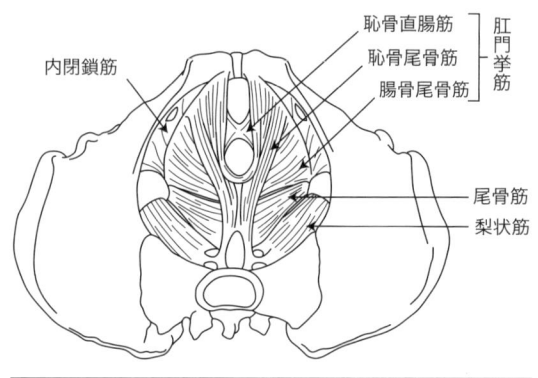

図1-7 骨盤底筋（文献26より引用）
骨盤底筋は，内閉鎖筋，梨状筋，尾骨筋，肛門挙筋からなる。

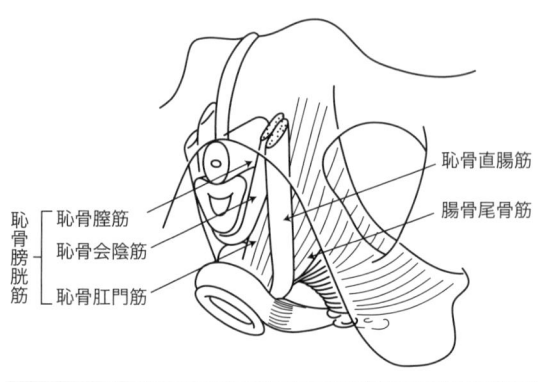

図1-8 恥骨膀胱筋（文献25より引用）
恥骨膀胱筋は，恥骨膣筋，恥骨会陰筋，恥骨肛門筋からなる。

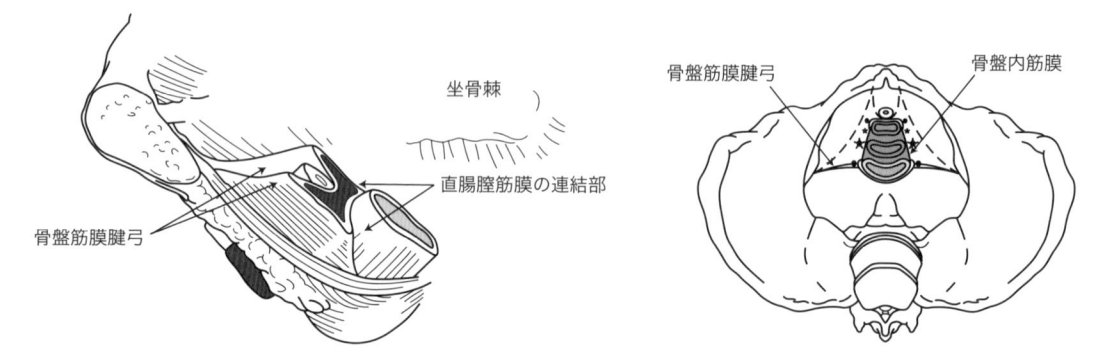

図1-9 骨盤内筋膜と骨盤筋膜腱弓による膣の支持（文献27より引用）
骨盤内筋膜も骨盤底を構成する組織の1つであり，骨盤筋膜腱弓より膣上壁に広がる密な線維性組織である。

骨稜で77％であった[24]。また，各部位における筋厚については上部が最も厚く，下部が最も薄いと報告された[24]。

2）骨盤底筋

骨盤底筋は骨盤底を塞ぐようにしている筋の総称であり，内閉鎖筋，梨状筋，尾骨筋，肛門挙筋により構成される。さらに，肛門挙筋は恥骨直腸筋，恥骨尾骨筋，腸骨尾骨筋からなる（図1-7）。肛門挙筋の下方に存在する恥骨膀胱筋は，直腸や膣，尿道の括約に作用する恥骨膣筋，恥骨会陰筋，恥骨肛門筋からなる（図1-8）[25, 26]。骨盤底は骨盤底筋によって完全に塞がれてはいない。筋の付着部でもある骨盤内筋膜も骨盤底を構成する組織の1つである。これは骨盤筋膜腱弓（肛門挙筋腱弓，恥骨腸骨筋腱弓）より膣上壁に広がる密な線維性組織であり，尿道，膣，直腸を支持する。肛門挙筋の収縮により緊張し，膣圧の増大に作用する（図1-9）[25, 27]。

3）大殿筋

寛骨の後殿筋線維，仙骨・尾骨の背面，脊柱起立筋の腱膜，仙結節靱帯，胸腰筋膜，中殿筋膜に起始をもつ。胸腰筋膜を経て同側の多裂筋と混ざる。また，胸腰筋膜を経て対側の広背筋と混ざる[28]。

4) 多裂筋

L1の椎骨棘突起に起始をもつ線維はL4・L5の乳様突起，S1の椎骨，腸骨稜の内側面に停止する。L2椎骨棘突起に起始をもつ線維はL5・S1の乳様突起と寛骨上後腸骨棘（PSIS）に停止する。L3椎骨棘突起に起始をもつ線維はS1関節突起，S1・S2の上外側面，腸骨稜に停止する。L4椎骨棘突起に起始をもつ線維は外側仙骨稜と後仙骨孔の間に停止する。L5椎骨棘突起より起始する線維はS3の下方，中間仙骨稜に停止する。多裂筋は縫線で胸腰筋膜にも付着する。縫線は仙腸関節包を固定する作用をもつ[28, 29]。

5) 胸腰筋膜

胸腰筋膜は体幹から下肢への荷重伝達において重要な構造である[19, 30〜32]。腹横筋，内腹斜筋，外腹斜筋，大殿筋，広背筋，脊柱起立筋，多裂筋，大腿二頭筋の付着部となっている[1]。近年，Schleipら[33]は組織学的研究から胸腰筋膜自体が収縮性組織であることを報告した。仙腸関節をまたぐ大殿筋・多裂筋の付着部となっているだけでなく胸腰筋膜自体も仙腸関節の安定化に寄与していると考えられる。

C. 運動学・バイオメカニクス

1. 骨盤内運動と可動性

1) 骨盤輪の運動

骨盤内運動についての信頼性の高い研究は少ない。Hungerfordら[34]は男性14名を対象として体表マーカーにより三次元動作解析システムを用いて，片脚立位時の骨盤内の運動を調べた。片脚立位において，非荷重側の股関節・膝関節は90°屈曲位で保持させた。その結果，荷重側の寛骨は仙骨に対して5.75±2.50°後傾し，後方へ2.50±4.00 mm移動したのに対し，非荷重側の寛骨は仙骨に対し7.75±5.00°後傾し，前方に

表1-1 仙腸関節の運動

		回転（後傾）(°)	並進 (mm)
男性	前屈	2.1	0.9
	後屈	1.8	0.5
	片脚立位	1.7	0.7
女性	前屈	1.7	0.7
	後屈	1.8	0.9
	片脚立位	2.2	1.3

4.00±3.00 mm移動した。しかしながら，このような体表マーカーを用いた研究では，皮膚運動による誤差が誤った結論を導きかねないため，上記の結果の真偽は不明である。今後さらに正確性の高い手法を用いた研究が必要である。

2) 仙腸関節の運動

①可動性

仙腸関節運動を正確に分析するためには，骨ピンやタンタルマーカーを用いたRSA（roentgen stereophotogrammetric analysis）（骨盤内にタンタルマーカーを埋込み，複数方向のX線撮影により可動性を算出する方法）などの手法を用いる必要がある。Kisslingらのグループ[35, 36]は，24名の健常者において骨ピンマーカーを仙骨と寛骨に設置し，三次元解析装置にて荷重時の自動運動中の仙腸関節の可動性を分析した。その結果，寛骨の仙骨に対する回転角度（後傾）と移動量は，それぞれ前屈では男性2.1°，0.9 mm，女性1.7°，0.7 mm，後屈では男性1.8°，0.5 mm，女性1.8°，0.9 mm，片脚立位では男性1.7°，0.7 mm，女性2.2°，1.3 mmであった（表1-1）。一方，信頼性に劣るが，超音波診断装置を用いた研究によると，安静時に他動運動において，健常成人22名における仙腸関節の可動性は2〜10 mmであった[37]。今後，さらにさまざまな条件下での仙腸関節可動性に関する研究が必要である。

第1章 骨盤・股関節の機能解剖

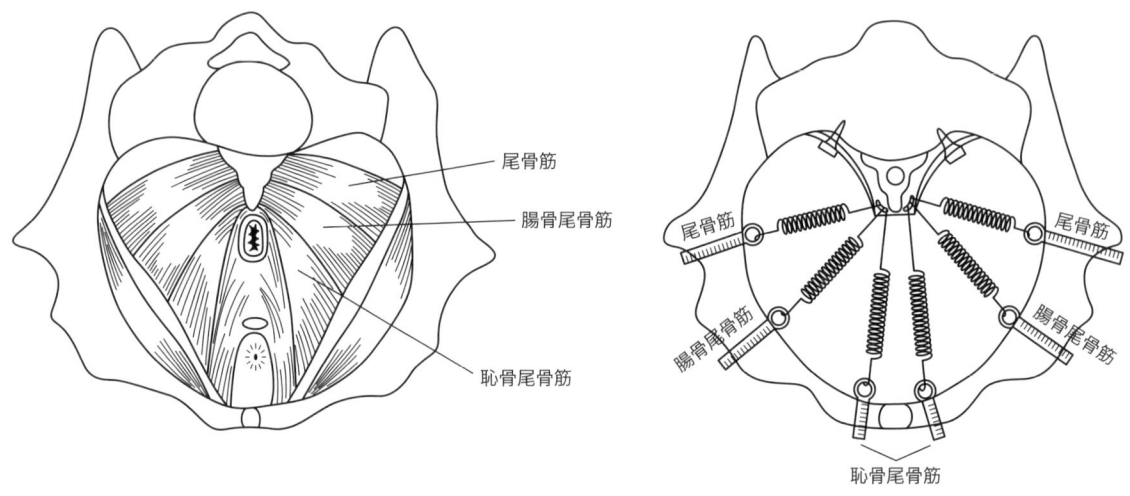

図1-10 バネによる骨盤底筋収縮のシミュレーション（文献43より引用）
バネによる屍体実験の結果，女性では骨盤底筋全体の収縮により仙腸関節のスティッフネスは増大したが，腸骨尾骨筋単独の収縮ではスティッフネスは低下し，骨盤底筋の収縮により仙骨の起き上がり運動が生じた。

②スティッフネス

運動中の仙腸関節の安定性の指標として，仙腸関節のスティッフネスが用いられてきた。Doppler imaging of vibrations（DIV）は，超音波診断装置を用いて仙腸関節のスティッフネスを計測する手法である[38〜40]。体幹筋の収縮方法別の効果について，bracingによる外腹斜筋，内腹斜筋，腹横筋の収縮に比べ，draw-inによる腹横筋の収縮によって仙腸関節のスティッフネスが増大することが報告された[41]。また大殿筋，大腿二頭筋，脊柱起立筋，広背筋の収縮によってもスティッフネスの増大が認められた[42]。一方，屍体を用いた研究として，トルクマシンを用いてスティッフネスを計測する手法が用いられた。バネの張力により骨盤底筋の収縮をシミュレーションした屍体実験の結果（**図1-10**），女性では骨盤底筋全体の収縮により仙腸関節のスティッフネスは増大したが，腸骨尾骨筋単独の収縮ではスティッフネスは低下し，骨盤底筋の収縮により仙骨の起き上がり運動が生じることが報告された[43]。

③剪断力

Pelら[44]は，仙腸関節の剪断力を三次元モデルを用いてシミュレーションした。その結果，股関節屈筋（長内転筋，腸骨筋，恥骨筋，縫工筋，大腿直筋）と股関節伸筋（中殿筋，小殿筋，梨状筋）の収縮により剪断力は減少し，腹横筋と骨盤底筋（尾骨筋，腸骨尾骨筋，恥骨尾骨筋）の収縮により剪断力の大きな減少が認められた。

3）恥骨結合の運動

屍体研究により，恥骨結合の可動性は健常者で2〜3 mmであるのに対し，妊娠により可動性が8〜10 mmに増大すると報告された[23]。生体における恥骨結合の回転角度と並進距離の分析にRSAが用いられた（**図1-11**）[45]。その結果，SLRでは男性2.0°，0.8 mm，女性2.1°，1.6 mmであり，片脚立位時は男性0.2°，0.7 mm，女性1.3°，2.0 mmであった（**表1-2**）[45]。

2. 骨盤安定化メカニズム

安定性の受動的・能動的要因を説明する概念としてform closureとforce closureがある[1]。

1. 骨盤輪の解剖・運動学・バイオメカニクス

1) Form closure

Form closure とは，筋の張力のない状態で，骨の形態によって得られる関節安定性を意味する。Snijders ら[46]は「姿勢が安定した状態にあり，この状態を維持するために荷重以外の力を必要としない状態」と定義した。Hungerford ら[34]は骨盤輪の運動について体表マーカーによる三次元動作解析を行った。その結果，仙骨に対する寛骨の後傾 5.75 ± 2.50°および後方移動 2.50 ± 4.00 mm の運動が起こり，仙腸関節が閉鎖位となることが示された。関節が荷重により移動や摩擦に抗する安定性を得ていることを示す[1]。

2) Force closure

Force closure とは，筋，腱，筋膜などの能動的な張力によって得られる関節安定性を意味する。Snijders ら[46]は「その位置を保つためには外力が必要であり，摩擦がなければならない状態」と定義した。運動に伴う荷重の増大や関節の移動の安定化のためには，関節の圧力や摩擦を増大させる外力によりスティッフネスを高める必要がある[1]。Pel ら[44]は三次元モデルを用いたシミュレーションにおいて，体幹の重さが 500 N のとき仙腸関節には 563 N の剪断力が生じているとし，靱帯や筋機能により剪断力が減少し，消失させることができることを示した。

①腹横筋下部

腹横筋下部は腸骨に起始し，仙腸関節のスティッフネス増大に作用すると考えられる。Richardson ら[41]は超音波診断装置を用いた DIV 法により draw-in による腹横筋の収縮が仙腸関節のスティッフネスを増大させたことを報告した。一方，腹横筋下部の単独収縮は腸骨の内旋 (in-flare) を促すことから[41]，仙腸関節の安定性が低下している場合には，仙腸関節の安定性に負の影響を及ぼすことも考えられる。

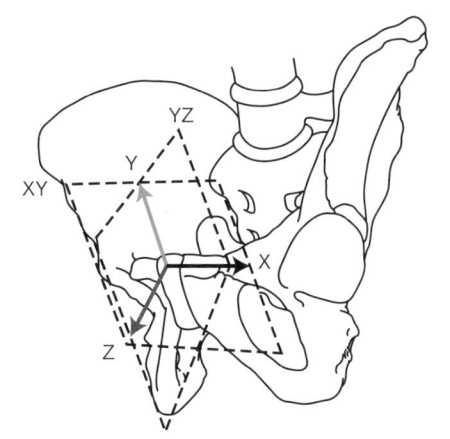

図 1-11 恥骨結合の運動軸（文献 45 より引用）
X 軸まわりの回転角度，Y 軸方向の並進距離を算出。

表 1-2 恥骨結合の運動（文献 45 より引用）

		回転（後傾）(°)	並進 (mm)
男性	SLR	2.0	0.8
	片脚立位	0.2	0.7
女性	SLR	2.1	1.6
	片脚立位	1.3	2.0

SLR：下肢伸展挙上。

②骨盤底筋

骨盤底の引き上げ運動により骨盤底筋の活動増大が認められ[47]，背臥位[48]，立位[48]，draw-in[49]下での骨盤底の引き上げ運動により，骨盤底筋に加え腹横筋，内腹斜筋の活動の増大が認められた。バルサルバ操作では骨盤底筋，内・外腹斜筋，腹直筋の活動増大が認められた[47]。Draw-in，咳嗽，強制呼気では骨盤底筋の活動の増大は認められず，腹横筋，内腹斜筋の活動増大が認められた[48]。また，予備的活動の報告では上肢挙上[50]，下肢挙上[51]により骨盤底筋の予備的活動が生じることが報告された。坐位姿勢の違いによって骨盤底筋の筋活動量が変化することも報告されており，姿勢を伸ばすように努力して坐位をしたときが最も活動量が大きく，次いで背もたれを用いない坐位姿勢，最も活動が小さいのは背もたれを用い寄り

表1-3 骨盤底筋の筋活動

報告者	課題	結果
Sapsfordら[49]	Draw-in + PF-lift	骨盤底筋,腹横筋,内腹斜筋
Neumannら[48]	PF-lift（背臥位）	骨盤底筋,腹横筋,内腹斜筋
	PF-lift（立位）	骨盤底筋,腹横筋,内腹斜筋
	Draw-in	腹横筋,内腹斜筋
	咳嗽	腹横筋,内腹斜筋
	強制呼気	腹横筋,内腹斜筋
Thompsonら[47]	PF-lift	骨盤底筋
	バルサルバ操作	骨盤底筋,内・外腹斜筋,腹直筋
Hodgesら[51]	上肢挙上	骨盤底筋の予備的活動
Sjodahlら[50]	下肢挙上	骨盤底筋の予備的活動

PF-lift：骨盤底挙上運動。

かかった坐位姿勢をとったときであった[52]（**表1-3**）。

③多裂筋

多裂筋は体幹回旋時に活動することが報告されている[53,54]ほか、腰椎棘突起に起始をもち、仙骨および寛骨に停止することから、仙腸関節の安定性に寄与することが考えられる[28,29]。Moseleyら[55]は多裂筋の予備的活動について報告しており、上肢挙上時に三角筋の活動に先行して筋活動がみられ、仙腸関節を含む体幹の安定化が上肢運動の際に重要であると考察した。

D. まとめと今後の課題

1. すでに真実として承認されていること

- 仙腸関節は解剖学的・組織学的に運動性を有する。
- 恥骨結合は解剖学的・組織学的には運動性を有する構造に乏しく、可動性は小さい。
- 骨盤底筋は臓器の支持と泌尿生殖管の括約に作用する構造である。
- 体幹筋の収縮によって仙腸関節安定性が増大する。

2. 議論の余地はあるが、今後の重要な研究テーマとなること

- RSA・骨ピン・体表マーカーなどの方法を用いた仙腸関節・恥骨結合の運動学的分析。
- 仙腸関節・恥骨結合とも片脚立位において微細な運動が生じること。
- 片脚立位・歩行において荷重側の寛骨後傾（対仙骨）が生じること。
- 生体での骨盤底筋の仙腸関節への影響について。
- 骨盤輪安定化筋の作用についての研究。
  - 骨盤底筋が仙腸関節の安定性に作用するか否か。
  - 骨盤底挙上運動によって骨盤底筋の活動が増大すること。
- 信頼性の高い計測方法による動的活動中の骨盤輪のバイオメカニクス研究。
  - 上肢・下肢挙上運動における予備的活動。
  - 歩行中、走行中の骨盤の安定性と可動性について。

文献

1. Lee DG: *The Pelvic Girdle: an integration of clinical expertise and research*, 4th ed., Churchill Livingstone, 2010.
2. Fryette HH: Principls of osteopathic technique. In: Carmel CA, ed., *Academy of Applied Osteopathy*, 1954.
3. Bowen V, Cassidy JD: Macroscopic and microscopic anatomy of the sacroiliac joint from embryonic life until the eighth decade. *Spine*. 1981; 6: 620-8.
4. Paquin JD, van der Rest M, Marie PJ, Mort JS, Pidoux I, Poole AR, Roughley PJ: Biochemical and morphologic studies of cartilage from the adult human sacroiliac joint. *Arthritis Rheum*. 1983; 26: 887-95.
5. Puhakka KB, Melsen F, Jurik AG, Boel LW, Vesterby A, Egund N: MR imaging of the normal sacroiliac joint with correlation to histology. *Skeletal Radiol*. 2004; 33: 15-28.
6. McLauchlan GJ, Gardner DL: Sacral and iliac articular cartilage thickness and cellularity: relationship to subchondral bone end-plate thickness and cancellous bone

density. *Rheumatology*. 2002; 41: 375-80.
7. Vleeming A, Stoeckart R, Volkers AC, Snijders CJ: Relation between form and function in the sacroiliac joint. Part I: clinical anatomical aspects. *Spine*. 1990; 15: 130-2.
8. Solonen KA: The sacroiliac joint in the light of anatomical, roentgenological and clinical studies. *Acta Orthop Scand Suppl*. 1957; 27: 1-127.
9. Brooke R: The sacro-iliac joint. *J Anat*. 1924; 58 (Pt 4): 299-305.
10. Vleeming A, Volkers AC, Snijders CJ, Stoeckart R: Relation between form and function in the sacroiliac joint. Part II: biomechanical aspects. *Spine*. 1990; 15: 133-6.
11. Weisl H: The articular surfaces of the sacro-iliac joint and their relation to the movements of the sacrum. *Acta Anatomica*. 1954; 22: 1-14.
12. Chow DH, Luk KD, Leong JC, Woo CW: Torsional stability of the lumbosacral junction. Significance of the iliolumbar ligament. *Spine*. 1989; 14: 611-5.
13. Hanson P, Sonesson B: The anatomy of the iliolumbar ligament. *Arch Phys Med Rehabil*. 1994; 75: 1245-6.
14. Leong JC, Luk KD, Chow DH, Woo CW: The biomechanical functions of the iliolumbar ligament in maintaining stability of the lumbosacral junction. *Spine*. 1987; 12: 669-74.
15. Luk KD, Ho HC, Leong JC: The iliolumbar ligament. A study of its anatomy, development and clinical significance. *J Bone Joint Surg Br*. 1986; 68: 197-200.
16. Pool-Goudzwaard A, Hoek van Dijke G, Mulder P, Spoor C, Snijders C, Stoeckart R: The iliolumbar ligament: its influence on stability of the sacroiliac joint. *Clin Biomech*. 2003; 18: 99-105.
17. Pool-Goudzwaard AL, Kleinrensink GJ, Snijders CJ, Entius C, Stoeckart R: The sacroiliac part of the iliolumbar ligament. *J Anat*. 2001; 199 (Pt 4): 457-63.
18. Vleeming A, Pool-Goudzwaard AL, Hammudoghlu D, Stoeckart R, Snijders CJ, Mens JM: The function of the long dorsal sacroiliac ligament: its implication for understanding low back pain. *Spine*. 1996; 21: 556-62.
19. Vleeming A, Pool-Goudzwaard AL, Stoeckart R, van Wingerden JP, Snijders CJ: The posterior layer of the thoracolumbar fascia. Its function in load transfer from spine to legs. *Spine*. 1995; 20: 753-8.
20. Yamamoto I, Panjabi MM, Oxland TR, Crisco JJ: The role of the iliolumbar ligament in the lumbosacral junction. *Spine*. 1990; 15: 1138-41.
21. Lawson TL, Foley WD, Carrera GF, Berland LL: The sacroiliac joints: anatomic, plain roentgenographic, and computed tomographic analysis. *J Comput Assist Tomogr*. 1982; 6: 307-14.
22. Resnick D, Niwayama G, Goergen TG: Degenerative disease of the sacroiliac joint. *Invest Radiol*. 1975; 10: 608-21.
23. Gamble JG, Simmons SC, Freedman M: The symphysis pubis. Anatomic and pathologic considerations. *Clin Orthop Relat Res*. 1986; (203): 261-72.
24. Urquhart DM, Barker PJ, Hodges PW, Story IH, Briggs CA: Regional morphology of the transversus abdominis and obliquus internus and externus abdominis muscles. *Clin Biomech*. 2005; 20: 233-41.
25. Ashton-Miller JA, DeLancey JO: Functional anatomy of the female pelvic floor. *Ann N Y Acad Sci*. 2007; 1101: 266-96.
26. DeLancey JO, Morgan DM, Fenner DE, Kearney R, Guire K, Miller JM, Hussain H, Umek W, Hsu Y, Ashton-Miller JA: Comparison of levator ani muscle defects and function in women with and without pelvic organ prolapse. *Obstet Gynecol*. 2007; 109 (2 Pt 1): 295-302.
27. Leffler KS, Thompson JR, Cundiff GW, Buller JL, Burrows LJ, Schon Ybarra MA: Attachment of the rectovaginal septum to the pelvic sidewall. *Am J Obstet Gynecol*. 2001; 185: 41-3.
28. Vleeming A, Mooney V, Stoeckart R: *Movement, Stability and Low Back Pain: The Essential Role of the Pelvis*, 1st. ed., Churchill Livingstone, 1997.
29. Vleeming A, Mooney V, Stoeckart R: *Movement, Stability and Lumbopelvic Pain: Integration of Research and Therapy*, 2nd. ed., Churchill Livingstone, 2007.
30. Barker PJ, Briggs CA, Bogeski G: Tensile transmission across the lumbar fasciae in unembalmed cadavers: effects of tension to various muscular attachments. *Spine*. 2004; 29: 129-38.
31. Barker PJ, Guggenheimer KT, Grkovic I, Briggs CA, Jones DC, Thomas CD, Hodges PW: Effects of tensioning the lumbar fasciae on segmental stiffness during flexion and extension. *Spine*. 2006; 31: 397-405.
32. Barker PJ, Briggs CA: Attachments of the posterior layer of lumbar fascia. *Spine*. 1999; 24: 1757-64.
33. Schleip R, Klingler W Lehmann-Horn F: Active fascial contractility: fascia may be able to contract in a smooth muscle-like manner and thereby influence musculoskeletal dynamics. *Med Hypotheses*. 2005; 65: 273-7.
34. Hungerford B, Gilleard W, Lee D: Altered patterns of pelvic bone motion determined in subjects with posterior pelvic pain using skin markers. *Clin Biomech*. 2004; 19: 456-64.
35. Jacob HA, Kissling RO: The mobility of the sacroiliac joints in healthy volunteers between 20 and 50 years of age. *Clin Biomech*. 1995; 10: 352-61.
36. Kissling RO, Jacob HA: The mobility of the sacroiliac joint in healthy subjects. *Bull Hosp Jt Dis*. 1996; 54: 158-64.
37. Lund PJ, Krupinski EA, Brooks WJ: Ultrasound evaluation of sacroiliac motion in normal volunteers. *Acad Radiol*. 1996; 3: 192-6.
38. Buyruk HM, Snijders CJ, Vleeming A, Lameris JS, Holland WP, Stam HJ: The measurements of sacroiliac joint stiffness with colour Doppler imaging: a study on healthy subjects. *Eur J Radiol*. 1995; 21: 117-21.
39. Buyruk HM, Stam HJ, Snijders CJ, Lameris JS, Holland WP, Stijnen TH: Measurement of sacroiliac joint stiffness in peripartum pelvic pain patients with Doppler imaging of vibrations (DIV). *Eur J Obstet Gynecol Reprod Biol*. 1999; 83: 159-63.
40. Buyruk HM, Stam HJ, Snijders CJ, Vleeming A, Lameris JS, Holland WP: The use of color Doppler imaging for

40. the assessment of sacroiliac joint stiffness: a study on embalmed human pelvises. *Eur J Radiol*. 1995; 21: 112-6.
41. Richardson CA, Snijders CJ, Hides JA, Damen L, Pas MS, Storm J: The relation between the transversus abdominis muscles, sacroiliac joint mechanics, and low back pain. *Spine*. 2002; 27: 399-405.
42. van Wingerden JP, Vleeming A, Buyruk HM, Raissadat K: Stabilization of the sacroiliac joint *in vivo*: verification of muscular contribution to force closure of the pelvis. *Eur Spine J*. 2004; 13: 199-205.
43. Pool-Goudzwaard A, van Dijke GH, van Gurp M, Mulder P, Snijders C, Stoeckart R: Contribution of pelvic floor muscles to stiffness of the pelvic ring. *Clin Biomech*. 2004; 19: 564-71.
44. Pel JJ, Spoor CW, Pool-Goudzwaard AL, Hoek van Dijke GA, Snijders CJ: Biomechanical analysis of reducing sacroiliac joint shear load by optimization of pelvic muscle and ligament forces. *Ann Biomed Eng*. 2008; 36: 415-24.
45. Walheim GG, Selvik G: Mobility of the pubic symphysis. *In vivo* measurements with an electromechanic method and a roentgen stereophotogrammetric method. *Clin Orthop Relat Res*. 1984; (191): 129-35.
46. Snijders CJ, Vleeming A, Stoeckart R: Transfer of lumbosacral load to iliac bones and legs: part 1: biomechanics of self-bracing of the sacroiliac joints and its significance for treatment and exercise. *Clin Biomech*, 1993; 8; 285-94.
47. Thompson JA, O'Sullivan PB, Briffa NK, Neumann P: Altered muscle activation patterns in symptomatic women during pelvic floor muscle contraction and Valsalva manouevre. *Neurourol Urodyn*. 2006; 25: 268-76.
48. Neumann P, Gill V: Pelvic floor and abdominal muscle interaction: EMG activity and intra-abdominal pressure. *Int Urogynecol J Pelvic Floor Dysfunct*. 2002; 13: 125-32.
49. Sapsford RR, Hodges PW, Richardson CA, Cooper DH, Markwell SJ, Jull GA: Co-activation of the abdominal and pelvic floor muscles during voluntary exercises. *Neurourol Urodyn*. 2001; 20: 31-42.
50. Sjodahl J, Kvist J, Gutke A, Oberg B: The postural response of the pelvic floor muscles during limb movements: a methodological electromyography study in parous women without lumbopelvic pain. *Clin Biomech*. 2009; 24: 183-9.
51. Hodges PW, Sapsford R, Pengel LH: Postural and respiratory functions of the pelvic floor muscles. *Neurourol Urodyn*. 2007; 26: 362-71.
52. Sapsford RR, Richardson CA, Maher CF, Hodges PW: Pelvic floor muscle activity in different sitting postures in continent and incontinent women. *Arch Phys Med Rehabil*. 2008; 89: 1741-7.
53. Donisch EW, Basmajian JV: Electromyography of deep back muscles in man. *Am J Anat*. 1972; 133: 25-36.
54. Morris JM, Benner G, Lucas DB: An electromyographic study of the intrinsic muscles of the back in man. *J Anat*. 1962; 96 (Pt 4): 509-20.
55. Moseley GL, Hodges PW, Gandevia SC: Deep and superficial fibers of the lumbar multifidus muscle are differentially active during voluntary arm movements. *Spine*. 2002; 27: E29-36.

〔伊藤　渉〕

2. 股関節の解剖・運動学・バイオメカニクス

はじめに

股関節は大腿骨頭と寛骨の寛骨臼から構成された人体最大の荷重関節であり，二足歩行をする際に最も重要な関節の1つである。股関節疾患は小児から高齢者まで多種で患者数も多い。一方，スポーツで発生する股関節疾患については，近年になって急に注目されてきた。この背景には，臼蓋関節唇損傷に対する鏡視下手術の治療成績の目覚しい進歩がある。本項では，股関節疾患の理解に必要となる股関節の解剖学，運動学，バイオメカニクスに関する文献をレビューし，危険因子やメカニズムについての知見を整理した。

A. 文献検索方法

検索エンジンとしてPubMedを用い，2012年11月に文献検索を実施した。検索語として，「hip joint」「biomechanics」「kinematics」「kinetics」「femur」「acetabulum」「femoral neck angle」「CCD angle」「anteversion angle」「iliofemoral ligament」「ischiofemoral ligament」「range of motion」「gait」「normal」「gender difference」を組み合わせて検索に用いた。そのなかから本項のテーマに合った論文を抽出し，さらに文献中の引用なども加えて32文献をレビューの対象とした。

B. 解剖学

股関節のバイオメカニクスを理解するため，大腿骨と寛骨臼の形態的評価・構造上の特徴について整理する。

1. 大腿骨
1) 頸体角

頸体角は大腿骨頭の長軸と大腿骨幹の長軸がなす角度を指し（図2-1），新生児から加齢とともにその角度は減少し続ける。頸体角の正常値は，Clarkら[1]のレビューやYoshiokaら[2]の論文を含め1987年までに発表された26論文において，121.4〜137.5°という結果であった。また，Bullerら[3]による3D-CTによる測定では，127.8〜128.7°であった。

頸体角の変化が股関節の安定化に与える影響を検証したin vitro研究がある。Birnbaumら[4,5]は，大転子の位置に圧力センサーを設置したカスタムメイドの人工大腿骨頭を屍体標本の股関節に埋設し，頸体角を115〜155°に変化させた際の腸脛靱帯の靱帯下圧力を記録した。その結果，頸体角

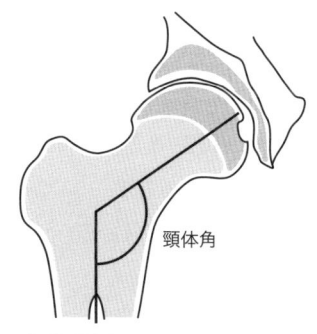

図2-1 頸体角
頸体角は大腿骨頭の長軸と大腿骨幹の長軸がなす角度を指し，新生児から加齢とともに減少する。

第1章 骨盤・股関節の機能解剖

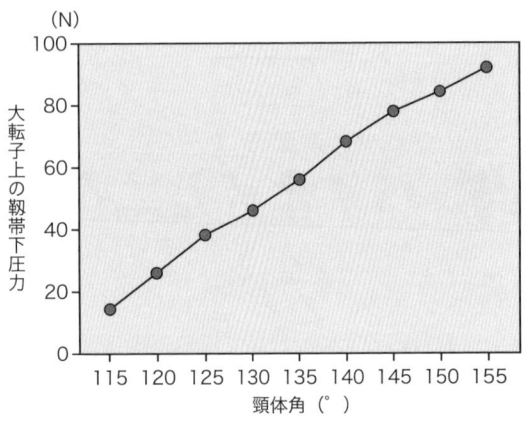

図2-2 大転子上の腸脛靱帯下圧力（文献5より引用）
大転子の高さでの靱帯下圧力が，頸体角の増加により上昇した。

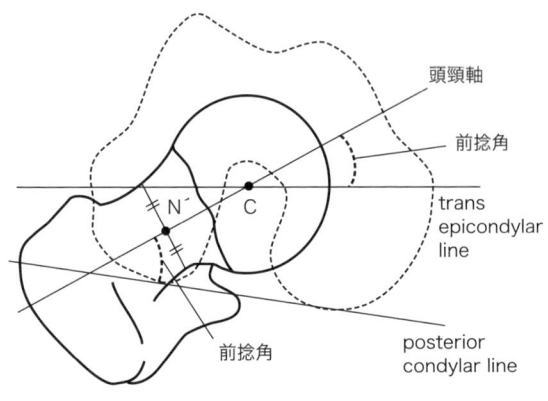

図2-3 大腿骨前捻角（文献6より改変）
C：大腿骨頭中心，N´：大腿骨頸の中点。前捻角は顆軸と頭頸軸のなす角とされるが，顆軸の定義は2種ある。

の増加により大転子の高さでの靱帯下圧力が上昇した（図2-2）。この結果について著者らは，頸体角の増大が相対的な大腿骨の延長をもたらしたためと考察した。

2）前捻角

前捻角は横断する顆軸と頭頸軸とのなす角度とされている。ただし，顆軸の定義として，内・外側上顆を結ぶライン（trans epicondylar line）と，内外側顆の後端を結ぶライン（posterior condylar line）の2つが使用されているため，数値の解釈において注意が必要である（図2-3）。前捻角の正常値について，Yoshiokaら[2,6]のレビューやReikerasら[7]の論文を含め，1987年までに発表された19論文をレビューした。その結果，正常値の範囲は7～34°であった。一方，3D-CTを用いた測定によると，前捻角の範囲は4.5～4.7°であった[3]。Fabryら[8]は，1～16歳の各年齢の前捻角を測定した結果，年齢に伴い前捻角が減少したと報告した。

前捻角の変化に伴う股関節の接触力について，Hellerら[9]は，人工股関節全置換術患者のコンピュータモデルを作成し，各モデルの前捻角度を増減させた際の歩行と階段での股関節の接触力をシミュレートした。その結果，前捻角を30°へ増加させたところ，すべての患者において股関節の接触力が増加し，その影響は最初の前捻角が小さな患者でより顕著であった。この結果は，大腿骨前捻角が近位大腿骨の筋骨格系負荷環境に強い影響をもっており，人工股関節全置換術の術後成績にも影響を与えることを示唆した。

2．寛骨臼

1）CE（center edge）角

CE（center edge）角は，骨頭中心を通る垂線と骨頭中心と臼蓋外側縁を結んだ線とのなす角度である。これは，寛骨臼の発達および大腿骨頭の変位の程度の尺度として，1939年にWibergらによって提唱され（図2-4），成人の正常値は25°以上であると記載した[10]。近年の論文では，CE角の正常値は35.8～37.9°であった[3,11]。CE角の加齢に伴う変化について，Fredensborg[10]は8～75歳の男女の股関節を各年代別に測定した結果，男女ともに15歳までに増加し，その後もわずかに増加が続くことを報告した（図2-5）。CE角の人種間での比較として，Yoshimuraら[12]

2. 股関節の解剖・運動学・バイオメカニクス

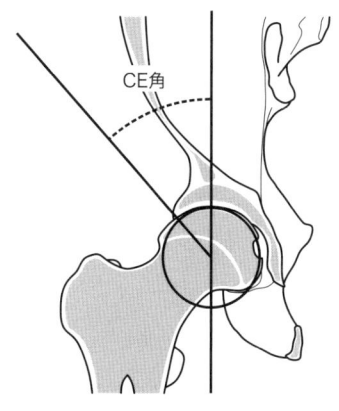

図 2-4 CE (center edge) 角
CE 角は，骨頭中心を通る垂線と骨頭中心と臼蓋外側縁を結んだ線とのなす角度である。

表 2-1 CE 角の人種間での比較（文献 12，13 より引用）

(p < 0.001)	男性	女性
日本人	31°	31°
イギリス人	36°	37°
(p < 0.05)	男性	女性
日本人	35.1°	32.8°
フランス人	37.8°	36.9°

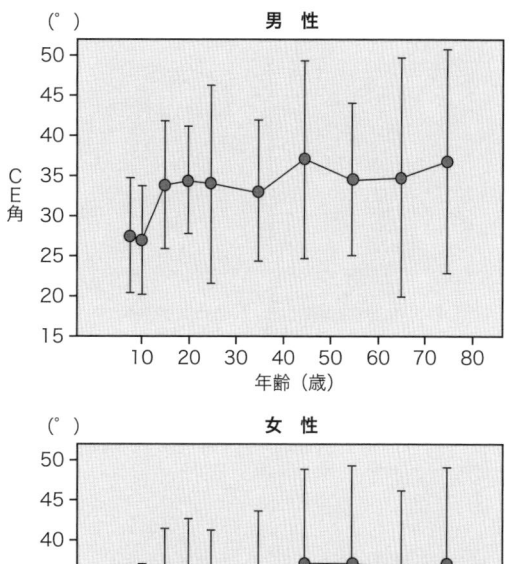

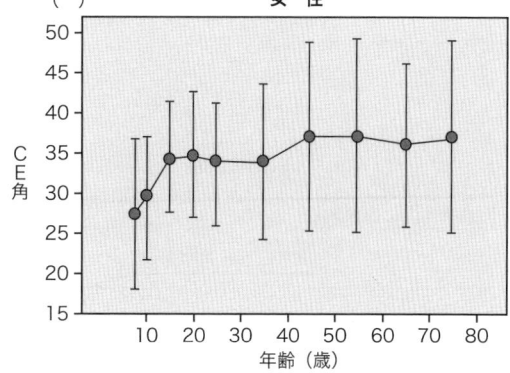

図 2-5 CE 角の年代別変化（文献 11 より引用）
CE 角は男女ともに 15 歳までに増加し，その後もわずかに増加が続く。

による日本人とイギリス人との比較と，Inoue ら[13]による日本人とフランス人との比較がある。いずれの研究においても，有意差をもって日本人の臼蓋のほうが浅かった。さらに Inoue ら[13]による日本人の男女間の比較では，女性の臼蓋が有意に浅かった（表 2-1）。

2）寛骨臼前捻角

寛骨臼前捻角は，矢状面と臼蓋前後縁を結ぶ線がなす角度である（図 2-6）。Perreira ら[14]による 2010 年までの 9 論文のレビューにおいて，寛骨臼前捻角の正常値は 15.1〜25.0°であり，女性の角度が大きかった。また，Perreira ら[14]は，3D-CT 測定において寛骨臼前捻角の男女間に有意差があり，寛骨臼の後捻が 7％に認められたと報告した。

3．骨形態が軟骨・関節唇へ与える影響

大腿骨と寛骨臼蓋の形態的特徴が股関節の病変の危険因子である可能性がある。Chegini ら[15]は，寛骨臼 CE 角と大腿骨 α 角を変化させた際の，歩行と座り動作における寛骨臼軟骨・関節唇にかかる応力をコンピュータ上でシミュレートした。α 角とは大腿骨頭に対する頸部の突出度合であり，大腿骨側に病変が生じる"キャム型"の寛骨臼唇インピンジメントとの関連性が強い指標である（図 2-7）。CE 角と α 角が増加すると，座り動作の姿勢変換の際にインピンジメントに関連する接触圧が増加した。また，CE 角が 20°以下の臼蓋形成不全股関節において，歩行などの荷重動作

第1章 骨盤・股関節の機能解剖

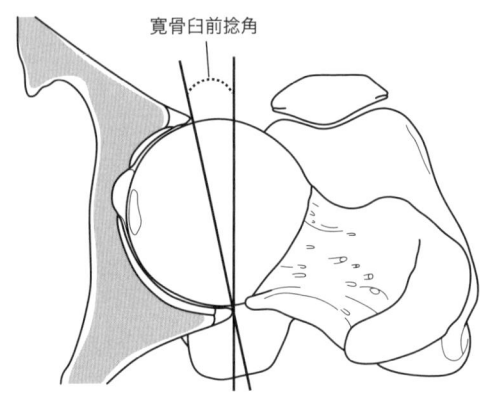

図2-6 寛骨臼前捻角
寛骨臼前捻角は，矢状面と臼蓋前後縁を結ぶ線がなす角度である。

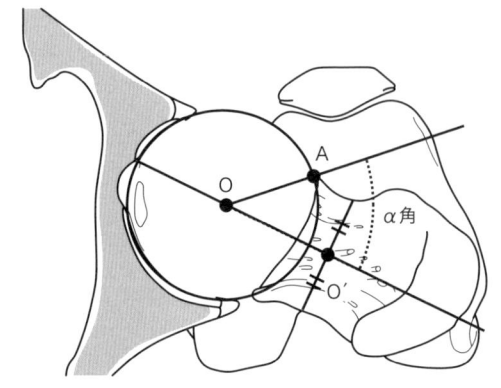

図2-7 α角
O：大腿骨頭中心，A：大腿骨頭が球上から逸脱する前方点，O´：大腿骨頭の中点。α角は大腿骨頭に対する頸部の突出度合を表わす。

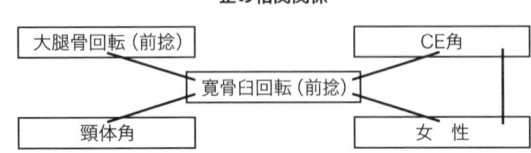

図2-8 大腿骨と寛骨臼のアライメントの相関関係

で高い応力が生じた。以上より，CE角が20°以上30°以下，α角が50°以下の範囲で，2つの動作における応力が最小となると結論づけた。

4. 大腿骨と寛骨臼アライメントとの関係

大腿骨および臼蓋周辺のアライメントの指標の相互の関連性についての調査が行われてきた。Bullerら[3]は，230の正常股関節を3D-CTで測定し，股関節周囲のアライメントの指標間に相関関係があることを報告した。正の相関関係は，大腿骨前捻と寛骨臼前捻の間，頸体角と寛骨臼前捻の間，寛骨臼前捻と女性の間，寛骨臼前捻とCE角の間，CE角と女性の間に見出された。CE角と女性の関係は従来の報告とは逆の結果であった。一方，負の相関関係は，寛骨臼傾斜と大腿骨前捻の間，寛骨臼傾斜と寛骨臼前捻の間，寛骨臼傾斜とCE角の間，頸体角と年齢の間に見出された。頸体角と年齢の関係は従来の報告を支持するものであった（図2-8）。

C. 運動学・バイオメカニクス

股関節には十分な荷重と多様な三次元的な動きに耐えうる安定性が要求される。そのための構造上の特徴に加え，安定化機構として重要な働きを担う靱帯や関節唇について整理する．

1. 股関節の靱帯

1）靱帯の付着位置とその強度

股関節を包む関節包靱帯において，安定化機構として代表的な靱帯は腸骨大腿靱帯，恥骨大腿靱帯，坐骨大腿靱帯の3つである。Telleriaら[16]は新鮮凍結屍体の股関節の解剖を行い，各靱帯の平均付着位置を報告した。寛骨臼の上方を12時，前方を3時，下方を6時，後方を9時とする時計表示において，腸骨大腿靱帯は12時45分～3

2. 股関節の解剖・運動学・バイオメカニクス

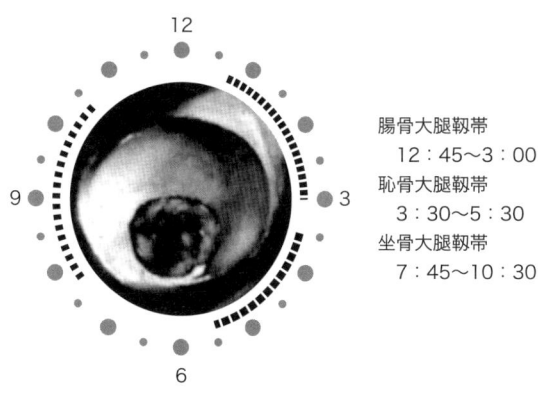

図2-9 靱帯の平均付着位置（文献16より引用）
上方を12時，前方を3時，下方を6時，後方を9時とする時計表示における各靱帯の平均付着位置を示す。

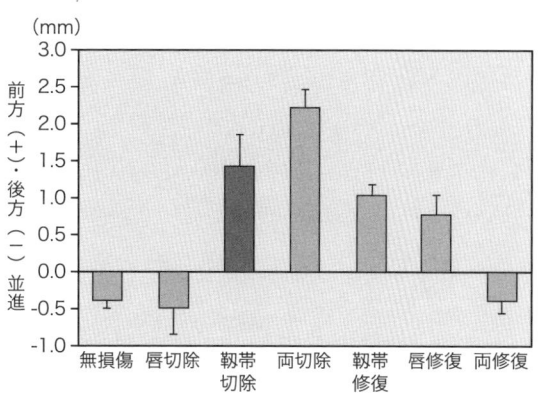

図2-10 股関節並進の制御における腸骨大腿靱帯と関節唇の相対的寄与（文献22より引用）

時00分，恥骨大腿靱帯は3時30分～5時30分，坐骨大腿靱帯は7時45分～10時30分の位置に付着していた（図2-9）。靱帯の強度ついて，腸骨大腿靱帯は人体で最強の靱帯とされている。しかし，Hewittら[17, 18]は各靱帯の機械的性質について破断強度を検討した結果，腸骨大腿靱帯の破断強度は坐骨大腿靱帯より強いものの，その強度は横断面積の広さに由来しているため機械的性質には有意差がなかったと報告した。

2）靱帯の機能

1990年代までは股関節運動の制限に対する研究が行われていた。Fussら[19]による28報告のレビューによると，腸骨大腿靱帯の上部は内転と外旋を，腸骨大腿靱帯の下部は伸展を，恥骨大腿靱帯は外転を，坐骨大腿靱帯は内旋と屈曲を制限すると推測された。ただし，さまざまな報告があったため，統一した見解を得ることは不可能であった。

2000年以降，定量的な研究が進められ，徐々にこれらの靱帯の機能の詳細が明らかとなってきた。Martinら[20]の回旋における定量分析では，内旋制動は坐骨大腿靱帯，外旋制動は上腸骨大腿靱帯の貢献が大きいと報告した。Hidakaら[21]に

よる腸骨大腿靱帯の定量分析では，腸骨大腿靱帯の上部は内転＋外旋，下部は伸展＋外旋で緊張が増加することを報告した。また，Myersら[22]による腸骨大腿靱帯と関節唇による相対的寄与の研究では，股関節の外旋や並進の制御には腸骨大腿靱帯の寄与が大きいと報告した（図2-10）。以上のように近年では定量的な研究が発表されたが，各靱帯の制限方向は過去の論文と一致していた。

2．関節唇の機能

寛骨臼蓋の関節唇の機能について，1990年代には関節唇は荷重時の接触面積の増加や，負荷の分散，股関節への接触応力の減少への寄与は少ないと報告された[23]。しかし，2000年以降，改めて関節唇の関節安定化機能が注目されている。

1）シーリングによる安定化

関節包内圧は股関節の安定性に重要な役割を果たしている。股関節唇が大腿骨骨頭のまわりをマフラーのように包み込み，骨頭が臼蓋からはずれないようにシーリング（sealing：密封）し，吸引すると考えられてきた。Wingstrandら[24]は6体の屍体股関節の関節包を残した状態とし，大腿骨頸部の軸に沿って牽引力を加え，大腿骨頭の平

第1章 骨盤・股関節の機能解剖

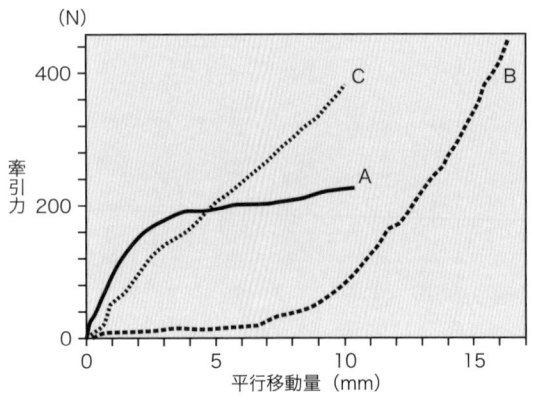

図2-11 牽引力に対するシーリングの効果（文献24より引用）
A：正常股関節，B：関節包に小さな縦方向の切開，股関節中間位，C：関節包は切開，股関節完全伸展位。成人の正常股関節は約200 Nの牽引力で脱臼し，内圧の影響を除去すると，ほとんど牽引力を発揮することなく約8 mm亜脱臼する。Cは伸展位では靱帯の緊張が高まるため，牽引力が高い。

行移動量（mm）をひずみゲージ変換器で記録した。その結果，成人の正常股関節は約200 Nの牽引力で脱臼したのに対し，関節包を開いて内圧の影響を除去すると股関節はほとんど牽引力を発揮することなく約8 mm亜脱臼した（図2-11）。ウシの股関節を用いたFergusonら[25]による研究では，関節唇による関節内密封が荷重時の関節面の接触を防ぎ，軟骨層を保護すると報告した。さらに屍体の股関節を用いた研究では，関節内密封により関節液が加圧され，関節の潤滑が向上した[26]。またCrawfordら[27]は，牽引負荷に対しても関節唇が関節内を陰圧に保ち，安定化をもたらすと報告した。以上のことから，関節唇のシーリングにより股関節は荷重・牽引負荷に対して安定化されているといえる。

2）関節唇による大腿骨頭安定化機能

関節唇損傷と大腿骨頭の安定性について屍体研究が実施されてきた。Crawfordら[27]は，関節唇を15 mm切開したところ，正常股関節より外転・外旋可動域が増加したことを報告した。Smithら[28]は，2 cm以上の関節唇切除により骨頭の前方安定力が減少したと報告した（図2-12）。以上より関節唇が大腿骨頭の求心性を向上させていると考えられる。

3）股関節運動による関節唇の歪み

股関節運動による関節唇へのストレスに関して研究されてきた。Safranら[29]は，関節唇の前側，前外側，外側，後側に圧力センサーを配置し，股

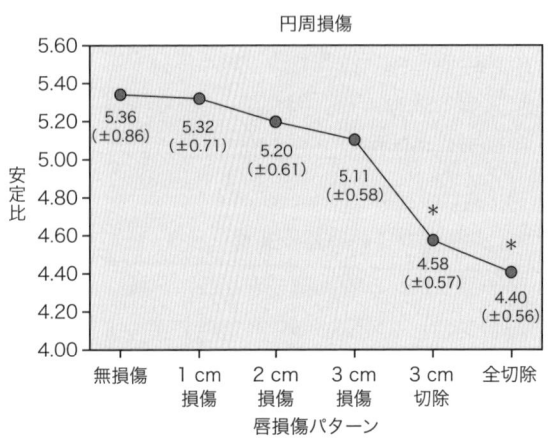
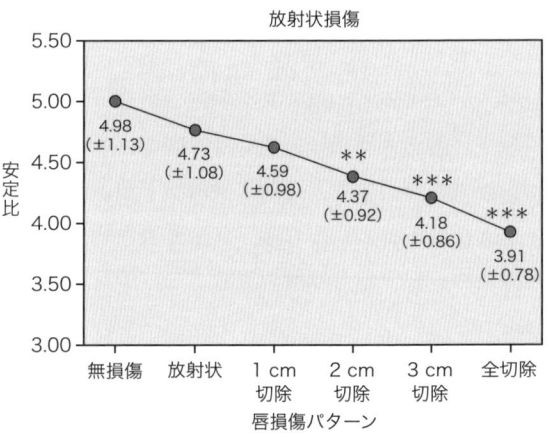

図2-12 関節唇の損傷と骨頭安定性（文献28より引用）
3 cm以下の円周損傷・放射状損傷では安定比（＝ピーク前方脱臼力/圧縮負荷）の有意な減少はみられないが，2 cmの関節唇切除が行われると有意に減少する。＊：$p < 0.001$ vs. 無損傷，＊＊：$p = 0.004$ vs. 無損傷，＊＊＊：$p < 0.001$ vs. 無損傷。

表2-2 股関節の運動に対する関節唇の各部位における歪み増加肢位

前側	・屈曲：90°屈曲位 ・内外転：中間位〜外転位 ・内外旋：内外旋位ともに	外側（上方）	・屈曲：90°〜最大屈曲位 ・内外転：中間位〜外転位 ・内外旋：中間位〜外旋位
前外側（前上方）	・屈曲：**90°屈曲***位 ・内外転：中間位〜**内転***位 ・内外旋：**内旋***位	後側	・屈曲：中間位〜**伸展****位 ・内外転：中間位〜外転位 ・内外旋：**外旋****位

*：インピンジメントテスト肢位と一致，**：後方インピンジメントテスト肢位と一致．

関節の運動に対する関節唇の歪み増加肢位を計測した．その結果，関節唇前外側の歪み増加肢位は，股関節90°屈曲，内転，内旋のインピンジメントテスト肢位と一致しており，さらに後側の歪みの減少を確認した．また後側の歪み増加肢位は股関節伸展，外旋の後方インピンジメントテスト肢位と一致していた（表2-2）．一方，Dyら[30]は関節唇前部にマーカーを4つ挿入し，わずかな屈曲・伸展域での関節唇前部の歪みを測定した．その結果，浅屈曲位や伸展位での外転・外旋負荷によっても伸張歪みが増加した．この結果より，大腿骨・寛骨臼インピンジメントとは異なり，反復ツイストやピボット動作による関節唇損傷の可能性が示唆された．

3. 関節包内運動

股関節の関節包内運動の報告は，近年になり散見されるようになった．MRIを用いた骨頭変位について，Gillesら[31]は股関節最大屈曲時に2.12±0.79 mmの変位を報告したが，具体的な変位の方向の記載はなかった．Akiyamaら[32]は，3D-MRIを用いて，正常男女と女性臼蓋形成不全患者を対象に中間位から屈曲45°，伸展15°，Patrick positionの3肢位における骨頭中心の変位を計測した．その結果，屈曲45°時に前下方へ，伸展15°時に前方へ，Patrick position時に後下内側へ変位した．正常男女間では有意差は認められず，屈曲45°とPatrick positionでの変位量において正常女性と女性臼蓋形成不全患者間に有意差を認めた．特にPatrick positionでは，女性臼蓋形成不全患者でのCE角と変位量に強い負の相関を認め，CE角の減少が股関節不安定性に強く関係していることが示唆された．

D. まとめと今後の課題

1. すでに真実として承認されていること

- 頸体角，大腿骨前捻角，CE角は加齢に伴い変化する．
- 女性は男性に比べ，寛骨臼前捻角が大きい．
- 股関節の靱帯では腸骨大腿靱帯が最も強い．
- 股関節インピンジメントテストと寛骨臼唇へのストレスが一致している．
- 関節唇のシーリング機能が股関節安定性に寄与している．

2. 議論の余地はあるが，今後の重要な研究テーマとなること

- CE角は男女差が逆の報告もあり，加齢に伴い増加することを考えると，対象年齢を考慮する必要がある．
- 大腿骨前捻角は顆軸の設定が一定でないことを考慮する必要がある．
- 関節唇へのストレス肢位・負荷力の詳細な評価が期待される．
- 関節包内運動の定量的評価が期待される．

第1章 骨盤・股関節の機能解剖

文　献

1. Clark JM, Freeman MA, Witham D: The relationship of neck orientation to the shape of the proximal femur. *J Arthroplasty*. 1987; 2: 99-109.
2. Yoshioka Y, Cooke TD: Femoral anteversion: assessment based on function axes. *J Orthop Res*. 1987; 5: 86-91.
3. Buller LT, Rosneck J, Monaco FM, Butler R, Smith T, Barsoum WK: Relationship between proximal femoral and acetabular alignment in normal hip joints using 3-dimensional computed tomography. *Am J Sports Med*. 2012; 40: 367-75.
4. Birnbaum K, Siebert CH, Pandorf T, Schopphoff E, Prescher A, Niethard FU: Anatomical and biomechanical investigations of the iliotibial tract. *Surg Radiol Anat*. 2004; 26: 433-46.
5. Birnbaum K, Prescher A, Niethard FU: Hip centralizing forces of the iliotibial tract within various femoral neck angles. *J Pediatr Orthop B*. 2010; 19: 140-9.
6. Yoshioka Y, Siu D, Cooke TD: The anatomy and functional axes of the femur. *J Bone Joint Surg Am*. 1987; 69: 873-80.
7. Reikeras O, Bjerkreim I, Kolbenstvedt A: Anteversion of the acetabulum and femoral neck in normals and in patients with osteoarthritis of the hip. *Acta Orthop Scand*. 1983; 54: 18-23.
8. Fabry G, MacEwen GD, Shands AR Jr: Torsion of the femur. A follow-up study in normal and abnormal conditions. *J Bone Joint Surg Am*. 1973; 55: 1726-38.
9. Heller MO, Bergmann G, Deuretzbacher G, Claes L, Haas NP, Duda GN: Influence of femoral anteversion on proximal femoral loading: measurement and simulation in four patients. *Clin Biomech (Bristol, Avon)*. 2001; 16: 644-9.
10. Fredensborg N: The CE angle of normal hips. *Acta Orthop Scand*. 1976; 47: 403-5.
11. Daysal GA, Goker B, Gonen E, Demirag MD, Haznedaroglu S, Ozturk MA, Block JA: The relationship between hip joint space width, center edge angle and acetabular depth. *Osteoarthritis Cartilage*. 2007; 15: 1446-51.
12. Yoshimura N, Campbell L, Hashimoto T, Kinoshita H, Okayasu T, Wilman C, Coggon D, Croft P, Cooper C: Acetabular dysplasia and hip osteoarthritis in Britain and Japan. *Br J Rheumatol*. 1998; 37: 1193-7.
13. Inoue K, Wicart P, Kawasaki T, Huang J, Ushiyama T, Hukuda S, Courpied J: Prevalence of hip osteoarthritis and acetabular dysplasia in French and Japanese adults. *Rheumatology (Oxford)*. 2000; 39: 745-8.
14. Perreira AC, Hunter JC, Laird T, Jamali AA: Multilevel measurement of acetabular version using 3-D CT-generated models: implications for hip preservation surgery. *Clin Orthop Relat Res*. 2011; 469: 552-61.
15. Chegini S, Beck M, Ferguson SJ: The effects of impingement and dysplasia on stress distributions in the hip joint during sitting and walking: a finite element analysis. *J Orthop Res*. 2009; 27: 195-201.
16. Telleria JJ, Lindsey DP, Giori NJ, Safran MR: An anatomic arthroscopic description of the hip capsular ligaments for the hip arthroscopist. *Arthroscopy*. 2011; 27: 628-36.
17. Hewitt JD, Glisson RR, Guilak F, Vail TP: The mechanical properties of the human hip capsule ligaments. *J Arthroplasty*. 2002; 17: 82-9.
18. Hewitt J, Guilak F, Glisson R, Vail TP: Regional material properties of the human hip joint capsule ligaments. *J Orthop Res*. 2001; 19: 359-64.
19. Fuss FK, Bacher A: New aspects of the morphology and function of the human hip joint ligaments. *Am J Anat*. 1991; 192: 1-13.
20. Martin HD, Savage A, Braly BA, Palmer IJ, Beall DP, Kelly B: The function of the hip capsular ligaments: a quantitative report. *Arthroscopy*. 2008; 24: 188-95.
21. Hidaka E, Aoki M, Muraki T, Izumi T, Fujii M, Miyamoto S: Evaluation of stretching position by measurement of strain on the ilio-femoral ligaments: an *in vitro* simulation using trans-lumbar cadaver specimens. *Man Ther*. 2009; 14: 427-32.
22. Myers CA, Register BC, Lertwanich P, Ejnisman L, Pennington WW, Giphart JE, LaPrade RF, Philippon MJ: Role of the acetabular labrum and the iliofemoral ligament in hip stability: an *in vitro* biplane fluoroscopy study. *Am J Sports Med*. 2011; 39 Suppl: 85S-91S.
23. Konrath GA, Hamel AJ, Olson SA, Bay B, Sharkey NA: The role of the acetabular labrum and the transverse acetabular ligament in load transmission in the hip. *J Bone Joint Surg Am*. 1998; 80: 1781-8.
24. Wingstrand H, Wingstrand A, Krantz P: Intracapsular and atmospheric pressure in the dynamics and stability of the hip. A biomechanical study. *Acta Orthop Scand*. 1990; 61: 231-5.
25. Ferguson SJ, Bryant JT, Ganz R, Ito K: The acetabular labrum seal: a poroelastic finite element model. *Clin Biomech (Bristol, Avon)*. 2000; 15: 463-8.
26. Ferguson SJ, Bryant JT, Ganz R, Ito K: An *in vitro* investigation of the acetabular labral seal in hip joint mechanics. *J Biomech*. 2003; 36: 171-8.
27. Crawford MJ, Dy CJ, Alexander JW, Thompson M, Schroder SJ, Vega CE, Patel RV, Miller AR, McCarthy JC, Lowe WR, Noble PC: The biomechanics of the hip labrum and the stability of the hip. *Clin Orthop Relat Res*. 2007; 465: 16-22.
28. Smith MV, Panchal HB, Ruberte Thiele RA, Sekiya JK: Effect of acetabular labrum tears on hip stability and labral strain in a joint compression model. *Am J Sports Med*. 2011; 39 Suppl: 103S-10S.
29. Safran MR, Giordano G, Lindsey DP, Gold GE, Rosenberg J, Zaffagnini S, Giori NJ: Strains across the acetabular labrum during hip motion: a cadaveric model. *Am J Sports Med*. 2011; 39 Suppl: 92S-102S.
30. Dy CJ, Thompson MT, Crawford MJ, Alexander JW, McCarthy JC, Noble PC: Tensile strain in the anterior part of the acetabular labrum during provocative maneuvering of the normal hip. *J Bone Joint Surg Am*. 2008; 90: 1464-72.
31. Gilles B, Christophe FK, Magnenat-Thalmann N, Becker CD, Duc SR, Menetrey J, Hoffmeyer P: MRI-based assessment of hip joint translations. *J Biomech*. 2009; 42: 1201-5.
32. Akiyama K, Sakai T, Koyanagi J, Yoshikawa H, Sugamoto K: Evaluation of translation in the normal and dysplastic hip using three-dimensional magnetic resonance imaging and voxel-based registration. *Osteoarthritis Cartilage*. 2011; 19: 700-10.

（角張　勲，丸山　潤，井上雅之）

3. 骨盤・股関節の筋・筋膜

はじめに

本項では，パーソナルコンピュータを用いた骨格筋モデル（musculoskeletal model）を用いて出されたデータも応用しながら，骨盤・股関節周囲の筋・筋膜に関する解剖学，運動学，バイオメカニクスに関連する文献に基づく情報を整理する。

A. 文献検索方法

検索エンジンとしてPubMedを用い，2012年に文献検索を実施した。論文のタイトル，抄録を参考にレビューの対象とする文献を選定した。検索ワードは，股関節周囲筋各筋の名称および「thoracolumbar fascia」「lumbar fascia」「hip」「anatomy」「function」とした。レビューの範囲を限定するため，表面筋電図に基づいた文献はレビューの対象外とした。また，レビューの対象となった文献中の引用文献も含めて合計83の文献をレビューし，うち43文献を本項の内容に含んだ。

B. モーメントアーム

股関節のモーメントアームに関する包括的なデータはなく，最も引用されている文献はDostalら[1]によるものとされる[2,3]。しかし，解剖学的肢位における数値のみが記載されており，データとして十分とはいえない。股関節のモーメントアームの特徴として，肢位に応じて値が大きく変化するだけでなく，モーメントの方向（機能）も変化することがあげられる。また，従来の骨格筋モデルでは，立体的な筋・筋群の複合的な形状が1つのベクトル（直線）に省略されるという欠点がある。一方，このような欠点を補うために，MRIを用いた image-based モデル開発の試みもなされてきた。股関節のモーメントアームに関する詳細なデータの必要性が高まっている[4]。

1. 屈筋群：腸腰筋（大腰筋・腸骨筋）

バイオメカニクスや解剖学のテキストにおいて，腸腰筋の主な機能は股関節・腰椎の屈曲，股関節の外旋などと記載されている。それらに加えて，股関節の安定[5〜8]と腰椎の安定機能[9〜14]についての研究が行われている。

Dostalら[1]は腸腰筋のモーメントアームについて表3-1のように報告した。注目すべき点としては，解剖学的肢位において水平面のモーメントアームが内旋に0.5 cmとされていた点であるが，この点についてDostalら[1]の報告において特別な言及はみられなかった。また，解剖学的肢位において水平面のモーメントアームがほぼ0となることから，腸腰筋の股関節外旋機能はなく，これはほかの肢位でも同様であった[15〜17]。屈筋モーメントについて，屈曲角度に伴うモーメント

表3-1 解剖学的肢位における腸腰筋（大腰筋・腸骨筋）のモーメントアーム（文献1より作成）

矢状面		水平面		前額面	
屈曲	1.8 cm	内旋	0.5 cm	外転	0.7 cm

第1章 骨盤・股関節の機能解剖

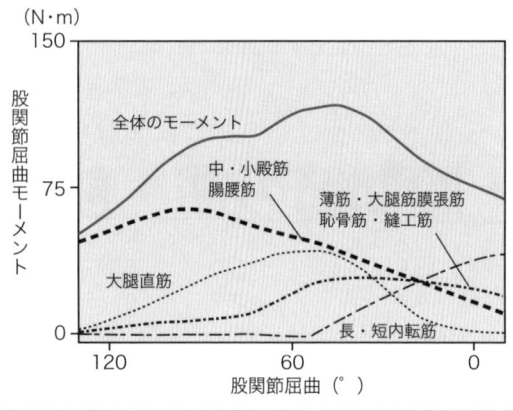

図3-1 股関節屈筋群のモーメント（文献18より引用）
股関節屈曲0〜30°では腸腰筋に加えて長・短内転筋も屈筋モーメントに寄与し，屈曲角度が増加するに従って長・短内転筋の貢献度は低下し，腸腰筋の貢献度が増す。

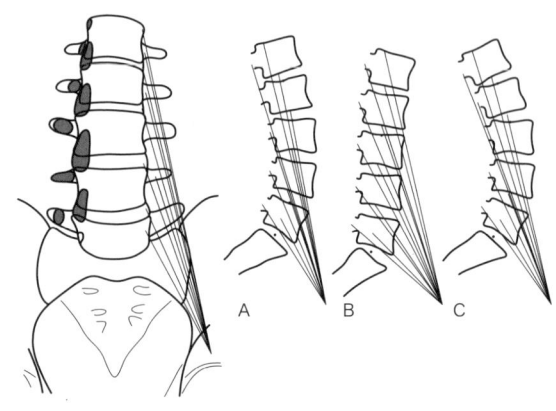

図3-2 大腰筋の付着部と作用線（文献10より引用）
A：中間位，B：屈曲位，C：伸展位。

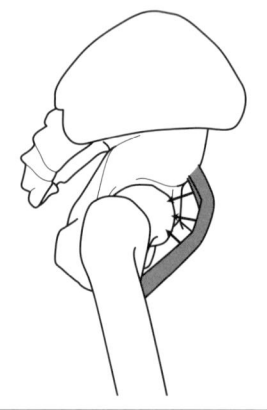

図3-3 股関節に対する腸腰筋の安定効果（文献23より引用）
大腿骨頭に対して，腸腰筋が矢印の方向に力を発揮している可能性がある。

アームの変化が報告された。骨格筋モデルに基づいたシミュレーションにおいて，Hoyら[18]は，股関節屈曲0〜30°では腸腰筋に加えて長・短内転筋も屈筋モーメントに寄与すること，そして屈曲角度が増加するに従って長・短内転筋の貢献度は低下し，腸腰筋の貢献度が増すことを見出した（図3-1）。同様に，Yoshioら[8]は，腸腰筋が45〜60°で最も効果的な屈筋機能を有すると報告した。

腸腰筋の腰椎の安定機能については多くの研究がなされてきたが，腰椎への安定性供給のメカニズムについて一致した結論は得られていない。腰椎への安定性供給のメカニズムの理論は，腰椎の長軸上の圧縮[9, 10, 13]（図3-2）と反回旋筋（derotator）という水平面上の機能を通じて腰椎の安定性機能を供給する[14]の2つに大別される。また，腸腰筋は腰椎上位において横隔膜の左・右脚を通じて横隔膜と連結し，骨盤底において骨盤底筋と筋膜的連続性を有し，腸腰筋がインナーコアを構成すると考えられている[11, 13, 19〜22]。しかし，今回のレビューでは，この点について詳細な検証を行った研究はみつけられなかった。

腸腰筋の股関節安定化機能についての報告は少なかった。Yoshioら[8]は股関節屈曲0〜15°において，腸腰筋はローテーターカフのように大腿骨頭を寛骨臼に対して圧迫し，股関節の安定性を向上させていたと報告した。Lewisら[23]は，骨格筋モデルを用いたシミュレーションにおいて，腸腰筋の出力が低下した状態では，大腿骨頭の前方方向への力が増加し，股関節の安定性が低下すると考察した（図3-3）。また，腸腰筋の停止部が関節唇と隣接していることから，腸腰筋が関節唇損傷と関係がある可能性が指摘された[5〜7]。

3. 骨盤・股関節の筋・筋膜

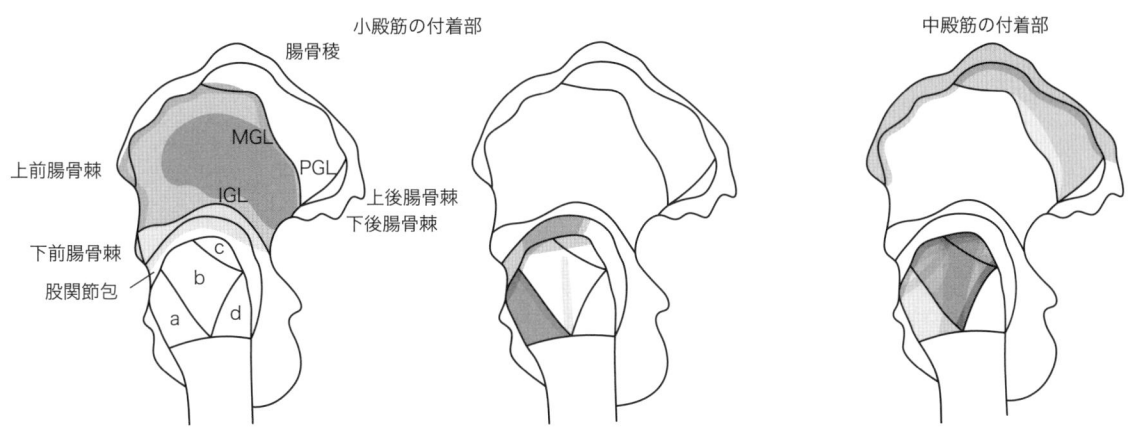

図 3-4 股関節外転筋の付着部（文献 25 より引用）
MGL：中殿筋線，PGL：後殿筋線，IGL：下殿筋線，a：大転子の前方ファセット，b：外側ファセット，c：後上方ファセット，d：後方ファセット。濃い部分ほど，その部分を付着部とした文献が多いことを示す。

2. 外転筋：中殿筋・小殿筋・大腿筋膜張筋・腸脛靱帯

成書では，中殿筋と小殿筋の主な機能は股関節の外転，外旋と記載されている。Gottschalk ら[24]は，中殿筋の機能に股関節の安定化が含まれると記載したが，その詳細は記載されなかった。図3-4 に Flack ら[25] による文献レビューに基づく中殿筋と小殿筋の付着部を示す。より色が濃い部分はその部位を付着部とする文献が多いことを示している。中殿筋線維の区分化についていくかの論文が存在する。中殿筋の区分を 2 つ[26]，3 つ[24, 27, 28]（図3-5），または区分なしとする研究があったが，それぞれの区分化の定義が異なるため情報の統合ができなかった[25]。

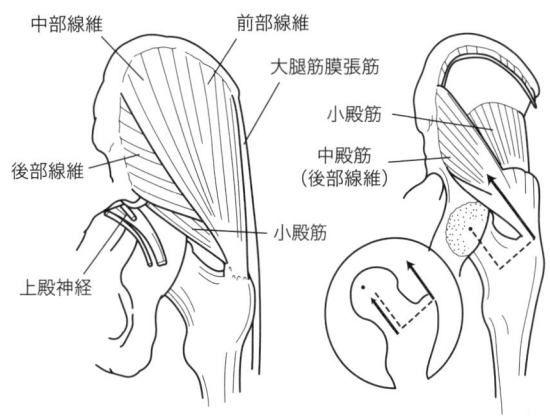

図 3-5 中殿筋の 3 線維（文献 24 より引用）
中殿筋が前部線維・中部線維・後部線維に分けられている。右は中殿筋後部線維とそのベクトルを表わしたもの。

表 3-2 外転筋のモーメントアーム（文献 1 より作成）

	矢状面		水平面		前額面	
中殿筋（前部線維）	伸展	0.8 cm	内旋	2.3 cm	外転	6.7 cm
中殿筋（中部線維）	伸展	1.4 cm	内旋	0.1 cm	外転	6.0 cm
中殿筋（後部線維）	伸展	1.9 cm	外旋	2.4 cm	外転	4.3 cm
小殿筋（前部線維）	屈曲	1.0 cm	内旋	1.7 cm	外転	5.8 cm
小殿筋（中部線維）	屈曲	0.2 cm	外旋	0.3 cm	外転	5.3 cm
小殿筋（後部線維）	伸展	0.3 cm	外旋	1.4 cm	外転	3.9 cm
大腿筋膜張筋	屈曲	3.9 cm		±0 cm	外転	5.2 cm

第1章 骨盤・股関節の機能解剖

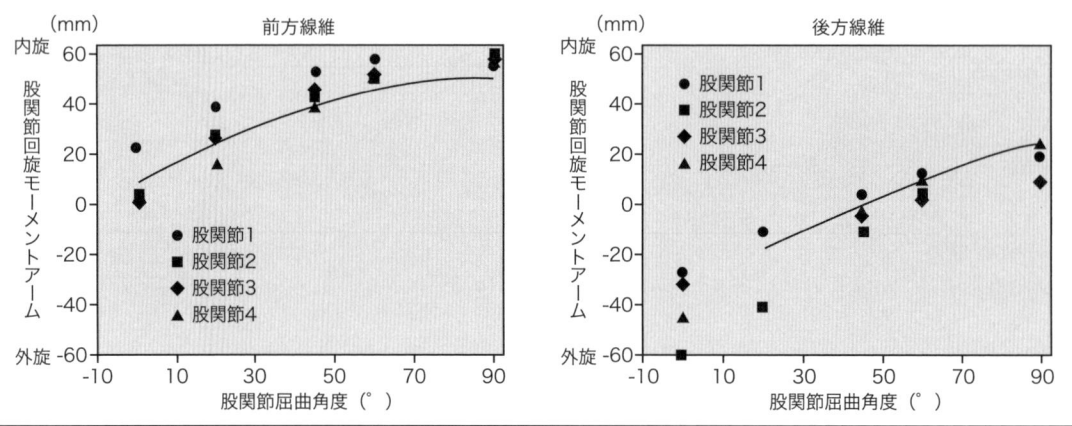

図3-6 中殿筋の回旋モーメントアーム（文献16より引用）
外旋モーメントアームは股関節の屈曲角度が上昇するに従って減少し，屈曲60°以上では外旋モーメントアームが喪失する。

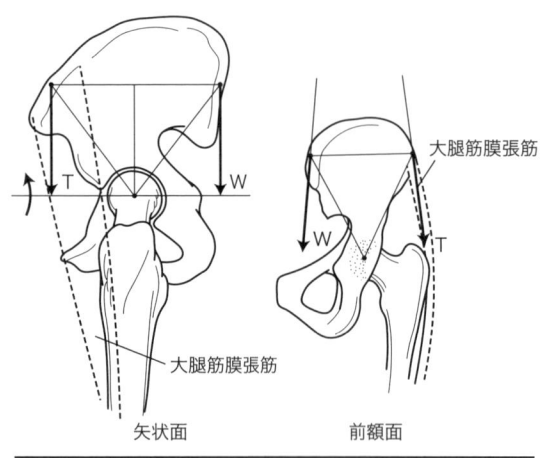

図3-7 大腿筋膜張筋の作用線（文献23より引用）
T：大腿筋膜張筋のベクトル，W：体重。三角形の頂点は股関節の回転軸に位置する。大腿筋膜張筋は，体重と同じレバーアームを有し，体重と拮抗を保つのに有利な位置を有する。

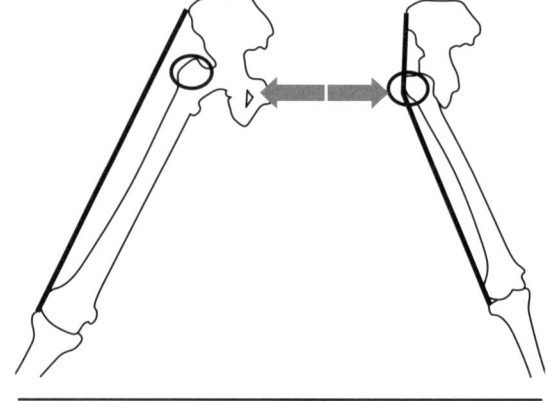

図3-8 大腿筋膜張筋・腸脛靱帯（太線）の股関節安定機能（文献29より引用）
股関節内転角度の上昇に伴い，大転子の高さでの腸脛靱帯下の力は上昇する。逆に，外転に伴い大転子の高さでの腸脛靱帯下の力は低下する。

表3-3 解剖学的肢位における大殿筋のモーメントアーム（文献1より作成）

矢状面		水平面		前額面	
伸展	4.6 cm	外旋	2.1 cm	内転	0.7 cm

　Dostalら[1]は，解剖学的肢位における中殿筋と小殿筋の各線維のモーメントアームを**表3-2**のように報告した。中殿筋の外転・外旋モーメントアームは股関節の屈曲角度が上昇するに従って減少し[1,16]，屈曲60°以上では外旋モーメントアームが喪失する[16]（**図3-6**）。

　大腿筋膜張筋・腸脛靱帯は外転機能を有する，と記載されることが多い。**図3-7**のように抗重力機能を有すると記載した研究もあったが[23,26]，これらは実測値に基づいたものではなく理論値であった。また，Birnbaumら[28,29]は，屍体を用いた実験に基づき，大腿筋膜張筋・腸脛靱帯は股関節安定化機能を有するとした（**図3-8**）。

3. 骨盤・股関節の筋・筋膜

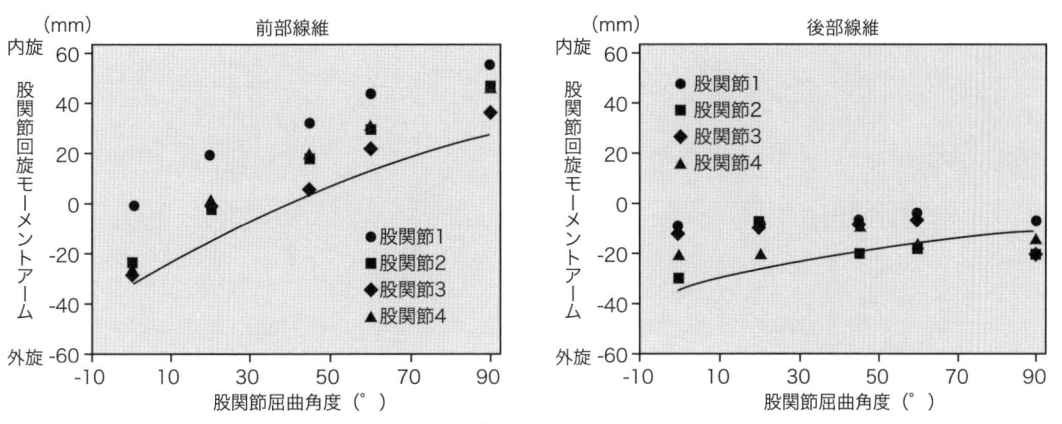

図3-9 大殿筋のモーメントアーム（文献16より引用）
大殿筋のモーメントアームも股関節の肢位に応じて大きく変化し，屈曲角度の増加に応じて外旋のモーメントアームは減少した．

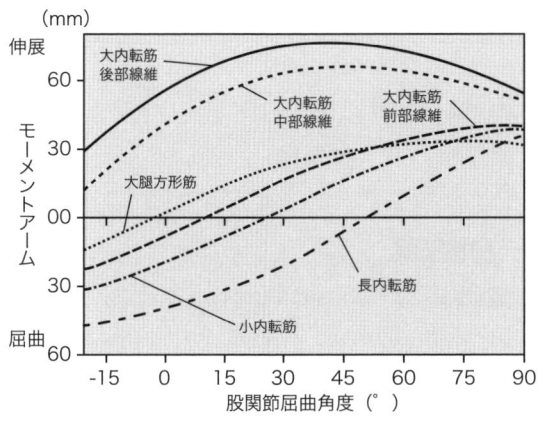

図3-10 股関節屈曲伸展モーメントアーム（文献1より引用）
股関節屈曲角度の上昇に伴い，殿筋の貢献度が低下し，内転筋群の貢献度が増加する．

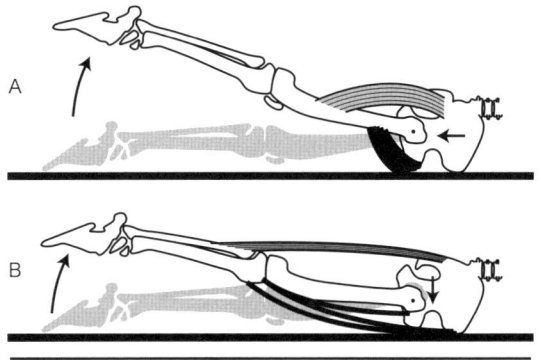

図3-11 大殿筋の股関節安定化機能（文献7より引用）
Aでは大殿筋が股関節の関節軸を維持・安定させている．Bのようにハムストリングスのみでは股関節伸展動作に伴い，関節軸が安定せず，寛骨臼内で大腿骨頭の前方移動が起こる．

3. 伸展筋：大殿筋

大殿筋の機能は股関節伸展と股関節外旋と記載されている．Dostalら[1]は解剖学的肢位における大殿筋のモーメントアームを**表3-3**のように報告した．大殿筋のモーメントアームも中殿筋と同様に股関節の肢位に応じて大きく変化し，屈曲角度の増加に応じて外旋のモーメントアームは減少した[15, 31]（**図3-9**）．股関節伸展のモーメントアームについて，骨格筋モデルを用いたシミュレーションの結果，股関節屈曲角度の増加に応じて大殿筋のモーメントアームは減少し，ハムストリングスと大内転筋のモーメントアームはともに増大した[15, 31]．これと対応するかのように，伸展モーメントも同様の傾向を示した．すなわち，股関節屈曲角度の上昇に伴い，殿筋の貢献度が低下し，内転筋群の貢献度が増加した[18, 32]（**図3-10**）．

書籍などに記載されない大殿筋の機能として，股関節の安定化作用がある．Sahrmannら[6, 7]は骨格筋モデルを用いたシミュレーションによって，大殿筋の出力低下がハムストリングスの代償

第1章 骨盤・股関節の機能解剖

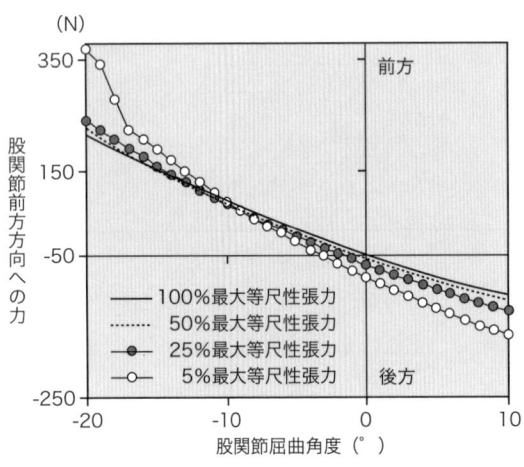

図3-12 大殿筋の出力低下と大腿骨骨頭の前方方向への力（文献6より引用）
腹臥位における股関節伸展動作において，大殿筋の出力低下に伴い，股関節前方方向への力は上昇する。

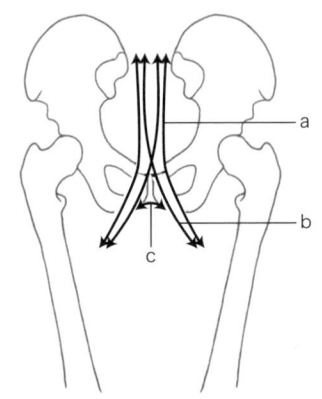

図3-13 腹直筋と内転筋群の筋膜的連続性（文献35より引用）
張力伝達経路の可能性を表わした図。長内転筋の腹直筋は，同側および対側への直接的な張力を伝達する可能性を有する。X字形の長内転筋は左右の張力伝達の可能性を有する。

的な出力の増加と，大腿骨骨頭にかかる前方への力の増加を招くことを示し，大殿筋に股関節安定化作用があることを示した（**図3-11**，**図3-12**）。

4．内転筋：長内転筋・短内転筋・大内転筋

表3-4に解剖学的肢位における内転筋群のモーメントアームを示した。このなかで大内転筋後部線維が最大の伸展モーメントアームをもち，大殿筋（4.6 cm）よりも大きい[1]。内転筋群のモーメントアームは肢位によって大きく変化する。内転筋群は伸展20°で屈曲モーメントアームを，屈曲50°以上ですべて伸展モーメントアームをもち，全体として股関節屈曲位では強い伸展機能を有していた[1]（**図3-10**）。内転筋群の解剖学的特徴として，長内転筋は恥骨結合関節包と腹直筋に筋膜的連続性をもつことが複数の研究によって報告された[33〜37]（**図3-13**）。

5．腰背筋膜

腰背筋膜は「thoracolumbar fascia」「vertebral aponeurosis」「lumbar fascia」「fascia lumbodorsalis moniker」などと呼ばれ，その呼称に関して混乱がある[38]。その解剖学的特徴について，Barkerら[39,40]は屍体を用いた研究を行い，第3腰椎レベルにおける腰背筋膜線維厚は前部線維0.10 mm，中部線維0.55 mm，後部線維0.52 mmと報告した。前部線維は中部線維の1/5であり，張力伝達機能はごくわずかと推測される（**図3-14**）。

腰背筋膜は多くの筋群と付着している（**図3-**

表3-4 解剖学的肢位における内転筋群のモーメントアーム（文献1より作成）

	矢状面		水平面		前額面	
短内転筋	屈曲	2.1 cm	内旋	0.5 cm	内転	7.6 cm
長内転筋	屈曲	4.1 cm	内旋	0.7 cm	内転	7.1 cm
大内転筋（前部線維）	伸展	1.5 cm	外旋	0.2 cm	内転	6.9 cm
大内転筋（後部線維）	伸展	5.8 cm	内旋	0.4 cm	内転	3.4 cm

3. 骨盤・股関節の筋・筋膜

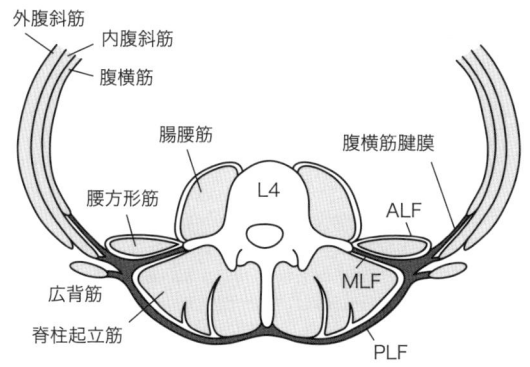

図3-14 腰椎4番レベルの腰背筋膜の配置（文献34より引用）
ALF：腰背筋膜前部線維，MLF：腰背筋膜中部線維，PLF：腰背筋膜後部線維。腰背筋膜の走行方向から，前部線維の張力伝達機能は，中部線維，後部線維よりごくわずかである。

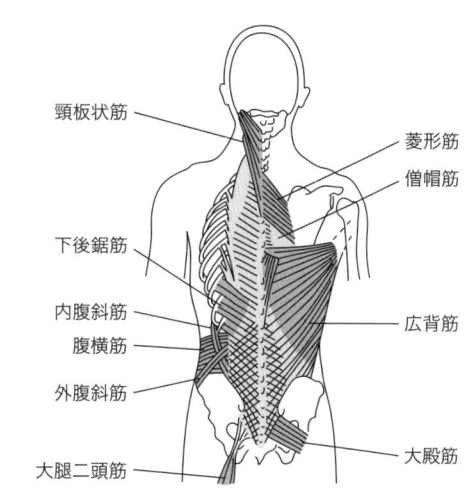

図3-15 腰背筋膜の後方線維と付着している筋群（文献44より引用）

15)。その機能として，腹横筋と中部線維の付着を通じた腰椎・仙腸関節の安定[38, 41～43]，広背筋・大殿筋と後部線維の付着を通じた下肢，上肢，骨盤，体幹の間の張力の伝達[39, 42～44]，後部線維を通じた脊柱起立筋に対する筋支帯と付属靱帯機能がある。また，側縫線（lateral raphe）を通じた伸展・反屈曲機能なども含まれる[38, 42, 43]（図3-16）。腰背筋膜後部線維は広背筋と対側の大殿筋と強い付着部をもち，腹横筋は腰背筋膜中部線維と強い付着をもつことから，それぞれの筋の張力は正中線を越えて両側の腰背筋膜への張力伝達があることが示唆された[43, 44]。一方，外・内側腹斜筋と腰背筋膜中部線維の付着は存在するものの[40, 44]，Barkerら[44]はその付着角度が直角に近いことから張力の伝達はわずかであると報告した。

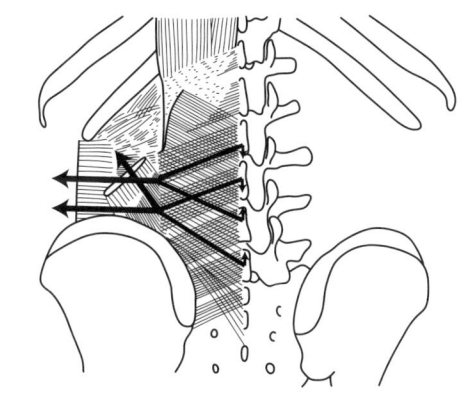

図3-16 腰背筋膜の張力伝達（文献42より引用）
側縫線を通じて脊柱に伝達された張力は上下関係にある椎骨を互いに密接させる。

- 腰背筋膜と下肢および上肢の筋肉には強い筋膜的連続性がある。
- 長内転筋と腹直筋・恥骨結合関節包には強い筋膜的連続性がある。

C. まとめと今後の課題

1. すでに真実として承認されていること
- 股関節周囲筋（特に外転筋群と内転筋群）のモーメントアームは肢位に応じて大きく変化する。

2. 議論の余地はあるが，今後の重要な研究テーマとなること
- 特にスポーツ特有の肢位に関するimage-basedの骨格筋モデルを用いたより正確なモーメントアームおよびモーメントの算出。

第1章 骨盤・股関節の機能解剖

● 部位間の筋膜的連続性がどのような機能的な役割を果たしているか。

3. 真実と思われていたが実は疑わしいこと

● 腸腰筋は股関節回旋機能を有していること。

文　献

1. Dostal WF, Soderberg GL, Andrews JG: Actions of hip muscles. *Phys Ther*. 1986; 66: 351-61.
2. Arnold AS, Salinas S, Asakawa DJ, Delp SL: Accuracy of muscle moment arms estimated from MRI-based musculoskeletal models of the lower extremity. *Comput Aided Surg*. 2000; 5: 108-19.
3. Neumann DA: Kinesiology of the hip: a focus on muscular actions. *J Orthop Sports Phys Ther*. 2010; 40: 82-94.
4. Blemker SS, Asakawa DS, Gold GE, Delp SL: Image-based musculoskeletal modeling: applications, advances, and future opportunities. *J Magn Reson Imaging*. 2007; 25: 441-51.
5. Alpert JM, Kozanek M, Li G, Kelly BT, Asnis PD: Cross-sectional analysis of the iliopsoas tendon and its relationship to the acetabular labrum: an anatomic study. *Am J Sports Med*. 2009; 37: 1594-8.
6. Lewis CL, Sahrmann SA, Moran DW: Anterior hip joint force increases with hip extension, decreased gluteal force, or decreased iliopsoas force. *J Biomech*. 2007; 40: 3725-31.
7. Sahrmann SA: *Diagnosis and Treatment of Movement Impairment Syndromes*, Mosby, 2001.
8. Yoshio M, Murakami G, Sato T, Sato S, Noriyasu S: The function of the psoas major muscle: passive kinetics and morphological studies using donated cadavers. *J Orthop Sci*. 2002; 7: 199-207.
9. Andersson E, Oddsson L, Grundstrom H, Thorstensson A: The role of the psoas and iliacus muscles for stability and movement of the lumbar spine, pelvis and hip. *Scand J Med Sci Sports*. 1995; 5: 10-6.
10. Bogduk N, Pearcy M, Hadfield G: Anatomy and biomechanics of psoas major. *Clin Biomech*. 1992; 7: 109-19.
11. Jemmett RS, Macdonald DA, Agur AM: Anatomical relationships between selected segmental muscles of the lumbar spine in the context of multi-planar segmental motion: a preliminary investigation. *Man Ther*. 2004; 9: 203-10.
12. Penning L: Psoas muscle and lumbar spine stability: a concept uniting existing controversies. Critical review and hypothesis. *Eur Spine J*. 2000; 9: 577-85.
13. Sajko S, Stuber K: Psoas major: a case report and review of its anatomy, biomechanics, and clinical implications. *J Can Chiropr Assoc*. 2009; 53: 311-8.
14. Santaguida PL, McGill SM: The psoas major muscle: a three-dimensional geometric study. *J Biomech*. 1995; 28: 339-45.
15. Blemker SS, Delp SL: Three-dimensional representation of complex muscle architectures and geometries. *Ann Biomed Eng*. 2005; 33: 661-73.
16. Delp SL, Hess WE, Hungerford DS, Jones LC: Variation of rotation moment arms with hip flexion. *J Biomech*. 1999; 32: 493-501.
17. Skyrme AD, Cahill DJ, Marsh HP, Ellis H: Psoas major and its controversial rotational action. *Clin Anat*. 1999; 12: 264-5.
18. Hoy MG, Zajac FE, Gordon ME: A musculoskeletal model of the human lower extremity: the effect of muscle, tendon, and moment arm on the moment-angle relationship of musculotendon actuators at the hip, knee, and ankle. *J Biomech*. 1990; 23: 157-69.
19. Cronin CG, Lohan DG, Meehan CP, Delappe E, McLoughlin R, O'Sullivan GJ, McCarthy P: Anatomy, pathology, imaging and intervention of the iliopsoas muscle revisited. *Emerg Radiol*. 2008; 15: 295-310.
20. Moore KL, Dalley AF: *Clinically Oriented Anatomy*. Lippincott Williams & Wilkins, 4th Edition, 1999.
21. Myers MA: *Anatomy Trains: Myofascial Meridians for Manual and Movement Therapists*. Churchill Livingstone, 2001.
22. Rives JD, Baker DD: Anatomy of the attachments of the diaphragm: their relation to the problems of the surgery of diaphragmatic hernia. *Ann Surg*. 1942; 115: 745-55.
23. Lewis CL, Sahrmann SA, Moran DW: Effect of position and alteration in synergist muscle force contribution on hip forces when performing hip strengthening exercises. *Clin Biomech (Bristol, Avon)*. 2009; 24: 35-42.
24. Gottschalk F, Kourosh S, Leveau B: The functional anatomy of tensor fasciae latae and gluteus medius and minimus. *J Anat*. 1989; 166: 179-89.
25. Flack NA, Nicholson HD, Woodley SJ: A review of the anatomy of the hip abductor muscles, gluteus medius, gluteus minimus, and tensor fascia lata. *Clin Anat*. 2012; 25: 697-708.
26. Duparc F, Thomine JM, Dujardin F, Durand C, Lukaziewicz M, Muller JM, Freger P: Anatomic basis of the transgluteal approach to the hip-joint by anterior hemimyotomy of the gluteus medius. *Surg Radiol Anat*. 1997; 19: 61-7.
27. Al-Hayani A: The functional anatomy of hip abductors. *Folia Morphol (Warsz)*. 2009; 68: 98-103.
28. Jaegers S, Dantuma R, de Jongh HJ: Three-dimensional reconstruction of the hip muscles on the basis of magnetic resonance images. *Surg Radiol Anat*. 1992; 14: 241-9.
29. Birnbaum K, Prescher A, Niethard FU: Hip centralizing forces of the iliotibial tract within various femoral neck angles. *J Pediatr Orthop B*. 2010; 19: 140-9.
30. Birnbaum K, Siebert CH, Pandorf T, Schopphoff E, Prescher A, Niethard FU: Anatomical and biomechanical investigations of the iliotibial tract. *Surg Radiol Anat*. 2004; 26: 433-46.
31. Nemeth G, Ohlsen H: *In vivo* moment arm lengths for hip extensor muscles at different angles of hip flexion. *J Biomech*. 1985; 18: 129-40.
32. Ward SR, Winters TM, Blemker SS: The architectural design of the gluteal muscle group: implications for movement and rehabilitation. *J Orthop Sports Phys Ther*. 2010; 40: 95-102.

33. Davis JA, Stringer MD, Woodley SJ: New insights into the proximal tendons of adductor longus, adductor brevis and gracilis. *Br J Sports Med*. 2012; 46: 871-6.
34. Koulouris G: Imaging review of groin pain in elite athletes: an anatomic approach to imaging findings. *AJR Am J Roentgenol*. 2008; 191: 962-72.
35. Robertson BA, Barker PJ, Fahrer M, Schache AG: The anatomy of the pubic region revisited: implications for the pathogenesis and clinical management of chronic groin pain in athletes. *Sports Med*. 2009; 39: 225-34.
36. Robinson P, Salehi F, Grainger A, Clemence M, Schilders E, O'Connor P, Agur A: Cadaveric and MRI study of the musculotendinous contributions to the capsule of the symphysis pubis. *AJR Am J Roentgenol*. 2007; 188: W440-5.
37. Schilders E: Groin injuries in athlete. *Current Orthopaedics*. 2000; 14: 418-23.
38. Loukas M, Shoja MM, Thurston T, Jones VL, Linganna S, Tubbs RS: Anatomy and biomechanics of the vertebral aponeurosis part of the posterior layer of the thoracolumbar fascia. *Surg Radiol Anat*. 2008; 30: 125-9.
39. Barker PJ, Briggs CA: Attachments of the posterior layer of lumbar fascia. *Spine (Phila Pa 1976)*. 1999; 24: 1757-64.
40. Barker PJ, Urquhart DM, Story IH, Fahrer M, Briggs CA: The middle layer of lumbar fascia and attachments to lumbar transverse processes: implications for segmental control and fracture. *Eur Spine J*. 2007; 16: 2232-7.
41. Barker PJ, Guggenheimer KT, Grkovic I, Briggs CA, Jones DC, Thomas CD, Hodges PW: Effects of tensioning the lumbar fasciae on segmental stiffness during flexion and extension. *Spine (Phila Pa 1976)*. 2006; 31: 397-405.
42. Bogduk N, Macintosh JE: The applied anatomy of the thoracolumbar fascia. *Spine (Phila Pa 1976)*. 1984; 9: 164-70.
43. Vleeming A, Pool-Goudzwaard AL, Stoeckart R, van Wingerden JP, Snijders CJ: The posterior layer of the thoracolumbar fascia. Its function in load transfer from spine to legs. *Spine (Phila Pa 1976)*. 1995; 20: 753-8.
44. Barker PJ, Briggs CA, Bogeski G: Tensile transmission across the lumbar fasciae in unembalmed cadavers: effects of tension to various muscular attachments. *Spine (Phila Pa 1976)*. 2004; 29: 129-38.

（上松大輔）

第2章
骨盤輪不安定症

　第2章のテーマは『骨盤輪不安定症』である。理学療法士など保存療法に携わる者にとって一度は聞いたことのある語であろう。しかしながら，ほかの疾患，とりわけ腰痛症と混同されることも多いのではないだろうか。定義を理解せずに『骨盤輪不安定症』という語が先走っているようにさえ思える。したがって今回は，骨盤輪不安定症について定義があるかどうか，またその定義に則って各研究が行われたかについても注意をはらいレビューを行った。なお，本章においては外傷による骨折など骨盤輪の構築学的破綻を除外した。

　多数の文献レビューによって，骨盤輪不安定症は疾患概念であり，「仙腸関節機能不全」「恥骨結合機能不全」「妊娠に関連した骨盤帯痛」に分類されることが明らかとなった。そのため，「疫学・病態」「手術療法と保存療法」の各項においては，この3つに大別してまとめた。ただし「診断・評価」については確立されておらず，骨盤に存在する各関節の評価や機能評価にとどまった。

　骨盤輪不安定症の疫学は一部の地域で大規模研究が行われ，ガイドラインが作成されていることからもその重要性がうかがい知れた。「診断・評価」については，評価の信頼性を中心として整理し，治療法については手術的な治療はみられないため，保存療法に焦点を絞ってレビューした。

　『骨盤輪不安定症』は，研究者によって定義が異なる場合や診断方法が確立していないことから研究間の比較が難しく，1つの結論を導き出すことができない。本章により，今後，これらの課題が解決され，明確な疾患像および診断・治療方針が決定する一助となれば幸いである。

第2章編集担当：山内　弘喜

4. 骨盤輪不安定症の疫学・病態

はじめに

本邦において「骨盤輪不安定症」の明確な定義は存在せず，骨盤を形成する関節の不安定性と漠然と解釈されている。PubMed にて「unstable pelvic ring（骨盤輪不安定）」や「pelvic instability（骨盤不安定）」というキーワードで検索すると，「pelvic ring fracture（骨盤輪骨折）」や「pelvic ring injury（骨盤輪損傷）」などに関する論文がヒットした。骨盤輪不安定症に対する世界の認識は外科的処置が適応となる疾患であり，リハビリテーションに関連する報告は渉猟しえなかった。一方，腰痛と骨盤痛，仙腸関節痛を関連づけた調査報告は多い。しかしながら，後ろ向き研究のみで，各疾患単独における前向き，もしくは大規模な疫学調査はない。また腰痛と骨盤輪不安定症の完全な分離・鑑別の方法論は確立されていない。さらに，各論文によって骨盤輪不安定症の定義が異なっているため，研究間での比較は難しい。

以上の現状を踏まえ，本項では骨盤輪不安定により生じると考えられる疾患として，①慢性骨盤痛，②妊娠に関連した骨盤帯痛，③恥骨結合機能不全，④仙腸関節機能不全，についてまとめる。本項では，骨盤輪不安定症を「器質的な損傷がなく，骨盤周囲に各種症状を有するもの」と定義し，骨折や外傷に起因するもの，手術報告，神経疾患，リウマチ・側弯症などの変性疾患による不安定症は除外した。

A. 文献検索方法

文献検索には PubMed を用い，2012 年 10 月に表 4-1 にあげたキーワードを用いて検索を行った。ヒットした論文のなかで，本項のテーマにふさわしい文献に加え，ハンドサーチにより抽出した論文を加えることで，最終的に 79 文献を対象とした。

B. 疫学・病態

骨盤周囲に生じる症状を明確に区分できる診断基準および評価法は確立されておらず，論文ごとに定義が異なる場合が多い。そのため疾患ごとに

表 4-1 検索用語と検索件数

	検索用語	ヒット数
1	unstable pelvic ring	307 件
2	1 AND （epidemiology or etiology）	47 件
3	pelvic ring instability	152 件
4	3 AND （epidemiology or etiology）	12 件
5	symphysis pubis dysfunction	276 件
6	5 AND （epidemiology or etiology）	8 件
7	symphysis pubis diastasis	174 件
8	7 AND （epidemiology or etiology）	8 件
9	sacroiliac joint syndrome	306 件
10	9 AND （epidemiology or etiology）	11 件
11	sacroiliac joint dysfunction	526 件
12	11 AND （epidemiology or etiology）	33 件
13	pelvic girdle pain	236 件
14	13 AND （epidemiology or etiology）	53 件
15	pregnancy related pelvic girdle pain	54 件
16	15 AND （epidemiology or etiology）	13 件
17	chronic pelvic pain	3,401 件
18	17 AND （epidemiology or etiology）	1,324 件

第2章 骨盤輪不安定症

表4-2 慢性骨盤痛の器質的・非器質的・精神的要因（文献5，6より作成）

婦人科系	骨盤内炎症性疾患，子宮内膜症，平滑筋腫，腹膜癒着，子宮内うっ血症候群，子宮腺筋症，その他（妊娠合併症，子宮外妊娠，卵巣残遺物症候群など）
胃腸系	過敏性腸症候群，憩室炎，限局性回腸炎，その他（慢性虫垂炎）
泌尿器系	尿道症候群，間質性膀胱炎，その他（骨盤腎，腎結石）
筋骨格系・神経系	側弯症，L1-L2椎間板障害，脊椎すべり症，恥骨結合炎，神経絞扼，筋・筋膜痛（トリガーポイント），腰痛症候群，ヘルニア（鼠径，大腿，スピゲリウス，臍状，切開性）
精神系	身体的・性的虐待，うつ病，被虐待児症候群，その他（人格障害）

疫学調査を行うことは困難である。したがって，現段階で「骨盤輪不安定症」の疫学・病態を述べることは不可能といえる。以上より，骨盤輪不安定症に含まれると考えられる「慢性骨盤痛」「妊娠に関連する骨盤帯痛」「恥骨結合機能不全」「仙腸関節機能不全」の疫学・病態についてレビューした。

1．慢性骨盤痛

1）女性の慢性骨盤痛の調査方法，発生率，医療費

慢性骨盤痛については医療施設への来院時や電話などでの患者への聞き取りのみで，医師や療法士による確定診断がなされていない研究が多い。Graceら[1]の研究によると，ニュージーランドの18～50歳女性の慢性骨盤痛の発生率は25.4%であったが，その約半数（47.7%）で診断は未確定のままだった。Mathiasら[2]もアメリカの慢性骨盤痛患者の61%が診断を受けていなかったと報告した。これらから診断がついていない潜在的な慢性骨盤痛患者は多数存在する可能性があると考えられる。

女性の慢性骨盤痛の発生率の調査がイギリスにおいて行われてきた。1991～1995年の6年間のデータベースが分析され[3,4]，クリニックを受診した女性における慢性骨盤痛の月間発生率は21.5/1,000人〔95%信頼区間（21.0，22.0）〕，年間発生率は38.3%〔95%信頼区間（37.5，39.0）〕であった。また，地域によって月間発生率に差がみられ，最低はスコットランドの16.0/1,000人〔95%信頼区間（14.0，18.0）〕，最高はウェールズの29.4/1,000人〔95%信頼区間（26.5，32.3）〕であった（$p<0.001$）。月間発生率は60歳以上の高齢者のほうが15～20歳の若年者よりも有意に高く，それぞれ27.6/1,000人および18.2/1,000人であった（$p<0.001$）。オックスフォードシャー州における調査では，141,400人から無作為に選択した後，返答が得られた18～49歳女性3,106人において24%〔95%信頼区間（22.1，25.8）〕に慢性骨盤痛が発生していた。年齢別では，18～25歳および31～35歳で20%と最も低く，36～40歳で28%と最も高かった（$p=0.02$）。また，症状を有する女性の41%においてクリニックへの受診歴がないことも明らかになった。

アメリカでは，疫学調査の結果から医療費の推定が行われた[2]。18～50歳の女性5,263人のうち14.7%が慢性骨盤痛を有していることから，慢性骨盤痛は全米女性の1/7人（約920万人）に影響を与えており，その直接的医療費は年間8億8150万ドル，患者自己負担支出は19億ドル，合計年間医療経費は28億ドルにのぼると推定された。

2）慢性骨盤痛の定義

慢性骨盤痛の発生要因として，器質的な要因，非器質的な要因に加え，精神的な要因などが提唱された（表4-2）[5,6]。慢性骨盤痛の病態の定義は「非周期的な下腹部の痛み」と概ね一致している

が，疼痛継続期間は3ヵ月以上[5]，6ヵ月以上[4]もしくは12ヵ月以上[1]とばらつきがある。また，一般に月経痛など周期的な痛み，性交痛，悪性腫瘍，慢性炎症，腸疾患などとは鑑別される[3,7]。

以下，いくつかの定義を供覧する。英国産婦人科学会[8]は，慢性骨盤痛を「月経期間や性交時，妊娠に関連してのみ生じるものではなく，少なくとも6ヵ月続く下腹部または骨盤部の間欠的または恒常的な痛み」と定義した。欧州泌尿器科学会のガイドライン[9]では「男性，女性ともに骨盤の構造に関連した非悪性の痛み。慢性化する侵害受容性疼痛が報告され，少なくとも6ヵ月以内に再発する継続的な痛み。しばしば悲観的認知，行動的，性的，感情的結果と関連する。慢性骨盤痛は骨盤痛症候群と非骨盤痛症候群とに細分化される」と定義された。一方，膀胱痛症候群，前立腺痛症候群，陰嚢痛症候群，骨盤底筋群痛症候群を「下部尿路，性交，膀胱や婦人科などの機能障害が示唆される症状に関連する持続的，または再発する一過性の骨盤痛で，明らかな感染症やほかの明らかな病理的所見が認められないもの」とし，慢性骨盤痛とは明確に区分した。Gunterら[10]は症状を複合的にとらえ，「慢性骨盤痛は疾患ではなく，神経系，筋骨格系，内分泌系，さらに行動的要因や心理的要因による複合的な相互作用により生じる症候群である」と定義した。

3) 慢性骨盤痛の発生要因

慢性骨盤痛の発生要因に関してさまざまな因子が提唱された。Lattheら[11]は系統的レビューにおいて，非周期的な骨盤痛の48の要因に多変量メタ回帰分析を行った。その結果，非周期性の骨盤痛は雇用状態，子宮内膜症，骨盤癒着症，幼児期の身体的・性的虐待，成人期・生涯を通じた性的虐待，不安症，うつ病，ヒステリー，心身症状と関連がみられた。Tuら[12]は慢性骨盤痛を有する者と健常者を比較し，腸骨稜の非対称性（61％ vs. 25％），恥骨の非対称性（50％ vs. 10％），仙腸関節誘発テスト陽性（37％ vs. 5％），骨盤底筋圧痛スコア（3/24 vs. 0/24），骨盤底筋のコントロール不足（10秒間の弛緩を維持できない）（78％ vs. 20％）において有意差が認められ，腹筋群にも強い圧痛が存在したことを報告した。

慢性骨盤痛の原因解明のために腹腔鏡による検査も積極的に行われてきた[13〜15]。それらをまとめると，25.6〜60.9％に子宮内膜症，12.7〜25.6％に骨盤癒着，3.6〜15.1％に子宮筋腫，3.5〜18.6％に慢性炎症過程，11.8％に卵管閉塞，9.3％に骨盤内静脈瘤，7.0％に卵巣嚢胞が認められた。一方，鏡視下において異常が認められなかった症例は11.6〜19.4％だった。

4) 男性の慢性骨盤痛

前述の欧州泌尿器科学会のガイドライン[9]の定義では，前立腺炎と慢性骨盤痛を明確に区分した。一方，その他の分類では男性の慢性骨盤痛は前立腺炎の1つであり[16]，慢性前立腺炎/慢性骨盤痛（chronic prostatitis/chronic pelvic pain）と分類された[17,18]。フィンランドで行われた疫学調査によると，前立腺炎は生涯で14.2％が発症し，その発生率は年間37.8/10,000人であった[19]。加齢とともに発生率は増加し，40〜49歳では20〜39歳に対して1.7倍増加した[19]。慢性前立腺炎/慢性骨盤痛の症状には，会陰部，骨盤，恥骨部など骨盤領域の痛み，外性器，排尿機能障害，射精障害，性機能障害があげられた。患者はかなりの社会心理的苦痛を感じていた[19,20]。慢性前立腺炎/慢性骨盤痛の発生要因として，慢性感染症，炎症，神経症，骨盤底筋機能不全，自己免疫疾患，神経行動障害など，複数の要因が複合していると推測された[20]。

第2章 骨盤輪不安定症

2. 骨盤帯痛

1) 骨盤帯痛の定義

骨盤帯痛は，恥骨部痛や仙腸関節痛，またはその複合しているものを広く骨盤帯痛（pelvic girdle pain）とするもの，腰部骨盤帯痛（lumbopelvic pain）をさすものなど，複数の定義が混在している。欧州ガイドライン[21]では「一般的に妊娠，外傷，関節炎，変形性関節症に関連して発生し，痛みは腸骨稜後方，殿部，とりわけ仙腸関節付近に生じる。大腿部後方に放散し，恥骨結合部に単独で生じることもある。長時間の立位，歩行，座位の保持能力は減少する。骨盤痛の診断は腰部疾患を除外後に行われる。骨盤痛に関連する痛みや機能不全は特殊検査で再現されるべきである」と定義した。本項では，主に妊娠に関連した骨盤帯痛に関して整理する。

2) 妊娠に関連した骨盤帯痛の分類，発生率

妊娠に関連した骨盤帯痛の調査では，主に疼痛発生部位で区分されるが，区分方法は研究により異なる。以下に代表的な区分と発生率についてのデータを紹介する。

Wuら[22]は1966〜2002年に公表された論文を対象に系統的レビューを行った。そのなかで妊娠に関連する腰部骨盤帯痛を示す語は24個にのぼり，このことが正確な発生率を示すことができない原因であることを指摘した。そのうえで，骨盤周囲の筋骨格系の問題を「妊娠に関連した骨盤帯痛（pregnancy-related pelvic pain）」，腰椎周囲の問題を「妊娠に関連した腰部痛（pregnancy-related low back pain）」，その2つを複合したものを「妊娠に関連した腰部骨盤帯痛（pregnancy-related lumbopelvic pain）」と分類し，産前・産後の発生率を調査した。その結果，妊婦の45％が妊娠に関連した骨盤帯痛または妊娠に関連した腰部痛を罹患し，さらに24.7％は産後も症状が残存していた。

Albertら[23]は，妊娠に関連した骨盤帯痛をfour syndromeと定義し，15個の客観的な臨床検査を用いて，発生率の大規模調査を行った。疾患を①骨盤帯症候群（日常的に生じる3つの関節の痛み），②恥骨結合離開（日常的に生じる恥骨結合離開の痛み），③片側仙腸関節症候群（日常的に生じる片側の仙腸関節の痛み），④両側仙腸関節症候群（日常的に生じる両側の仙腸関節の痛み），⑤混合型（日常的に生じる1つ以上の関節の痛み，痛みの部位と関節の客観的所見が一致しない），の5つに分類した。その結果，骨盤帯症候群6.0％，恥骨結合離開2.3％，片側仙腸関節症候群5.5％，両側仙腸関節症候群6.3％，混合型1.6％であった。

Robinsonら[24]は，妊娠による骨盤帯痛の発生部位を，①骨盤前方，②骨盤後方（片側もしくは両側），③骨盤前方ならびに骨盤後方（片側），④骨盤前方ならびに骨盤後方（両側），の4つに分類し，発生率を調査した。このうち，特に④の骨盤前方ならびに骨盤後方（両側）の痛みを「完全な骨盤帯痛症候群」と定義した。この結果，骨盤前方19％，骨盤後方14％，骨盤前方ならびに骨盤後方（片側）4％，骨盤前方ならびに骨盤後方（両側）5％であった。この結果は，Albertら[23]とほぼ同様の値であった。

以上の発生率調査にはいくつかの問題点がある。Wuら[22]は広範な系統的レビューにより骨盤帯痛の発生率は妊娠中では45.3％，出産後では24.7％と報告したが，調査ごとのばらつきが大きいことを指摘した。ばらつきが大きい原因としては，前向き研究と後ろ向き研究の混在，臨床診断ではなく自己申告と医師による問診による有病率判断の混在，疼痛の原因となる部位特定の困難さ，対象数不足，テストに用いられている項目の相違，テストの検者間信頼性の低さなどがあげられた[21,23,25]。Vleemingら[21]は，方法や対象数を考慮した系統的レビューを実施した結果，妊娠

中の骨盤帯痛の発生率は概ね20％であるとした。

3）産後の骨盤帯痛

出産に関連する骨盤帯痛のほとんどは出産後数週から数ヵ月で回復するため，産後の骨盤帯痛に関する報告は妊娠中に比較して少ない。Larsenら[26]は，周産期妊婦1,600人のうち，質問紙と徒手検査により骨盤帯痛が確認された227人（14％）の経時変化を調べた。その結果，産後2ヵ月で87人（5％），6ヵ月で56人（4％），12ヵ月で33人（2％）に骨盤帯痛が残存していた。Albertら[27]は妊娠時に徒手検査にて疼痛が誘発された骨盤帯痛症候群患者405人を2年間追跡調査し，うち21％に症状が残存したことを報告した。Bastiaanssenら[28]は，腰痛/骨盤帯痛の既往の有無による出産前後の骨盤帯痛の発生率変化を調査し，腰痛/骨盤帯痛の既往歴があると産後の骨盤帯痛の有病率は高く，産後2週間において53.8％に症状が残存していることを報告した。

産後の骨盤帯痛が残存する要因として，出産後の骨盤不安定性の残存が指摘された。妊娠に関連した腰部骨盤帯痛のある患者では，臨月と出産後3週間において骨盤関節の可動性が32～68％増加し，恥骨結合の可動性増加が認められた[29]。出産後に中程度から重度の骨盤帯痛が継続した患者の77％において妊娠中に仙腸関節弛緩性の非対称が認められ，対称な弛緩性を有する場合よりもリスク比が3倍だった[30,31]。Aldabeら[32]は妊娠に関連する骨盤痛が骨盤のキネマティクス，キネティクス，運動制御に変化を与えうるかを系統的レビューにて調査した。その結果，骨盤痛が骨盤内の関節の機能（弛緩性）や骨盤の動きに関連する筋制御に変化を与えるとした。

4）妊娠に関連する骨盤帯痛のリスク要因

妊娠に関連する骨盤帯痛のリスク要因に関する研究が行われてきた。Vleemingら[21]は系統的レビューで対象数，テストの再現性や信頼性，特異性を考慮し，骨盤帯痛のみを包含し，かつ多変量ロジスティック回帰分析にて交絡因子を分析したものは2文献のみであったと報告した。腰痛，骨盤への外傷歴は明らかなリスクであるとし，その他リスクとなる可能性があるものとして経産婦，労働環境，ストレスなどがあげられた。一方で明らかにリスクとはならないのは経口避妊薬の使用，最終出産からの期間，身長，体重，喫煙とされ，年齢に関しては意見が分かれた[21,26]。Albertら[33]は2,269人の妊婦を健常群（1,734人）と疾患群（535人）に分け，ロジスティック回帰分析にて，リスク要因に対してオッズ比（範囲）を算出した。その結果，腰痛歴（オッズ比2.0～2.3），腰部や骨盤への外傷（オッズ比2.3～3.5），多産（オッズ比2.2～3.5），高いレベルのストレス（オッズ比1.1～1.2），職業不満足感（オッズ比0.9）となった。出産後うつ症状は腰部骨盤帯痛群で3倍に認められ，スクリーニングでの陽性は腰部骨盤帯痛群において3～6倍だった[34]。Eberhard-Granら[35]は糖尿病と出産後の骨盤帯痛との関連を調べ，糖尿病を有する場合は骨盤帯痛のリスクが7.3倍〔95％信頼区間（1.8, 28.5)〕であったと報告した。

5）妊娠に伴う身体変化

妊娠に伴う女性の体重増加，姿勢変化，ホルモン変化と，腰部や骨盤の病態との関連性については，いまだ不明な点が多い。妊娠中は，出産に向けて腰椎・骨盤内の靱帯が弛緩した状態で腹部が膨隆する。このため，仙骨の前方回転と腰椎の過前弯が生じる。体重が20％増加すると仙腸関節にかかる力は2倍になり，仙腸関節，腰部，骨盤に歪みの力を加える[36]。またホルモンの変化，体重の増加，子宮の肥大により腰椎前弯の増加，骨盤前傾，恥骨結合離開が生じた結果，骨盤の靱帯

への機械的な引張力が増加し、仙腸関節に回転や歪みの力が加わることで腰痛を発生させることが考えられた[37]。Sipkoら[38]は妊娠中・出産後の骨盤アライメントを調査し、寛骨の非対称性が立位で70％、座位で47％に生じており、これは産後3ヵ月でも残存するため、捻れが腰仙部・骨盤領域の痛みを引き起こすとした。

ホルモンと骨盤帯痛の関連に関しては一定した見解が得られていない。リラキシンはコラーゲンの強度や剛性の低下、仙腸関節周囲における靱帯の柔軟性低下を引き起こすが、骨盤帯痛の有無によりリラキシン濃度に差はないことが報告された[39]。高いエストロゲン濃度は月経の早期開始と関連することを背景として、1999～2007年にノルウェーの74,973人の妊婦を対象とし、初経年齢と骨盤帯痛症候群との関連についての大規模な調査が行われた[40]。11歳未満で初経を迎えた妊婦の20.6％、11～12歳の16.3％、14歳以降の12.7％に骨盤帯痛症候群が生じ、初経年齢が早いほど骨盤帯痛症候群の有病率が有意に増加（$p < 0.001$）したと結論づけた。

3. 恥骨結合機能不全・離開

恥骨結合離開に関する報告は、骨盤骨折を伴うような高強度の外力による外傷（交通事故、ジェットスキー、乗馬、高所からの落下など）と妊娠に関連する報告に分類される。外傷由来の恥骨結合離開は症例報告や観血的治療に関する論文が多く、系統立てて調べられた研究はない。Jainら[41]は、骨盤帯が不安定になるなど、十分に弛緩した状態を恥骨結合不全、10 mm以上を恥骨結合離開とした。本項では、妊娠に伴う恥骨結合機能不全・離開について述べる。

1）妊娠に伴う恥骨結合離開

恥骨結合離開は出産間近のすべての妊婦で生じる。妊娠していない女性の恥骨結合の幅は平均2～3 mmである。一方、妊娠中は分娩準備に伴うホルモンバランスの変化により、骨盤内の靱帯が弛緩して恥骨結合と仙腸関節が拡大する。恥骨結合間の離開距離は、分娩2ヵ月前で平均7.7 mm（範囲3～20 mm）に拡大し、全妊婦の24％で9 mm以上になる。その後、靱帯の弛緩過程は通常分娩後12週で正常にもどる[42]。

2）恥骨結合離開の発生率

恥骨結合離開の発生率は1/600～1/30,000と幅がある[43]。痛みの位置や程度は、国や地域、社会経済的地位などによる違いはないと報告された[44]。恥骨結合離開の上限値は10 mm程度であり[45]、症状を有する対象者の恥骨結合離開距離は平均20 mm（範囲35～100 mm）、対照群の平均4.8 mm（範囲4.3～5.1 mm）と、群間に有意差が認められた[46]。しかしながら離開の幅は12～110 mmとばらつきがあり、自覚症状の重症度とは関連しないとした報告[43]もあることから、離開の程度と症状との関係について結論は得られていない。

3）恥骨結合機能不全の症状

恥骨結合機能不全により生じる症状は鋭い痛み、放散痛、動作困難に大別される[41]。鋭い痛みとしては、割れるような、刺すような、燃えるような、擦れるような、クリックが感じられる、永続的な不快感などといった疼痛が恥骨結合に局所的に生じる。放散痛については、下腹部、鼠径部、会陰部、大腿部、下肢、背部に放散する痛みが含まれる。動作困難としては、歩行、階段昇降、椅子からの立ち上がり、片脚立ちや片脚あげのような片脚荷重動作、寝返りなどの動作困難が含まれる。

4）恥骨結合離開のリスク要因

恥骨結合離開のリスクに関する系統的レビュー

は存在しない。また，現在までに恥骨結合離開のリスク要因として多産，骨盤や背部の外傷，母親・姉妹での骨盤痛の家族歴，前の妊娠での骨盤痛，早期の月経，日常的な運動不足，関節弛緩性，有給雇用，巨人症，高齢出産，新生児発達上の股関節異形成，母乳哺育などがあげられたが，結論は得られていない[44]。Nitscheら[43]は「恥骨結合」と「妊娠」をキーワードに検索し，そのうち恥骨結合離開について報告した28文献42症例のレビューを行った。①全例が分娩満期に恥骨結合離開を発症，15症例で40週以降だった，②ほとんどの症例（38/42）は自然経膣分娩であり，2症例は出産時に鉗子により介助，2症例は吸引により介助を要した，③分娩時恥骨結合離開は大きな胎児と関連した（34症例は過体重，そのうち27症例は4,000 g以上。しかし7症例は3,500 g以下で，最も少ないものは2,640 g），④肩甲難産は3症例のみであり，恥骨結合離開との間に強い関連性はなかった，⑤9症例は膣または会陰部の外傷歴をもっていたが，出産後も恥骨結合離開は生じなかった。また恥骨結合の内固定や外固定などの外科的処置を行った者の15名中14名において40 mm以上の離開であった。恥骨結合機能不全を生じる可能性がある要因を表4-3に示した[41]。

4．仙腸関節機能不全

仙腸関節痛の先行研究には，記述の一貫性に問題がある。それは，病歴や症状の訴えがさまざまで特定の疼痛発生パターンを呈さないこと，診断上徒手検査の感度と特異度が低いこと，画像診断が難しいこと[47]，研究者によって異なる基準が用いられていること[48]が原因である。仙腸関節機能不全は腰部もしくは腰仙部に関連する疼痛によって判定されることが多く，厳密に仙腸関節機能不全という病態を抽出することは困難である。仙腸関節機能不全のみの発生率を調べた研究はな

表4-3　恥骨結合機能不全を引き起こす可能性がある病原学的な要因（文献41より引用）

骨盤不安定性	骨盤非対称性，前弯，負荷の増加
酵素	ヒアルロニダーゼの増加，コラーゲン合成の減少
ホルモン	エストロゲン・プロゲステロン・リラキシンの増加
代謝	カルシウム・ビタミンDの減少
外傷	出産
炎症	恥骨結合炎，仙腸関節炎
変性	恥骨結合の関節炎

く，腰痛を訴えて来院した患者を精査することで仙腸関節疾患と腰部疾患を分類した研究がほとんどであった。そのため，無症候性の場合を含めて，先行研究に含まれた症例において，どの程度仙腸関節機能不全が生じているのかを知ることはできない。

1）仙腸関節機能不全の定義

仙腸関節機能不全の定義についての統一した見解は得られていない。国際疼痛学会は仙腸関節機能不全の定義として，①仙腸関節部に痛みがある，②特殊検査で仙腸関節にストレスを与えることにより選択的に痛みの再現ができる，③症状が予測される関節への局所麻酔で痛みが完全に消失する，という3つをあげた[48,49]。

2）仙腸関節機能不全の発生率

仙腸関節機能不全の発生率に関して，仙腸関節痛のみを対象とした調査はみられず，腰部・腰仙部痛を訴えて来院した患者を対象とし，腰部由来か仙腸関節由来かを分類した調査が存在する。Sembranoら[50]は腰痛を訴えて来院した200名のうち仙腸関節のみから生じていたものは5％，複合的に仙腸関節が関与していたものは15.5％であると報告した。Cohen[51]は，広範囲のレビューにおいて，その発生率は15〜25％とした。

第2章　骨盤輪不安定症

表4-4　仙腸関節機能不全の潜在的要因（文献60より引用）

筋骨格系	強直性脊椎炎，髄核ヘルニア，筋挫傷
炎症	炎症性腸疾患，化膿性仙腸関節炎，鎌状赤血球貧血，遺伝性疾患，ライター症候群，好酸球肉芽腫性炎，骨軟骨腫，乾癬性脊椎炎，広汎性特発性骨増殖症，後腹膜線維症
悪性腫瘍	リンパ腫，卵巣癌，脊椎内新生物，腫瘍の転移，結腸癌，前立腺癌，リウマチ性多発筋痛症，多発性骨髄腫
内科	下垂体疾患，線維筋痛症，骨粗鬆症，腹部大動脈瘤

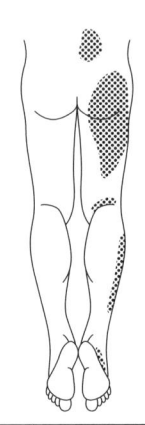

図4-1　仙腸関節痛の特徴的な疼痛照会パターン（文献60より引用）

しかしながら，前述のように仙腸関節機能不全の明確な診断方法が確立されておらず，発生率の調査における診断基準や検査手技の相違により，発生率は変化する可能性がある。

3）仙腸関節機能不全の発生要因

仙腸関節機能不全は日常の動作でも生じうる。運動学的な発生要因として，ハムストリングスの張力による急性外傷[52]，重いものを持ちあげる[53～55]，重いものを長時間持つ，または持続的な体幹屈曲[56]，捻れや歪み[56]，身を屈めた位置から起きあがる[56]，殿部からの転倒[57]，後方からの追突事故[58]などの一過性の外力や，反復的な剪断力または捻れの力が仙腸関節に加わるスポーツ（フィギュアスケート，ゴルフ，ボウリングなど）でも生じる[54,56,59,60]。また，座位[52,61]，患側を下にした側臥位[52,56]，車の運転[52]，患側下肢での動作[52]，バルサルバ[52]，立位・膝完全伸展位での前屈[62]なども疼痛の発生機転にあげられる。仙腸関節機能不全の潜在的要因を表4-4にまとめた[60]。

4）仙腸関節機能不全のリスク要因

仙腸関節機能不全のリスクを系統的に評価した報告はない。これまで，そのリスク要因として脚長差[63]，跛行[64]，長期にわたる運動[65]，脊柱側弯症[66]，仙骨固定術[67]，脊椎固定[68]，寛骨採取による靭帯弱化[69]，術後の過可動性[70]，妊娠に伴う体重増加・過剰な前弯・出産による機能的外傷，ホルモンによる靭帯の弛緩[27,71]などが提唱された。障害発生のメカニズムとして関節内では軸圧と回旋，関節包・滑膜の破壊，関節包・靭帯の緊張，過剰・過小運動性，外圧・剪断力，異常な関節運動，微細骨折・大骨折，軟骨軟化，軟部組織損傷，炎症があげられる。関節外では感染，腱付着部症，筋膜痛があげられ，まれなものとしては化膿性感染，悪性腫瘍，片脚につけた装具，転落，歪みがあげられた[51]。しかし，仙腸関節の機能不全を正確に診断する技術は確立されていない[72～74]。このため，仙腸関節機能不全をきたす素因は明らかになっていないといえる。

5）仙腸関節機能不全の病態

仙腸関節由来の疼痛はさまざまな部位に生じる。Fortinら[75]は健常者の仙腸関節に造影剤の注入を行った結果，上後腸骨棘上と上後腸骨棘から10 cm尾側・3 cm外側の領域に痛みが広がることを確認した。また，彼らはその後，患者でも上記の検査が優れた再現性を認めたことを報告した[76]。Slipmanら[77]は，仙腸関節ブロック注

射にて疼痛が消失した患者をもとにして痛みの分布を検証した結果，殿部痛94％，下位腰部痛72％，鼠径部痛14％，下肢痛50％，膝より遠位の下腿痛28％，足部痛14％であり，それぞれの組み合わせで18通りの痛みの分布がみられた。図4-1に代表的な仙腸関節痛の痛みの照会パターンを示す[60]。

仙腸関節に関連する筋機能不全も報告された。Hungerfoldら[78]は，仙腸関節痛を有する男性を対象に筋活動の測定を行った。その結果，片脚立位において内腹斜筋，多裂筋，支持脚の大殿筋の筋活動の遅延と大腿二頭筋の早期活動が確認された。このことから，腰部骨盤帯の荷重伝達機構の破綻を示唆した。

C. まとめと今後の課題

本項では骨盤帯不安定症を生じる可能性が考えられる慢性骨盤痛，妊娠に伴う骨盤帯痛，恥骨結合機能不全，仙腸関節機能不全に関しての疫学・病態をまとめた。これらの疾患は臨床では多くみられる疾患の1つであるが，各疾患の鑑別診断方法は確立されておらず，疾患の定義も統一されていないため，論文間の比較は困難であった。このことが，論文数は多いものの発生率やリスク要因に対する系統的レビューが少ない原因であるともいえる。出産など生理的な活動に基づく疾患に関しては，機能障害の発生を予防することが重要である。しかし決定的なリスク要因が明らかではないため，予防方法を構築することは難しい。今後，疾患の定義や鑑別診断方法が確立され，それらに基づく大規模な前向き研究やデータの統合，リスク要因の解明が待たれる。

1. すでに真実として承認されていること
● 骨盤輪不安定症に関して，外科的治療以外の診断および評価の方法は確立されていない。

● 骨盤周囲の疼痛症候群に関しては研究者により定義が異なるため（主観的判断，テストでの再現など），比較することが困難である。
● リスク要因に関してさまざまなものがあげられているが，決定的な因子は明らかになっていない。

2. 議論の余地はあるが，今後の重要な研究テーマとなること
● 骨盤輪を構成する各関節の機能障害に対する明確な定義・診断基準の確立。
● 共通する定義・診断基準に基づいた大規模な疫学調査。
● より詳細な発生メカニズムやリスク要因の解明。

文献

1. Grace VM, Zondervan KT: Chronic pelvic pain in New Zealand: prevalence, pain severity, diagnoses and use of the health services. *Aust N Z J Public Health*. 2004; 28: 369-75.
2. Mathias SD, Kuppermann M, Liberman RF, Lipschutz RC, Steege JF: Chronic pelvic pain: prevalence, health-related quality of life, and economic correlates. *Obstet Gynecol*. 1996; 87: 321-7.
3. Zondervan KT, Yudkin PL, Vessey MP, Dawes MG, Barlow DH, Kennedy SH: Prevalence and incidence of chronic pelvic pain in primary care: evidence from a national general practice database. *Br J Obstet Gynaecol*. 1999; 106: 1149-55.
4. Zondervan KT, Yudkin PL, Vessey MP, Jenkinson CP, Dawes MG, Barlow DH, Kennedy SH: The community prevalence of chronic pelvic pain in women and associated illness behaviour. *Br J Gen Pract*. 2001; 51: 541-7.
5. Carter JE: A systematic history for the patient with chronic pelvic pain. *JSLS*. 1999; 3: 245-52.
6. Ghaly AF, Chien PW: Chronic pelvic pain: clinical dilemma or clinician's nightmare. *Sex Transm Infect*. 2000; 76: 419-25.
7. Diaz-Mohedo E, Baron-Lopez FJ, Pineda-Galan C: Etiological, diagnostic and therapeutic consideration of the myofascial component in chronic pelvic pain. *Actas Urol Esp*. 2011; 35: 610-4.
8. Royal College of Obstetricians and Gynaecologists: The initial management of chronic pelvic pain. *RCOG Green-top Guideline*. 2012; No. 41: 1-16.
9. Fall M, Baranowski AP, Elneil S, Engeler D, Hughes J, Messelink EJ, Oberpenning F, de C Williams AC: EAU guidelines on chronic pelvic pain. *Eur Urol*. 2010; 57:

35-48.
10. Gunter J: Chronic pelvic pain: an integrated approach to diagnosis and treatment. *Obstet Gynecol Surv*. 2003; 58: 615-23.
11. Latthe P, Mignini L, Gray R, Hills R, Khan K: Factors predisposing women to chronic pelvic pain: systematic review. *BMJ*. 2006; 332: 749-55.
12. Tu FF, Holt J, Gonzales J, Fitzgerald CM: Physical therapy evaluation of patients with chronic pelvic pain: a controlled study. *Am J Obstet Gynecol*. 2008; 198: 272 e1-7, 2008.
13. Bunyavejchevin S, Rungruxsirivorn T, Pinchantra P, Wisawasukmongchol W, Suwajanakorn S, Limpaphayom K: Laparoscopic finding in Thai women with chronic pelvic pain. *J Med Assoc Thai*. 2003; 86 Suppl 2: S404-8.
14. Redecha M, Niznanska Z, Korbel M, Borovsky M, Chabadova J: Laparoscopic findings in women with chronic pelvic pain. *Bratisl Lek Listy*. 2000; 101: 460-4.
15. Zubor P, Szunyogh N, Galo S, Biringer K, Dokus K, Visnovsky J, Danko J: Laparoscopy in chronic pelvic pain -a prospective clinical study. *Ceska Gynekol*. 2005; 70: 225-31.
16. Krieger JN, Nyberg L Jr, Nickel JC: NIH consensus definition and classification of prostatitis. *JAMA*. 1999; 282: 236-7.
17. Pontari MA: Chronic prostatitis/chronic pelvic pain syndrome. *Urol Clin North Am*. 2008; 35: 81-9; vi.
18. Pontari MA, Ruggieri MR: Mechanisms in prostatitis/chronic pelvic pain syndrome. *J Urol*. 2008; 179 (Suppl): S61-7.
19. Mehik A, Hellstrom P, Lukkarinen O, Sarpola A, Jarvelin M: Epidemiology of prostatitis in Finnish men: a population-based cross-sectional study. *BJU Int*. 2000; 86: 443-8.
20. Zeng XY, Liang C, Ye ZQ: Extracorporeal shock wave treatment for non-inflammatory chronic pelvic pain syndrome: a prospective, randomized and sham-controlled study. *Chin Med J (Engl)*. 2012; 125: 114-8.
21. Vleeming A, Albert HB, Ostgaard HC, Sturesson B, Stuge B: European guidelines for the diagnosis and treatment of pelvic girdle pain. *Eur Spine J*. 2008; 17: 794-819.
22. Wu WH, Meijer OG, Uegaki K, Mens JM, van Dieen JH, Wuisman PI, Ostgaard HC: Pregnancy-related pelvic girdle pain (PPP), I: terminology, clinical presentation, and prevalence. *Eur Spine J*. 2004; 13: 575-89.
23. Albert HB, Godskesen M, Westergaard JG: Incidence of four syndromes of pregnancy-related pelvic joint pain. *Spine (Phila Pa 1976)*. 2002; 27: 2831-4.
24. Robinson HS, Eskild A, Heiberg E, Eberhard-Gran M: Pelvic girdle pain in pregnancy: the impact on function. *Acta Obstet Gynecol Scand*. 2006; 85: 160-4.
25. Vermani E, Mittal R, Weeks A: Pelvic girdle pain and low back pain in pregnancy: a review. *Pain Pract*. 2010; 10: 60-71.
26. Larsen EC, Wilken-Jensen C, Hansen A, Jensen DV, Johansen S, Minck H, Wormslev M, Davidsen M, Hansen TM: Symptom-giving pelvic girdle relaxation in pregnancy. I: prevalence and risk factors. *Acta Obstet Gynecol Scand*. 1999; 78: 105-10.
27. Albert H, Godskesen M, Westergaard J: Prognosis in four syndromes of pregnancy-related pelvic pain. *Acta Obstet Gynecol Scand*. 2001; 80: 505-10.
28. Bastiaanssen JM, de Bie RA, Bastiaenen CH, Heuts A, Kroese ME, Essed GG, van den Brandt PA: Etiology and prognosis of pregnancy-related pelvic girdle pain; design of a longitudinal study. *BMC Public Health*. 2005; 5: 1.
29. Mens JM, Pool-Goudzwaard A, Stam HJ: Mobility of the pelvic joints in pregnancy-related lumbopelvic pain: a systematic review. *Obstet Gynecol Surv*. 2006; 64: 200-8.
30. Damen L, Buyruk HM, Guler-Uysal F, Lotgering FK, Snijders CJ, Stam HJ: Pelvic pain during pregnancy is associated with asymmetric laxity of the sacroiliac joints. *Acta Obstet Gynecol Scand*. 2001; 80: 1019-24.
31. Damen L, Buyruk HM, Guler-Uysal F, Lotgering FK, Snijders CJ, Stam HJ: The prognostic value of asymmetric laxity of the sacroiliac joints in pregnancy-related pelvic pain. *Spine (Phila Pa 1976)*. 2002; 27: 2820-4.
32. Aldabe D, Milosavljevic S, Bussey MD: Is pregnancy related pelvic girdle pain associated with altered kinematic, kinetic and motor control of the pelvis? A systematic review. *Eur Spine J*. 2012; 21: 1777-87.
33. Albert HB, Godskesen M, Korsholm L, Westergaard JG: Risk factors in developing pregnancy-related pelvic girdle pain. *Acta Obstet Gynecol Scand*. 2006; 85: 539-44.
34. Gutke A, Josefsson A, Oberg B: Pelvic girdle pain and lumbar pain in relation to postpartum depressive symptoms. *Spine (Phila Pa 1976)*. 2007; 32: 1430-6.
35. Eberhard-Gran M, Eskild A: Diabetes mellitus and pelvic girdle syndrome in pregnancy -is there an association? *Acta Obstet Gynecol Scand*. 2008; 87: 1015-9.
36. Ritchie JR: Orthopedic considerations during pregnancy. *Clin Obstet Gynecol*. 2003; 46: 456-66.
37. Borg-Stein J, Dugan SA, Gruber J: Musculoskeletal aspects of pregnancy. *Am J Phys Med Rehabil*. 2005; 84: 180-92.
38. Sipko T, Grygier D, Barczyk K, Eliasz G: The occurrence of strain symptoms in the lumbosacral region and pelvis during pregnancy and after childbirth. *J Manipulative Physiol Ther*. 2010; 33: 370-7.
39. Irwin RW, Watson T, Minick RP, Ambrosius WT: Age, body mass index, and gender differences in sacroiliac joint pathology. *Am J Phys Med Rehabil*. 2007; 86: 37-44.
40. Bjelland EK, Eberhard-Gran M, Nielsen CS, Eskild A: Age at menarche and pelvic girdle syndrome in pregnancy: a population study of 74 973 women. *BJOG*. 2011; 118: 1646-52.
41. Jain S, Eedarapalli P, Jamjute P, Sawdy R: Symphysis pubis dysfunction: a practical approach to management. *The Obstetrician & Gynaecologist*. 2006; 8: 153-8.
42. Hierholzer C, Ali A, Toro-Arbelaez JB, Suk M, Helfet DL: Traumatic disruption of pubis symphysis with accompanying posterior pelvic injury after natural childbirth. *Am J Orthop (Belle Mead NJ)*. 2007; 36: E167-70.
43. Nitsche JF, Howell T: Peripartum pubic symphysis sepa-

ration: a case report and review of the literature. *Obstet Gynecol Surv*. 2011; 66: 153-8.
44. Aslan E, Fynes M: Symphysial pelvic dysfunction. *Curr Opin Obstet Gynecol*. 2007; 19: 133-9.
45. Hagen R: Pelvic girdle relaxation from an orthopaedic point of view. *Acta Orthop Scand*. 1974; 45: 550-63.
46. Scriven MW, Jones DA, McKnight L: The importance of pubic pain following childbirth: a clinical and ultrasonographic study of diastasis of the pubic symphysis. *J R Soc Med*. 1995; 88: 28-30.
47. Zelle BA, Gruen GS, Brown S, George S: Sacroiliac joint dysfunction: evaluation and management. *Clin J Pain*. 2005; 21: 446-55.
48. Hansen HC, McKenzie-Brown AM, Cohen SP, Swicegood JR, Colson JD, Manchikanti L: Sacroiliac joint interventions: a systematic review. *Pain Physician*. 2007; 10: 165-84.
49. Merskey HBN: Classification of chronic pain. In: Merskey H, Bogduk N, eds., *Descriptions of Chronic Pain Syndromes and Definition of Pain Terms*, 2nd ed. IASP Press, pp. 180-1, 1994.
50. Sembrano JN, Polly DW Jr: How often is low back pain not coming from the back? *Spine (Phila Pa 1976)*. 2009; 34: E27-32.
51. Cohen SP: Sacroiliac joint pain: a comprehensive review of anatomy, diagnosis, and treatment. *Anesth Analg*. 2005; 101: 1440-53.
52. Smith-Peterson M: Clinical diagnosis of common sacroiliac conditions. *Am J Roent Radium Ther*. 1924; 12: 546-50.
53. Cox H: Sacro-iliac subluxation as a cause of backache. *Surg Gynecol Obstet*. 1927; 45: 637-49.
54. Fitch R: Mechanical lesions of the sacroiliac joints. *Am J Orthop Surg*. 1908; 6: 693-8.
55. Martin E: Sacro-iliac sprain. *Southern Med J*. 1922; 15: 135-9.
56. Vleeming A, Van Wingerden JP, Dijkstra PF, Stoeckart R, Snijders CJ, Stijnen T: Mobility in the sacroiliac joints in the elderly: a kinematic and radiological study. *Clin Biomech*. 1992; 7: 170-6.
57. Fortin J: Sacroiliac joint dysfunction: a new perspective. *J Back Musculoskel Rehabl*. 1993; 3: 31-43.
58. Alderink GJ: The sacroiliac joint: review of anatomy, mechanics, and function. *J Orthop Sports Phys Ther*. 1991; 13: 71-84.
59. Slipman CW, Whyte WS 2nd, Chow DW, Chou L, Lenrow D, Ellen M: Sacroiliac joint syndrome. *Pain Physician*. 2001; 4: 143-52.
60. Hansen HC, Helm S 2nd: Sacroiliac joint pain and dysfunction. *Pain Physician*. 2003; 6: 179-89.
61. Bernard T, Cassidy JD: The sacroiliac joint syndrome. Pathophysiology, diagnosis and management. In: Frymoyer JW, ed., *The Adult Spine: Principles and Practice*, 2nd ed. Lippincott-Raven, Philadelphia, pp. 2343-63, 1997.
62. Miltner L, Lowendorf CS: Low back pain. A study of 525 cases of sacro-iliac and sacrolumbar joints. *J Bone Joint Surg*. 1931; 13: 16-28.
63. Schuit D, McPoil TG, Mulesa P: Incidence of sacroiliac joint malalignment in leg length discrepancies. *J Am Podiatr Med Assoc*. 1989; 79: 380-3.
64. Herzog W, Conway PJ: Gait analysis of sacroiliac joint patients. *J Manipulative Physiol Ther*. 1994; 17: 124-7.
65. Marymont J, Lynch MA, Henning CE: Exercise-related stress reaction of the sacroiliac joint: an unusual cause of low back pain in athletes. *Am J Sports Med*. 1986; 14: 320-3.
66. Schoenberger M, Hellmich K: Sacroiliac dislocation and scoliosis. *Hippokrates*. 1964; 35: 476-9.
67. Katz V, Schofferman J, Reynolds J: The sacroiliac joint: a potential cause of pain after lumbar fusion to the sacrum. *J Spinal Disord Tech*. 2003; 16: 96-9.
68. Onsel C, Collier BD, Kir KM, Larson SJ, Meyer GA, Krasnow AZ, Isitman AT, Hellman RS, Carrera GF: Increased sacroiliac joint uptake after lumbar fusion and/or laminectomy. *Clin Nucl Med*. 1992; 17: 283-7.
69. Ebraheim NA, Elgafy H, Semaan HB: Computed tomographic findings in patients with persistent sacroiliac pain after posterior iliac graft harvesting. *Spine (Phila Pa 1976)*. 2000; 25: 2047-51.
70. Frymoyer JW, Hanley E, Howe J, Kuhlmann D, Matteri R: Disc excision and spine fusion in the management of lumbar disc disease. A minimum ten-year followup. *Spine (Phila Pa 1976)*. 1978; 3: 1-6.
71. Berg G, Hammar M, Möller-Nielsen J, Lindén U, Thorblad J: Low back pain during pregnancy. *Obstet Gynecol*. 1998; 71: 71-5.
72. Cusi MF: Paradigm for assessment and treatment of SIJ mechanical dysfunction. *J Bodyw Mov Ther*. 2010; 14: 152-61.
73. Szadek KM, van der Wurff P, van Tulder MW, Zuurmond WW, Perez RS: Diagnostic validity of criteria for sacroiliac joint pain: a systematic review. *J Pain*. 2009; 10: 354-68.
74. van der Wurff P, Hagmeijer RH, Meyne W: Clinical tests of the sacroiliac joint. A systematic methodological review. Part 1: reliability. *Man Ther*. 2000; 5: 30-6.
75. Fortin JD, Dwyer AP, West S, Pier J: Sacroiliac joint: pain referral maps upon applying a new injection/arthrography technique. Part I: asymptomatic volunteers. *Spine (Phila Pa 1976)*. 1994; 19: 1475-82.
76. Fortin JD, Aprill CN, Ponthieux B, Pier J: Sacroiliac joint: pain referral maps upon applying a new injection/arthrography technique. Part II: clinical evaluation. *Spine (Phila Pa 1976)*. 1994; 19: 1483-9.
77. Slipman CW, Jackson HB, Lipetz JS, Chan KT, Lenrow D, Vresilovic EJ: Sacroiliac joint pain referral zones. *Arch Phys Med Rehabil*. 2000; 81: 334-8.
78. Hungerford B, Gilleard W, Hodges P: Evidence of altered lumbopelvic muscle recruitment in the presence of sacroiliac joint pain. *Spine (Phila Pa 1976)*. 2003; 28: 1593-600.

〔星　賢治〕

5. 骨盤輪不安定症の診断・評価

はじめに

「骨盤輪不安定症」の定義はまだ確立されておらず、外傷に伴う骨盤輪を構成する骨自体の不安定性や漠然と骨盤周囲の疼痛を指す場合などがある。また、現時点において骨盤輪不安定症の診断・評価方法も確立されていない。以上を踏まえて、本項では骨盤輪不安定症を「器質的損傷がなく、骨盤輪の不安定性に由来する各種の症状」と定義し、その診断・評価方法について先行研究をレビューした。

A. 文献検索方法

文献検索にはPubMedを用い、2012年3月までに公表された論文について、表5-1にあげた用語で検索を行った。その結果、検出された77文献のうち、本項のテーマと合致した論文を抽出した。さらに引用文献からのハンドサーチを加え、最終的に34文献を本レビューに採用した。

B. 骨盤の機能評価

骨盤の機能評価でこれまでに着目されてきたのは、静的アライメントの対称性と関節可動性の左右差に大別される。

1. 静的アライメント評価

多くの研究において、骨盤の静的アライメントは触診に基づく骨ランドマーク位置の左右差によって判断されてきた（表5-2）。O'Haireら[1]は、触診による骨盤の静的なアライメント評価に関して検者内および検者間の信頼性を検証した。対象は健常女性10名（平均年齢24歳）で、同一のショートパンツを着用したうえで腹臥位にて評価を受けた。評価は、以下に記載する上後腸骨棘、仙骨溝、仙骨角の触診方法に従って、1時間の練習による手順の標準化の後に10名の検者によって実施された。

上後腸骨棘：検者は対象者の左右腸骨稜にそれぞれ母指を置き、腸骨稜に沿って後方へ滑らせた。両母指が上後腸骨棘の下部を触知したところで水平面上での相対的な高さを比較した。

仙骨溝：検者は同様の手順で上後腸骨棘を触知したうえで母指を中央へ滑らせた。両母指で徐々に圧迫を加え、仙骨底部が触れるまでの深さを比較した。

仙骨角：検者は仙骨稜と仙骨裂孔を触診し、それらを結ぶ直線を仙骨の中心線とした。中心線の側方に左右の親指を置き、水平面上での相対的な高さを比較した。

なお、すべての評価は利き目で行われた。その

表5-1 検索用語とヒット件数

検索用語	ヒット数
pelvic ring instability AND (diagnosis or evaluation)	14件
pelvic instability AND (diagnosis or evaluation)	55件
sacroiliac joint instability AND (diagnosis or evaluation)	7件
pubic symphysis instability AND (diagnosis or evaluation)	1件

結果，検者内信頼性（95％信頼区間）は上後腸骨棘でκ＝0.33（0.07, 0.58），仙骨溝でκ＝0.24（0.02, 0.60），仙骨角でκ＝0.21（0.05, 0.69）であった。検者間信頼性は上後腸骨棘でκ＝0.04，仙骨溝でκ＝0.07，仙骨角でκ＝0.08と低い値であった。

骨盤のランドマークを用いた評価法はこれら以外にも複数考案されてきたが，一様に信頼性は低かった[2〜4]。加えて，これらの静的アライメントと疼痛などの症状との関連については明らかになっていない。以上より，現状では骨盤輪不安定症の評価として静的アライメント評価は有用性が低いといえる。

表5-2 骨盤における静的アライメント評価の信頼性

	肢位	検者内	検者間
上前腸骨棘	立位[2,3]	—	一致率37.5％ κ係数0.31
	座位[3]	—	一致率43.8％
腸骨稜	立位[2,3]	—	一致率35.3％ κ係数0.23
	座位[3]	—	一致率41.2％
上後腸骨棘	立位[2,3]	—	一致率35.3％ κ係数0.13
	座位[2〜4]	—	一致率35.3％ κ係数0.23〜0.37
	腹臥位[1]	κ係数0.33	κ係数0.04
仙骨溝	腹臥位[1]	κ係数0.24	κ係数0.07
仙骨角	腹臥位[1]	κ係数0.21	κ係数0.08

2．触診に基づく骨盤機能評価

ここでは骨盤機能評価において用いられる各種徒手検査法およびそれらの信頼性，妥当性を紹介する（表5-3）。

1）立位股関節屈曲テスト

立位股関節屈曲テスト（図5-1）は仙腸関節可動性を上後腸骨棘の移動量により判定するテストである。対象者は安静立位から片脚立位となり，非支持脚の股関節・膝関節を屈曲させる。検者は，左右の上後腸骨棘を触診して，その移動量を観察する。非支持脚（下肢挙上側）の上後腸骨棘が支持側と比べて下方への移動量が小さい，もしくは上方へ移動した場合には陽性（異常），検査側の上後腸骨棘が下方へ移動した場合には陰性（健常）と判断する。陽性は仙腸関節の可動性に制限が存在することを示唆する。本テストの信頼性は低から中等度と報告された[2,3,5〜7]。

表5-3 骨盤機能評価における信頼性と妥当性

テスト名	信頼性		妥当性				
	検者内	検者間	感度	特異度	陽性尤度	陰性尤度	比較対象
立位股関節屈曲テスト[2,3,5〜7]	κ係数0.23〜0.49	一致率46.7〜54.0％ κ係数0.22〜0.59	—	—	—	—	—
前屈テスト 立位[2,3,4,5,8,9]	一致率68％ κ係数0.46〜0.68	一致率42.0〜55.4％ κ係数0.08〜0.55	—	—	—	—	—
前屈テスト 座位[2,3,5,10]	一致率68％ κ係数0.56〜0.73	一致率50.0〜88.0％ κ係数0.64〜0.75	—	—	—	—	—
背臥位-長座位テスト[2〜4]	—	一致率40.0〜44.6％ κ係数0.19〜0.21	—	—	—	—	—
腹臥位膝屈曲テスト[2〜5,8]	κ係数0.27〜0.48	一致率23.5〜60.0％ κ係数0.21〜0.58	—	—	—	—	—
自動下肢伸展挙上テスト[11]	—	—	77％	55％	60.6％	66.7％	骨盤痛の自覚
片脚立位X線撮影[12]	—	κ係数0.89〜0.95	—	—	—	—	—
カラードプラ像[13]	ICC 0.21〜0.75	—	—	—	—	—	—

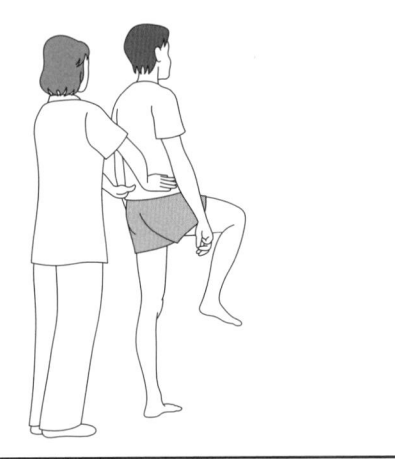

図5-1 立位股関節屈曲テスト
仙腸関節可動性を上後腸骨棘の移動量により判定するテスト。

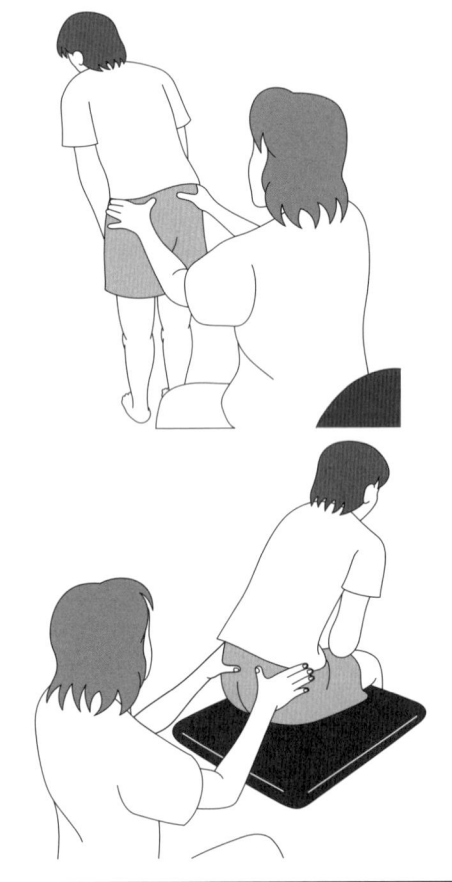

図5-2 前屈テスト（上：立位，下：座位）
仙腸関節可動性を上後腸骨棘の移動量により判定するテスト。

Sturessonら[14]は，高精度の動態解析方法であるradiostereometric analysis（RSA）により立位股関節屈曲テスト中の骨盤内運動を検証した。対象は，下記の基準を満たす22名（男性4名，女性18名）で，年齢は19～45歳であった。基準は，①立位股関節屈曲テスト陽性，②立位前屈テスト陽性，③疼痛誘発テスト（股関節屈曲-内転テスト，股関節過伸展テスト，仙骨スラストテスト）のうち2つ以上が陽性，のうち1つ以上を満たす場合であった。アウトカムとしては，立位股関節屈曲テスト中の寛骨に対する仙骨の移動量であり，前額-水平軸（x），垂直軸（y），矢状-水平軸（z）における各軸回旋角度，および3軸での回旋を合計した螺旋軸回旋角度と並進移動距離が算出された。あらかじめ局所麻酔下で寛骨と仙骨にタンタルマーカーが挿入され，測定はその14日後にX線透視装置を用いて実施された。その結果，x軸回旋角度 $-0.2 \pm 0.4°$，y軸回旋角度 $0.2 \pm 0.4°$，z軸回旋角度 $0.2 \pm 0.3°$，螺旋軸回旋角度 $0.6 \pm 0.4°$，螺旋軸並進移動距離 0.3 ± 0.2 mmであった。このように，立位股関節屈曲テスト中の骨盤内運動は非常に微細であるため，触診での判定の信頼性についてさらなる検証が必要である。

2）前屈テスト

前屈テストは仙腸関節可動性を上後腸骨棘の移動量により判定するテストである（**図5-2**）。対象者は，立位または座位で体幹の屈曲を行う。検者は上後腸骨棘下端と仙骨部を触診し，仙骨に対する上後腸骨棘の移動量を左右で比較する。その移動量に左右差が存在する場合を陽性とし，移動量の増大は仙腸関節の可動性増大を示唆する。立位では，その信頼性は総じて低く，研究間で一定しない[2～5, 8, 9]。座位では，立位と比べ良好な信頼性が報告された[2, 3, 5, 10]。

図 5-3　背臥位-長座位テスト
両側内果の位置関係の比較から，左右の寛骨の前後傾を特定するテスト。寛骨が後傾位にある場合，大腿骨の位置は①のように背臥位では近位に，長座位では遠位に変位する。逆に寛骨が前傾位にある場合，大腿骨の位置は③のように背臥位では遠位に，長座位では近位に変位する。

図 5-4　腹臥位膝屈曲テスト
寛骨の後傾を判断するテスト。

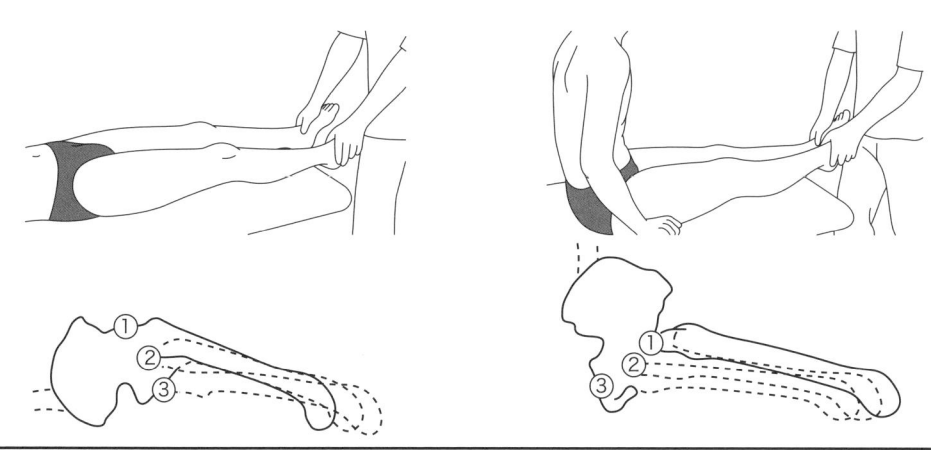

3）背臥位-長座位テスト

　背臥位-長座位テスト（**図 5-3**）は，両側内果の位置関係の比較から，左右の寛骨の前後傾を特定するテストである。対象者は背臥位から長座位となる。このとき，検者は対象者の左右内果の位置変化を観察する。相対的な位置関係に変化が生じた場合に陽性と判断する。例えば，背臥位において右の内果が左の内果よりも近位にあり，長座位で左右差が減少もしくは右の内果が左の内果より遠位に変化した場合，右寛骨が左と比べ後傾している可能性があると判断する。ただし，このテストの信頼性は一様に低い[2～4]。

4）腹臥位膝屈曲テスト

　腹臥位膝屈曲テスト（**図 5-4**）は寛骨の後傾を判断するテストである。まず，対象者は腹臥位になる。検者は，膝伸展位で踵骨の位置を左右対称な状態に調整し，次に膝関節を 90°屈曲し踵骨の位置を比較する。踵骨の位置に左右差が生じた場合に陽性と判断し，踵骨がより頭側に位置する側の寛骨が後傾している可能性があると判断する。このテストの信頼性は検者内，検者間ともに

第2章 骨盤輪不安定症

低から中等度と報告された[2〜5,8]。

3. 徒手検査に基づく骨盤機能評価の限界

徒手検査に基づく骨盤機能評価の妥当性の低さを指摘した報告がある。Tullbergら[15]は，マニピュレーションによる治療前後で，12種類の徒手検査とRSAによる精密アライメント測定の結果を比較した。徒手検査ではマニピュレーション前後で左右差が改善したと結論づけたが，RSAでみられた回旋運動は，前額-水平軸で0.09±0.24°，垂直軸で−0.09±0.36°，矢状-水平軸で−0.02±0.25°であり，並進運動は前額-水平軸で0.03±0.05 mm，垂直軸で0.00±0.08 mm，矢状-水平軸で−0.01±0.14 mmと，非常に小さい値であった。この結果から，徒手検査に基づく骨盤機能評価は実際に生じているアライメントなどの変化を精確に観察できていない可能性がある。

4. 触診以外の骨盤機能評価法

触診以外の手法による骨盤不安定性評価法と，それらの信頼性，妥当性を紹介する（表5-3）。

1）片脚立位X線撮影

X線像を用いた評価方法は，比較的信頼性の高い骨盤不安定性の評価方法と位置づけられてきた。Chamberlain[16]は，片脚立位時の骨盤部X線像上で左右恥骨結合上縁の高さを比較し，仙腸関節の異常運動の評価法を提唱した。これをもとに，Garrasら[12]は同様の方法で恥骨移動量を評価した。対象は健常成人45名（男性15名，未出産女性15名，出産経験女性15名）であった。単純X線により60 cm離れた位置から骨盤部の正面像を撮像し，X線像上でL4・L5の棘突起と尾骨先端を通る線（垂直基準線）と直角に交わり，左右の恥骨の上縁を通る2直線間の距離を計測した。アウトカムは，左右片脚立位間での恥骨の総移動量であった。なお，骨盤の回旋による再現性の低下を防ぐため，右の恥骨と閉鎖孔を結ぶ水平線の中央と垂直に交わる直線（恥骨基準線）が両脚立位時-片脚立位間で1 mm以上の変化が生じた場合にはX線を再度撮影した。その結果，恥骨総移動量は男性で1.4±1.0 mm，未出産女性で1.6±0.8 mm，出産経験女性で3.1±1.5 mmであった。加えて，本研究では3名の盲検化された検者により$\kappa=0.89〜0.95$と非常に高い検者間信頼性が報告された。

片脚立位X線撮影の臨床的妥当性に関して，Siegelら[17]は，骨盤痛を有する骨盤不安定性陽性患者と骨盤痛を有する骨盤不安定性陰性患者との間で疼痛を比較した。対象は骨盤痛を有し，かつ骨盤不安定性の可能性のある患者38名（男性14名，女性24名）であった。対象者の年齢は平均45.7歳（18〜78歳），症状発現からの期間は平均34ヵ月（6週〜27年）であった。アウトカムは片脚立位X線像上の恥骨の総移動量と疼痛強度（visual analogue scale：VAS）であった。なお，片脚立位X線上5 mm以上の恥骨総移動量を有する状態を骨盤不安定性陽性と定義した。その結果，対象者38名のうち25名が骨盤不安定性陽性であり，その恥骨総移動量は平均19.8 mm（5〜50 mm）であった。VASの値は，不安定性陽性患者で7.3±1.9（2〜10），不安定性陰性患者で6.4±2.9（1〜10）であり，2群間に有意な差は認められなかった。

2）自動下肢伸展挙上テスト（active straight leg raising：ASLR）テスト

ASLRテスト（図5-5）は寛骨の前方回旋不安定性を検出するためのテストである。対象者は背臥位となり，一側下肢を膝伸展位のまま左右交互に5〜20 cm程度挙上する。このとき，対象者は下肢の挙上しにくさや疼痛・不快感の左右差を主観的に確認する。検者は，下肢挙上の速さや動

5. 骨盤輪不安定症の診断・評価

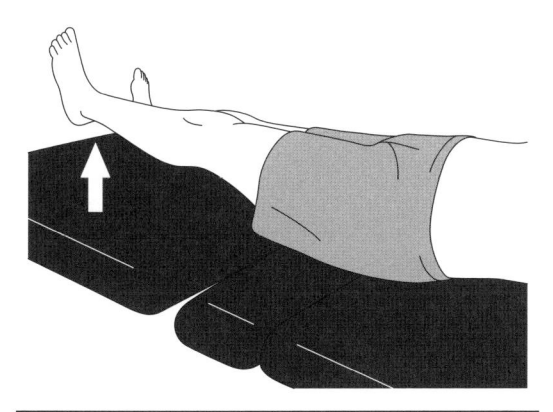

図5-5 自動下肢伸展挙上（ASLR）テスト
寛骨の前方回旋不安定性を検出するためのテスト。

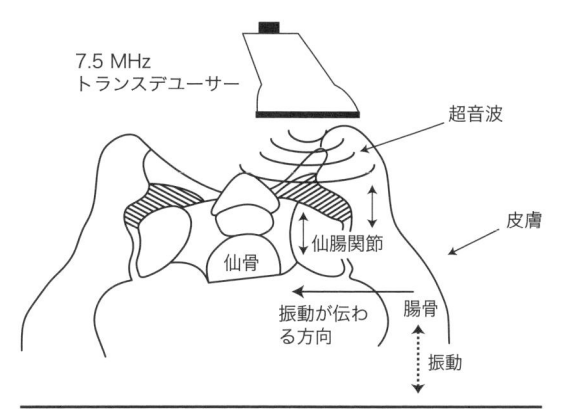

図5-6 カラードップラーイメージング
腹臥位の対象者の上前腸骨棘に対し振動を加え，寛骨と仙骨の振動の差を計測する。

揺性，体幹の代償運動など，対象者の非言語的な様子を観察する。これらの情報に基づき，ASLRテストにおける障害の程度を，「0：対象者は制限を感じない」「1：対象者は制限を感じるものの，検者は制限がないと判断する」「2：対象者・検者ともに制限があると判断する」「3：下肢挙上が不可能」の4段階に分ける。

　ASLRテストが陽性となるメカニズムについての研究が行われてきた。Damenら[18]は，妊娠31〜40週の妊婦163名を対象に骨盤痛の自覚症状の有無を基準としてASLRテストの感度および特異度を算出した。その結果，ASLRテストの感度は57.5％，特異度は96.7％であった。Mensら[19]は，ASLRテスト時に生じる骨盤アライメントの変化を単純X線により計測した。対象は，妊娠中もしくは分娩後3週間以内に生じた片側性骨盤痛が持続している分娩後の女性，かつ同側のASLRテストで陽性を示す患者21名であった。アウトカムは，骨盤ベルトの有無の2条件におけるASLRテスト，片脚立位X線撮影であった。まず，予備研究（対象者25名，検者2名）においてASLRテストの高い検者間信頼性（Kendall's Tb＝0.81）が得られた。この研究の結果，ASLRの障害は骨盤ベルトにより有意（$p<0.00$）に改善し，片脚立位X線撮影において ASLR テスト陽性側に有意（$p=0.01$）な恥骨下方変位がみられた。さらに，片脚立位X線像において特に恥骨の変位が大きかった対象者4名に，追加的にASLRテスト時の骨盤部X線撮影が行われた。その結果，片脚立位X線撮影と同様に，ASLRテスト陽性側で有意に恥骨下方変位がみられた。これらのことから，ASLRテスト陽性は仙腸関節を軸とする寛骨の前方回旋に起因すると推測された。

3）カラードップラーイメージング

　超音波のカラードップラー技術が仙腸関節の安定性の評価に応用されてきた[11, 13, 18, 20〜22]（図5-6）。検者は，腹臥位の対象者の上前腸骨棘に対し振動を加え，同時に寛骨と仙骨の振動の差をカラードップラー技術を用いて計測した。その振動の差が小さいほど仙腸関節の可動性は小さく，安定していることを示す。この評価方法は無侵襲であり，客観的に生体内で仙腸関節の安定性を評価できるという点で非常に優れた方法といえる。一方で，検者の習熟度によって信頼性が大きく異なることが報告された[13]。

　このカラードップラー技術を応用した仙腸関節の安定性評価法は，出産に関連した骨盤痛の予後予測に用いられてきた。Damenら[11]は，妊娠

第2章 骨盤輪不安定症

表5-4 疼痛誘発テストにおける信頼性と妥当性

テスト名	信頼性 検者内	信頼性 検者間	妥当性 感度	妥当性 特異度	妥当性 陽性尤度	妥当性 陰性尤度	比較対象
圧迫テスト [3, 10, 23~26]	—	一致率76.5~97.0 % κ係数 0.58~0.79	69 %	69 %	2.20	0.46	ブロック注射
離開テスト [3, 10, 23~26]	—	一致率88.2~97.0 % κ係数 0.46~0.84	60 %	81 %	3.20	0.49	ブロック注射
Patrick-Faber テスト [2, 5, 6, 10, 23, 27, 28]	κ係数 0.31~0.41	一致率82.0~92.3 % κ係数 0.44~0.62	69~77 %	16~100 %	0.82	1.88	ブロック注射
骨盤捻転テスト [2, 6, 23, 25, 26]	—	一致率88.2~92.3 % κ係数 0.54~0.76	50~71 %	26~77 %	0.96~2.21	0.65~1.11	ブロック注射
大腿スラストテスト [2, 5, 6, 20, 23~27]	κ係数 0.40~0.51	一致率82.0~94.1 % κ係数 0.40~0.88	71 %	88 %	4.07	0.23	骨盤痛の自覚
			36~80 %	50~100 %	0.72~2.80	0.18~1.28	ブロック注射
仙骨スラストテスト [2, 6, 24~26]	—	一致率66.0~78.0 % κ係数 0.30~0.56	53~63 %	29~77 %	0.75~2.21	0.65~1.61	ブロック注射

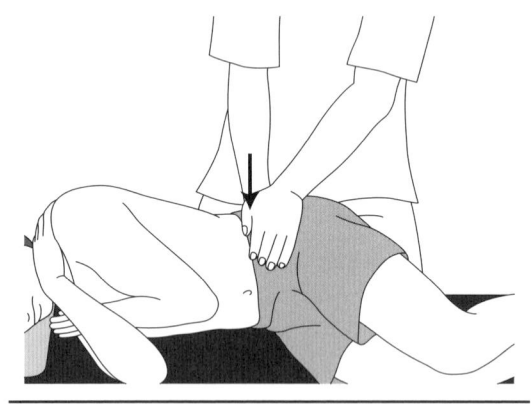

図5-7 圧迫テスト
仙腸関節背側の靱帯または仙腸関節関節面の前部に由来する疼痛誘発テスト。

30週の妊婦123名の妊娠36週と産後8週時点における骨盤痛（VAS）と仙腸関節安定性の左右差を測定した。その結果，妊娠中に中等度から重度の骨盤痛を有し，仙腸関節安定性に左右差が認められた場合に，産後も骨盤痛が持続していた割合は77 %であった。このときの感度，特異度，陽性適中率はそれぞれ65 %，83 %，77 %であった。また，産前に仙腸関節安定性の左右差を認めた場合，産後の骨盤痛持続の相対危険度は2.8倍であった。

C. 骨盤輪不安定症の診断

疼痛の減弱の誘発は，骨盤輪不安定症の診断において中心的な役割を果たす。その手法は，検査手技などによる疼痛の誘発とブロック注射などによる疼痛の軽減に大別される。

1. 疼痛誘発テスト

疼痛の誘発に用いる各種徒手検査と，その信頼性および妥当性を紹介する（表5-4）。

1) 圧迫テスト

圧迫テスト（図5-7）は，仙腸関節背側の靱帯または仙腸関節関節面の前部に由来する疼痛誘発テストである。対象者は側臥位となる。検者は，上方より寛骨を圧迫し，仙腸関節背側の靱帯に伸張負荷を加えるとともに仙腸関節関節面の前部に圧縮負荷を加える。仙腸関節の疼痛誘発により陽性と判断する。その信頼性と妥当性は比較的良好であった [3, 10, 23~26]。

2) 離開テスト

離開テストは（図5-8），仙腸関節腹側の靱帯ま

5. 骨盤輪不安定症の診断・評価

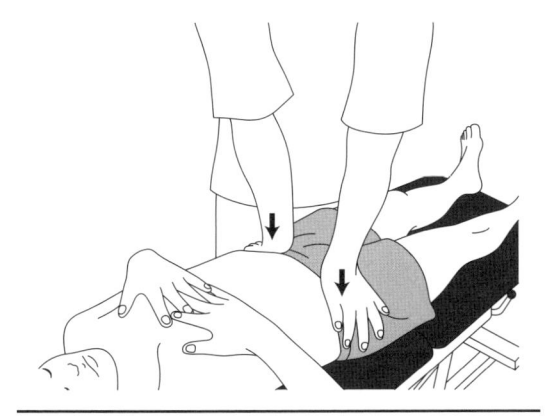

図5-8 離開テスト
仙腸関節腹側の靱帯または仙腸関節関節面後部に由来する疼痛誘発テスト。

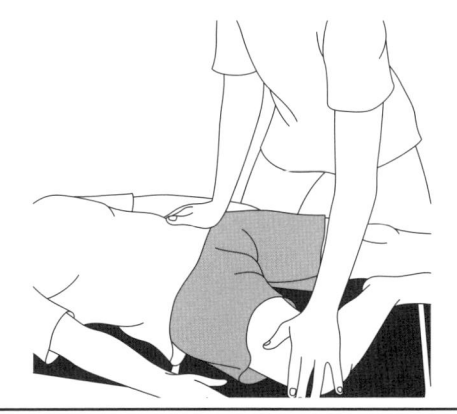

図5-9 Patrick-Faberテスト
股関節，仙腸関節など骨盤周囲における病変を広く検出することを目的としたテスト。

たは仙腸関節関節面後部に由来する疼痛誘発テストである。対象者は背臥位となる。検者は，両側の上前腸骨棘を後外側方向へ圧迫し，仙腸関節腹側の靱帯に伸張負荷を加えるとともに仙腸関節関節面の後部に圧縮負荷を加える。仙腸関節の疼痛誘発により陽性と判断する。離開テストの信頼性，妥当性は圧迫テストとほぼ同等であり，特異度は圧迫テストよりもやや良好であった[3,10,23〜26]。

3) Patrick-Faberテスト

Patrick-Faberテスト（**図5-9**）は，股関節，仙腸関節など骨盤周囲における病変を広く検出することを目的とした検査法であり，特定の病変を判断することを目的とした検査法ではない。対象者は背臥位となる。検者は，評価側の股関節を屈曲・外転・外旋し，足関節外果を対側の大腿遠位部上に置く。検者は，非検査側の上前腸骨棘を固定しつつ，検査側の膝内側に下方への圧迫を加える。仙腸関節，殿部，鼠径部における疼痛誘発により陽性と判断する。その信頼性は中等度，妥当性は良好との報告が多いが，特異度は研究間で低い再現性であった[2,5,6,10,23,27〜29]。

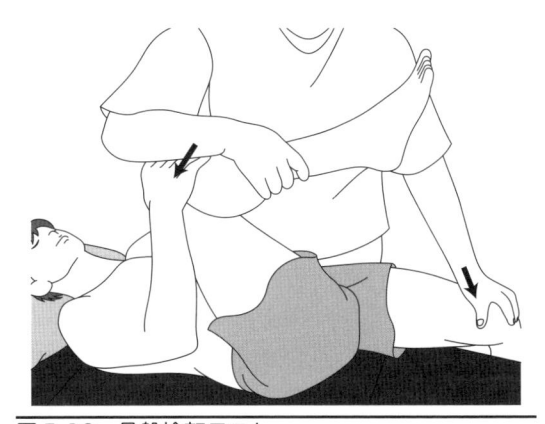

図5-10 骨盤捻転テスト
寛骨の前後傾不安定性に由来する仙腸関節の疼痛を検出するテスト。

4) 骨盤捻転テスト

骨盤捻転テスト（**図5-10**）は，寛骨の前後傾不安定性に由来する仙腸関節の疼痛を検出するテストである。対象者は，背臥位にて一側の股関節を伸展位とする。検者は，検査側の股関節と膝関節を最大限屈曲させた状態で，検査側の股関節屈曲位にて大腿骨を後方に圧迫し，仙腸関節に回旋ストレスを加える。仙腸関節の疼痛誘発を陽性と判断する。その信頼性と妥当性はともに概ね中等度から良好であり，特異度は研究間で低い再現性であった[2,6,23,25,26]。

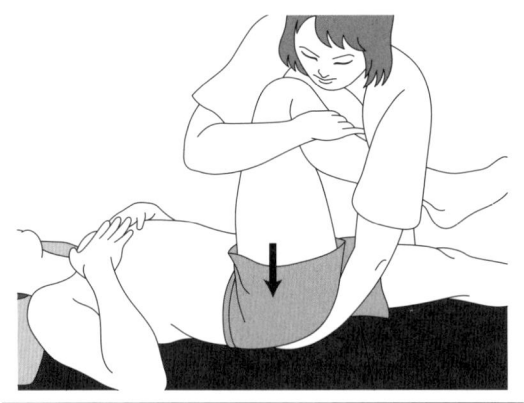

図5-11 大腿スラストテスト
仙腸関節に対して剪断力を加えることにより疼痛を誘発するテスト。

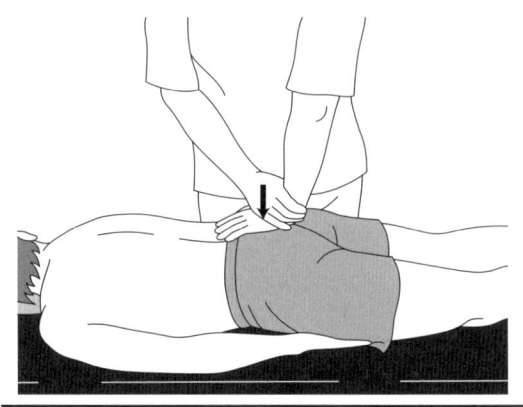

図5-12 仙骨スラストテスト
仙腸関節に対して剪断力を加えることにより疼痛を誘発するテスト。

5）大腿スラストテスト

大腿スラストテスト（**図5-11**）は，仙腸関節に対して剪断力を加えることにより疼痛を誘発するテストである．対象者は背臥位となる．検者は，検査側の股関節を90°屈曲位および軽度内転位として大腿骨を介して仙腸関節に剪断力を加える．これによる仙腸関節の疼痛誘発を陽性と判断する．その信頼性は概ね中等度であり，妥当性は多くの研究において中等度以上であった[2,5,6,20,23〜27]．

6）仙骨スラストテスト

仙骨スラストテスト（**図5-12**）は，仙腸関節に対して剪断力を加えることにより疼痛を誘発するテストである．対象者は腹臥位となる．検者は，対象者の背側から仙骨にスラストを加える．これによる仙腸関節の疼痛誘発を陽性と判断する．その信頼性は低から中等度，妥当性は概ね中等度であった[2,6,24〜26]．

2．診断的ブロック注射

診断的仙腸関節ブロック注射は，骨盤周囲の疼痛の責任部位を特定するうえで最も有効とされている検査法である．Dreyfussら[6]は，この検査の陽性の判定基準として，ブロック注射による90%以上の疼痛軽減を提唱した．診断的ブロック注射は，前述の徒手的な疼痛誘発テストの妥当性検証において診断方法のゴールドスタンダードとして採用されている．しかし，実際にブロック注射自体の妥当性は立証されていない．Hoganら[30]は，266件の文献をレビューした結果，診断的ブロック注射は，プラセボ効果，期待バイアス，疼痛の種類や原因，全身麻酔の影響，心理社会的問題など多くの因子に影響を受けており，単独で高い妥当性を有しているとはいえないと結論づけた．Hansenら[31]も，132件のシステマティックレビューで同様の結論を報告した．加えて，仙腸関節ブロックは脊椎注射のなかでも特に困難な手技の1つとされている．十分に経験を積んだ医師によるブロック注射成功率は，非透視下で約12%[32]，透視下で97〜99%であった[6,33]．

D. 骨盤輪不安定症の診断・評価における系統的プロトコル

前述の骨盤輪不安定症の各検査単独の信頼性や妥当性の低さを補うため，複数の検査を組み合わせた判定基準が提唱されてきた．Cibulkaら[34]

5. 骨盤輪不安定症の診断・評価

表5-5 骨盤帯における症状発生部位による診断・評価法の妥当性（文献10より引用）

	感 度				特異度
	恥骨結合	仙腸関節（片側）	仙腸関節（両側）	恥骨結合＋仙腸関節（両側）	
骨盤アライメント	19%	32%	46%	26%	77%
座位前屈テスト	0%	69%	21%	14%	98%
トレンデレンブルグテスト	62%	19%	18%	60%	99%
メネルテスト	9%	54%	65%	70%	100%
恥骨結合部の圧痛	60%	0%	0%	81%	99%
仙腸関節の圧痛	0%	15%	11%	49%	100%
股関節他動外転テスト	17%	25%	37%	70%	100%
股関節他動内転テスト	38%	30%	30%	67%	100%
大腿スラストテスト	17%	84%	93%	90%	98%
Patrick-Faberテスト	40%	42%	40%	70%	99%
離開テスト	13%	4%	14%	40%	100%
圧迫テスト	13%	25%	38%	70%	100%

は，腰痛・殿部痛患者26名に対して4つのテスト（立位前屈テスト，座位上後腸骨棘位置，背臥位‐長座位テスト，腹臥位膝屈曲テスト）を実施した際の検者間信頼性を検証した．3つ以上の陽性を診断基準としたとき，検者間信頼性はκ係数で0.88と高かった．Arabら[5]は4つの可動性テスト（立位股関節屈曲テスト，立位前屈テスト，座位前屈テスト，腹臥位膝屈曲テスト）と3つの疼痛誘発テスト（Patrick‐Faberテスト，大腿スラストテスト，外転抵抗テスト）を実施し，おのおのいくつのテストが陽性であった場合，骨盤症状ありと判断すべきか検討を行った．その結果，3つ以上の可動性テストと2つ以上の疼痛誘発テストが陽性であった場合に高い信頼性が得られた．Laslettら[26]は，5つの疼痛誘発テスト（離開テスト，圧迫テスト，大腿スラストテスト，骨盤捻転テスト，仙骨スラストテスト）を用いた仙腸関節痛判定法の妥当性の検証を行った．その結果，感度91%，特異度78%という優れた妥当性が示された．また，この研究では椎間板症状を有する者を除外することで特異度の向上が認められ，骨盤部での問題を判断する際にはスクリーニ

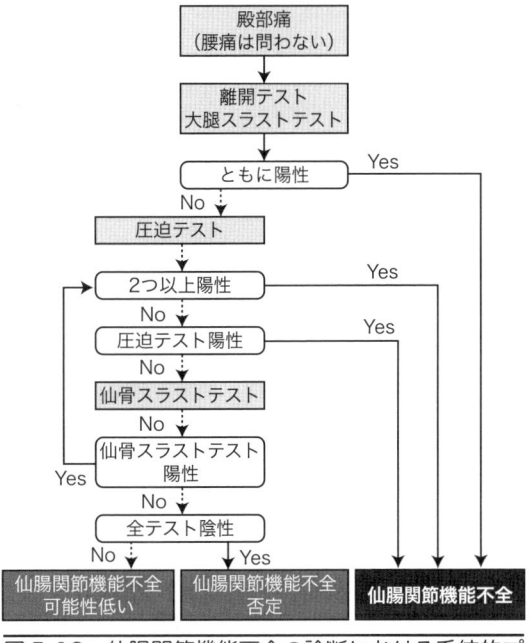

図5-13 仙腸関節機能不全の診断における系統的プロトコル（文献24より引用）

ングとして骨盤以外の問題をできるかぎり排除したうえでテストを行うことが重要であると考察された．これらの研究から，徒手検査の信頼性や妥当性は低いが，これらを複数組み合わせることで診断に用いることができる可能性があることが示

された。

複数の検査を組み合わせて用いる際に忘れてはならない点として，各テストの個別性がある。Albertら[10]は，骨盤帯における症状の存在部位と各テストの妥当性を検証し，症状の存在部位により各テストの感度は異なることを明らかにした（**表5-5**）。すなわち，検査対象を明確にしたうえで感度の高いテストを選択・実施することが重要といえる。Laslettら[24]は，各テストの妥当性などに基づき，仙腸関節機能不全の診断における系統的プロトコルを提案した（**図5-13**）。ただし，この系統的プロトコルの信頼性，妥当性については検証されなかった。

E. まとめ

1. すでに真実として承認されていること
- 骨盤輪不安定症に関する，診断および評価の方法はまだ確立されていない。
- 骨盤機能評価に関して，現在行われている徒手評価は信頼性が低く，妥当性が検証された検査法は少ない。

2. 議論の余地はあるが，今後の重要な研究テーマとなること
- X線や超音波などによる骨盤輪機能評価は骨盤輪不安定性を客観的に評価できる可能性がある。
- 複数の手法を組み合わせた系統的プロトコルは，骨盤輪不安定症の診断・評価の信頼性および妥当性を向上させる可能性がある。

3. 事実と思われていたが実は疑わしいこと
- 現時点で最善の診断方法は診断的ブロック注射とされているが，その妥当性に関して確証は得られていない。

F. 今後の課題

- 骨盤輪不安定症の診断・評価において，各手法の妥当性を検証する際にゴールドスタンダードとなる判断基準を確立すること。
- 骨盤輪不安定症に伴い生じる多様な病態を類型化できる診断方法を考案すること。
- 骨盤輪不安定症の発症メカニズムを推定し，治療法の選択に繋がる評価方法を考案すること。

文献

1. O'Haire C, Gibbons P: Inter-examiner and intra-examiner agreement for assessing sacroiliac anatomical landmarks using palpation and observation: pilot study. *Man Ther*. 2000; 5: 13-20.
2. Flynn T, Fritz J, Whitman J, Wainner R, Magel J, Rendeiro D, Butler B, Garber M, Allison S: A clinical prediction rule for classifying patients with low back pain who demonstrate short-term improvement with spinal manipulation. *Spine (Phila Pa 1976)*. 2002; 27: 2835-43.
3. Potter NA, Rothstein JM: Intertester reliability for selected clinical tests of the sacroiliac joint. *Phys Ther*. 1985; 65: 1671-5.
4. Riddle DL, Freburger JK: Evaluation of the presence of sacroiliac joint region dysfunction using a combination of tests: a multicenter intertester reliability study. *Phys Ther*. 2002; 82: 772-81.
5. Arab AM, Abdollahi I, Joghataei MT, Golafshani Z, Kazemnejad A: Inter-and intra-examiner reliability of single and composites of selected motion palpation and pain provocation tests for sacroiliac joint. *Man Ther*. 2009; 14: 213-21.
6. Dreyfuss P, Michaelsen M, Pauza K, McLarty J, Bogduk N: The value of medical history and physical examination in diagnosing sacroiliac joint pain. *Spine (Phila Pa 1976)*. 1996; 21: 2594-602.
7. Meijne W, van Neerbos K, Aufdemkampe G, van der Wurff P: Intraexaminer and interexaminer reliability of the Gillet test. *J Manipulative Physiol Ther*. 1999; 22: 4-9.
8. Cibulka MT, Koldehoff R: Clinical usefulness of a cluster of sacroiliac joint tests in patients with and without low back pain. *J Orthop Sports Phys Ther*. 1999; 29: 83-9.
9. Vincent-Smith B, Gibbons P: Inter-examiner and intra-examiner reliability of the standing flexion test. *Man Ther*. 1999; 4: 87-93.
10. Albert H, Godskesen M, Westergaard J: Evaluation of clinical tests used in classification procedures in pregnancy-related pelvic joint pain. *Eur Spine J*. 2000; 9: 161-6.
11. Damen L, Buyruk HM, Guler-Uysal F, Lotgering FK,

Snijders CJ, Stam HJ: The prognostic value of asymmetric laxity of the sacroiliac joints in pregnancy-related pelvic pain. *Spine (Phila Pa 1976)*. 2002; 27: 2820-4.
12. Garras DN, Carothers JT, Olson SA: Single-leg-stance (flamingo) radiographs to assess pelvic instability: how much motion is normal? *J Bone Joint Surg Am*. 2008; 90: 2114-8.
13. Damen L, Stijnen T, Roebroeck ME, Snijders CJ, Stam HJ: Reliability of sacroiliac joint laxity measurement with Doppler imaging of vibrations. *Ultrasound Med Biol*. 2002; 28: 407-14.
14. Sturesson B, Uden A, Vleeming A: A radiostereometric analysis of movements of the sacroiliac joints during the standing hip flexion test. *Spine (Phila Pa 1976)*. 2000; 25: 364-8.
15. Tullberg T, Blomberg S, Branth B, Johnsson R: Manipulation does not alter the position of the sacroiliac joint: a roentgen stereophotogrammetric analysis. *Spine (Phila Pa 1976)*. 1998; 23: 1124-8.
16. Chamberlain WE: The symphysis pubis in the roentgen examination of the sacroiliac joint. *Am J Roentgenol Radium Ther*. 1930; 24: 621-65.
17. Siegel J, Templeman DC, Tornetta P 3rd: Single-leg-stance radiographs in the diagnosis of pelvic instability. *J Bone Joint Surg Am*. 2008; 90: 2119-25.
18. Damen L, Buyruk HM, Güler-Uysal F, Lotgering FK, Snijders CJ, Stam HJ: Pelvic pain during pregnancy is associated with asymmetric laxity of the sacroiliac joints. *Acta Obstet Gynecol Scand*. 2001; 80: 1019-24.
19. Mens J, Vleeming A, Snijders CJ, Stam HJ, Ginai AZ: The active straight leg raising test and mobility of the pelvic joints. *Eur Spine J*. 1999; 8: 468-73.
20. Buyruk HM, Stam HJ, Snijders CJ, Laméris JS, Holland WPJ, Stijnen TH: Measurement of sacroiliac joint stiffness in peripartum pelvic pain patients with Doppler imaging of vibrations (DIV). *Eur J Obstet Gynecol Reprod Biol*. 1999; 83: 159-63.
21. Buyruk HM, Snijders CJ, Vleeming A, Laméris JS, Holland WPJ, Stam HJ: The measurements of sacroiliac joint stiffness with colour Doppler imaging: a study on healthy subjects. *Eur J Radiol*. 1995; 21: 117-21.
22. Buyruk HM, Stam HJ, Snijders CJ, Vleeming A, Laméris JS, Holland WPJ: The use of color Doppler imaging for the assessment of sacroiliac joint stiffness: a study on embalmed human pelvises. *Eur J Radiol*. 1995; 21: 112-6.
23. Kokmeyer DJ, Van Der Wurff P, Aufdemkampe G, Fickenscher T: The reliability of multitest regimens with sacroiliac pain provocation tests. *J Manipulative Physiol Ther*. 2002; 25: 42-8.
24. Laslett M, Aprill CN, McDonald B, Young SB: Diagnosis of sacroiliac joint pain: validity of individual provocation tests and composites of tests. *Man Ther*. 2005; 10: 207-18.
25. Laslett M, Williams M: The reliability of selected pain provocation tests for sacroiliac joint pathology. *Spine (Phila Pa 1976)*. 1994; 19: 1243-9.
26. Laslett M, Young SB, Aprill CN, McDonald B: Diagnosing painful sacroiliac joints: a validity study of a McKenzie evaluation and sacroiliac provocation tests. *Aust Journal Physiother*. 2003; 49: 89-98.
27. Broadhurst NA, Bond MJ: Pain provocation tests for the assessment of sacroiliac joint dysfunction. *J Spinal Disord*. 1998; 11: 341-5.
28. Robinson HS, Brox JI, Robinson R, Bjelland E, Solem S, Telje T: The reliability of selected motion-and pain provocation tests for the sacroiliac joint. *Man Ther*. 2007; 12: 72-9.
29. Maigne JY, Aivaliklis A, Pfefer F: Results of sacroiliac joint double block and value of sacroiliac pain provocation tests in 54 patients with low back pain. *Spine (Phila Pa 1976)*. 1996; 21: 1889-92.
30. Hogan QH, Abram SE: Neural blockade for diagnosis and prognosis: a review. *Anesthesiology*. 1997; 86: 216-41, 1997.
31. Hansen HC, McKenzie-Brown AM, Cohen SP, Swicegood JR, Colson JD, Manchikanti L: Sacroiliac joint interventions: a systematic review. *Pain Physician*. 2007; 10: 165-84.
32. Hansen HC: Is fluoroscopy necessary for sacroiliac joint injections? *Pain Physician*. 2003; 6: 155-8.
33. Dussault RG, Kaplan PA, Anderson MW: Fluoroscopy-guided sacroiliac joint injections. *Radiology*. 2000; 214: 273-7.
34. Cibulka MT, Delitto A, Koldehoff RM: Changes in innominate tilt after manipulation of the sacroiliac joint in patients with low back pain. *Phys Ther*. 1988; 68: 1359-63.

（伊藤一也）

6. 骨盤輪不安定症の保存療法

はじめに

　骨盤輪不安定症は一種の疾患概念であり，文献的には仙腸関節機能不全（sacroiliac joint dysfunction）と恥骨結合機能不全（symphysis pubis dysfunction），そして妊娠と関連した骨盤帯痛（pregnancy related pelvic girdle pain）から構成される。本項を執筆した時点では，これらの疾患についてスポーツと関連した報告は皆無に等しく，外傷性のものを除けば，骨盤帯痛のほとんどが妊娠や出産が原因となって発症すると考えられていた。妊娠と関連した骨盤帯痛の存在は，古くは紀元前4世紀にヒポクラテスによって指摘されていた[1]。しかし，それから2000年以上も経過した今日において，いまだにその病態や診断・評価方法には曖昧な点も多く，標準的な治療法も存在しない。本項では，前述の3つの疾患に対する保存療法の内容と効果を詳細に検証し，現時点でのエビデンスから導きうる最善の治療指針を模索した。また，この分野の課題を指摘し，今後期待される研究の方向性を明らかにした。

A. 文献検索方法

　文献データベースはPubMedを使用し，2012年3月までに公表された論文の検索を行った。**表6-1**に示したように，キーワードを組み合わせて検索を行った。論文の研究デザインは無作為化もしくは非無作為化対照試験に限定した。また，文献検索でヒットした論文のうち以下の①～⑥に該当するものは除外した。①骨折など外傷由来の骨盤帯痛を対象疾患としたもの，②腰痛を対象疾患としたもの（ただし，「仙腸関節部の腰痛」のように疼痛部位を骨盤帯に限定していたものは採用した），③骨盤帯痛と腰痛のいずれも対象疾患としていたが，後者のほうが対象者における罹患率が高かったもの，④脳性麻痺由来の骨盤帯痛を対

表6-1　検索用語とヒット件数

検索用語	ヒット件数
(unstable pelvic ring OR pelvic instability OR pelvic insufficiency) AND (rehabilitation OR therapy OR treatment OR management OR physical therapy OR conservative therapy OR conservative treatment)	1,636件
sacroiliac joint dysfunction AND (rehabilitation OR therapy OR treatment OR management OR physical therapy OR conservative therapy OR conservative treatment)	359件
(symphysis pubis dysfunction OR symphysis pubis diastasis) AND (rehabilitation OR therapy OR treatment OR management OR physical therapy OR conservative therapy OR conservative treatment)	310件
(pelvic girdle pain OR chronic pelvic pain OR posterior pelvic pain) AND (rehabilitation OR therapy OR treatment OR management OR physical therapy OR conservative therapy OR conservative treatment)	3,044件
pregnancy related pelvic pain AND (rehabilitation OR therapy OR treatment OR management OR physical therapy OR conservative therapy OR conservative treatment)	219件

6. 骨盤輪不安定症の保存療法

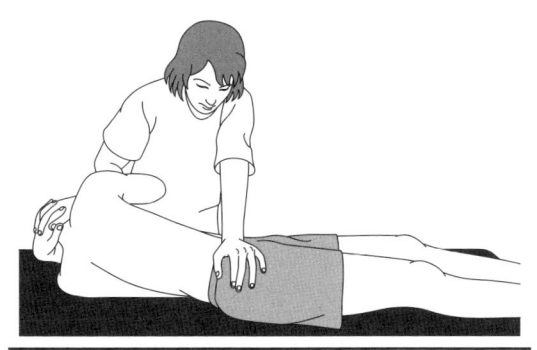

図6-1 Kamaliらが実施した仙腸関節マニピュレーション（文献2より作図）
セラピストは，施術側（図では右）の仙腸関節とは反対側に立つ．背臥位にさせた対象者に頭の後ろで手を組ませ，施術側へ体幹を他動的に側屈する．その後，他動的に体幹を回旋し，上前腸骨棘に背尾側方向への素早いスラストを加える．

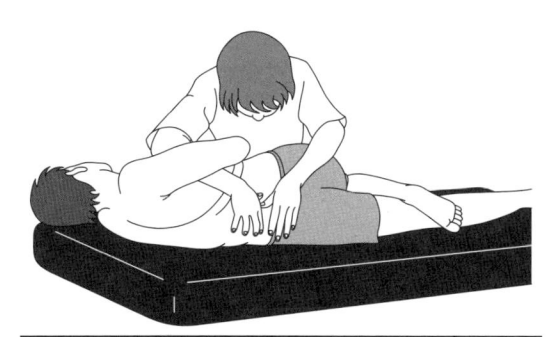

図6-2 Kamaliらが実施した腰椎マニピュレーション（文献2より作図）
対象者はより痛い側（図では右）を上にした側臥位をとり，セラピストは患者と向き合って立つ．対象者の脊椎が屈曲するまで上側の下肢を屈曲させ，下側の下肢の膝窩部に上側の下肢の足部を位置させる．セラピストは対象者の肩関節下部と上肢を把持し，治療対象とする腰椎の運動が触知されるまで体幹を左側屈・右回旋させる．対象者の上肢はセラピストの上肢に巻き付けておく．最後に，セラピストの左手で骨盤に前方への高速・低振幅スラストを加える．

象疾患としたもの，⑤リウマチ性関節炎や強直性脊椎炎，脊椎関節症，脊椎側弯症，骨粗鬆症，腫瘍，癌と関連した骨盤帯痛を対象疾患としたもの，⑥間質性膀胱炎などの泌尿器障害を対象疾患としたもの．論文の引用文献リストを参照したハンドサーチも行った．その結果，本項のテーマに合致すると判断された無作為化臨床試験17件と，そこから得られた知見をサポートする研究25件を合わせた計42文献を本レビューに採用した．

表6-2 仙腸関節機能不全に対する2種類のマニピュレーション手技の効果の比較（文献2より改変）

		仙腸関節群 （平均±SD）	仙腸＋腰椎群 （平均±SD）	p値
VAS	介入直後	29.68 ± 21.25	36.87 ± 25.42	0.35
VAS	介入 48時間後	28.25 ± 19.80	39.06 ± 22.59	0.16
VAS	介入 1ヵ月後	32.00 ± 24.77	39.37 ± 28.33	0.43
ODI	介入 48時間後	13.77 ± 12.66	8.22 ± 8.56	0.24
ODI	介入 1ヵ月後	16.40 ± 13.99	9.44 ± 8.43	0.13

B. 仙腸関節機能不全に対する保存療法

1. 高速・低振幅マニピュレーション

仙腸関節機能不全に対する保存療法としてマニピュレーション手技を選択する臨床家は多いが，その効果を支持する報告はほとんどみられない．Kamaliら[2]は，2種類のマニピュレーション手技の効果を比較した．対象は20〜30歳の女性32名で，問診と疼痛誘発テストによって仙腸関節機能不全と診断されていた．対象者は無作為に16名ずつ2群に割り付けられ，一方の群には仙腸関節に対する高速・低振幅マニピュレーション（図6-1），もう一方の群には仙腸関節に加え腰椎に対する高速・低振幅マニピュレーション（図6-2）が各1セッション行われた．アウトカムは疼痛強度（100 mmのvisual analogue scale：VAS）[3]と能力障害の程度（Oswestry disability index：ODI）[4,5]であった．その結果，両群とも介入後に有意なスコアの改善が得られた．疼痛の変化量は，いずれの群もVASの臨床的に意義のある最小変化量である20点[6]を上まわっていた．ただし，どの時点においても群間差は認められず，一方の優位性は示されなかった（表6-2）．

表6-3 仙腸関節機能不全に対する理学療法またはレーザー療法による疼痛強度（VAS）の変化（文献7より改変）

	理学療法群			レーザー療法群		
	安静時痛	運動時痛	仙腸関節軸圧痛	安静時痛	運動時痛	仙腸関節軸圧痛
介入前	7（5〜9）	9（8〜10）	9（8〜10）	7（5〜9）	9（8〜10）	9（8〜10）
介入後	2（0〜4）	2（1〜3）	3（2〜4）	7（6〜8）	5（4〜6）	5（4〜6）
介入12ヵ月後	1（0〜2）	1（1〜1）	2（1〜3）	6（4〜8）	7（5〜9）	7（6〜8）

　以前から仙腸関節に対するマニピュレーション手技の効果は報告されていたものの，そのほとんどが症例研究であったため，低いエビデンスレベルにとどまっていた。また，効果のメカニズムが不明であることも問題となっていた。Kamaliらの研究[2]はこの分野において初の無作為化臨床試験であったが，2種類の介入の効果には差がなく，結果としてマニピュレーション手技の詳細な治療方針についての見解を得るまでにはいたらなかった。また，本研究では即時効果しか調査されていなかったため，今後はより長期の経過観察が必要である。

2．理学療法とレーザー療法

　複数の治療法で構成される理学療法はこの分野の一般的な介入である。Monticoneら[7]は，理学療法とレーザー療法の効果を比較した。対象は，問診と臨床検査によって急性または亜急性（症状が7日間〜3ヵ月間持続）の仙腸関節機能不全が確認された22名（男性12名，女性10名，平均年齢44歳）であった。対象者は無作為に11名ずつ2群に割り付けられた。理学療法群の介入内容は，骨盤輪安定化エクササイズと骨盤ベルト，注射であった。骨盤輪安定化エクササイズとして，呼吸をしたまま複数の肢位（背臥位，腹臥位，四つばい位，座位，立位）にて腹部深層筋と腰部多裂筋の共同収縮を練習した。理学療法士の管理下で2セッション実施した後，自宅にて毎日行った。また，日常生活においても前述の筋の活動を意識するように指導された。骨盤ベルトは幅5cmのゴム製のもので4週間にわたって毎日装着した。さらに非ステロイド性抗炎症薬（NSAIDs）の注射を，週2回，計8セッション実施した。レーザー療法群の対象者には，仙腸関節領域にHe-Neレーザーが照射された。月曜日から金曜日まで毎日10セッション行われ，2週間継続された。アウトカムは，安静時と運動時および仙腸関節に軸圧を加えた際の疼痛強度（VAS）であった。また，二次アウトカムとしてLaslettの疼痛誘発テスト[8]とMensの安定性テスト[9]も実施された。その結果，理学療法群にのみ疼痛の変化が認められた（表6-3）。また，介入後および介入12ヵ月後に行われたLaslettの疼痛誘発テストとMensの安定性テストは，理学療法群ではいずれも陰性化したのに対し，レーザー療法群では陽性のままであった。

　仙腸関節機能不全の発症メカニズムは明らかになっていないが，関節の安定化を意図した介入により一定の効果が得られるようである。骨盤輪安定化エクササイズはこの分野でしばしば用いられる介入の1つである。この理論的背景には，インナーユニット（腹横筋，多裂筋，横隔膜，骨盤底筋群）とアウターユニット（腹斜筋群，広背筋，脊柱起立筋，ハムストリングス，股関節内転筋群，殿筋群）の活動が仙腸関節の剛性増加[10〜12]や剪断力減少[13]に寄与するとした研究結果があり，エクササイズによって協調的な筋活動パターンを学習することで骨盤輪の安定化が図られていた。なお，上記のMonticoneら[7]の研究では主にインナーユニットを対象としたエクササイズが実施

表6-4 Depledgeらが研究で実施した骨盤輪安定化エクササイズ（文献17より引用）

腹筋群エクササイズ	座位で腹筋群を収縮させ，下腹部をゆっくりと内側へ引き寄せる。 5秒間保持×5回。通常通りに呼吸をしながら行う。
骨盤底筋群エクササイズ	座位で肛門周辺をすぼめる。5秒間保持×5回。 通常通りに呼吸をしながら行う。
大殿筋エクササイズ	座位または立位で殿部を内側に引き寄せる。 5秒間保持×5回。
広背筋エクササイズ	テーブルまたは閉まったドアの前で座位をとる。 両手でテーブルまたはドアノブを把持し，手前に引き寄せる。5秒間保持×5回。
股関節内転筋群エクササイズ	座位で握り拳または丸めたタオルを膝の間に挟み，内側へ押し合う。 5秒間保持×5回。

された。骨盤ベルトも骨盤輪安定化を意図した介入である。骨盤ベルトの装着によって仙腸関節の可動性や弛緩性が制動できることは，屍体実験[14]やin vivo研究[15,16]によって実証された。上記の研究[7]の理学療法群では，疼痛だけではなく機能テストにおいても改善が得られたことから，骨盤輪安定化という治療方針は比較的有力であるととらえることができる。ただし，理学療法群の介入は複数の要素で構成されていたため，実際に何が有益な効果をもたらしたかを判断することはできない。また，介入によって実際に仙腸関節の安定性に改善が得られていたかも不明である。

C. 恥骨結合機能不全に対する保存療法：骨盤ベルト，エクササイズ，患者教育

恥骨結合機能不全にしばしば適用される骨盤ベルトの効果検証が行われた。Depledgeら[17]は，骨盤ベルトとエクササイズ，患者教育を組み合わせた介入の効果を比較・検証した。対象は恥骨結合部に疼痛を有した妊婦87名（年齢29.5±5.0歳）で，無作為に3群に割り付けられた。介入期間は1週間で，各群の介入内容は以下の通りであった。

①エクササイズ群（30名）：骨盤輪安定化を目的とした5種目のホームエクササイズを1日3回行った（**表6-4**）。介入開始に先立ち，理学療法士は対象者が正しくエクササイズを行えているか

表6-5 Depledgeらが研究で指導した自己管理法（文献17より引用）

> **目 的**：関節にかかるストレスを減少させること。
> 下記の活動時に骨盤底筋群と下腹部筋群を引き締めることが非常に重要である。
>
> **ベッドに寝る際**：
> ・ベッドの端に座り，膝と膝を合わせ，側臥位になり，両方の脚をベッドに乗せる。
> ・ベッドから起き上がるときは，上記を反対に行う。
> ・背臥位になりながら脚をもち上げようとしない。
>
> **ベッド上で寝返りをする際**：
> ・両膝を合わせたまま行う。両膝を離して行わない。
>
> **椅子から立ち上がる際**：
> ・両膝を合わせ，膝の上に手を置き，鼻が爪先の上に位置するまで身体を前に乗り出してから立ち上がる。
>
> **座る際**：
> ・立ち上がるときと逆の動作を行う。脚の後ろに椅子があることをあらかじめ確認しておく。
>
> **車に乗る際**：
> ・まず腰掛け，膝と膝を合わせたまま脚を車に乗せる。
>
> **歩く際**：
> ・小股で歩く。
>
> **以下のことを守る**：
> ・平らな枕を脚の間に挟んで寝る。
> ・休憩をとる。
> ・疼痛を誘発しない範囲で行動する。
>
> **以下のことは避ける**：
> ・柔らかいソファや椅子に座る。
> ・エクササイズとしてウォーキングをする。
> ・両脚が離れた状態でストレッチングやエクササイズを行う（例：スクワット，脚を組んで座る，平泳ぎ）。

を確認した。また対象者は，恥骨結合機能不全の解剖学と病理学や日常生活の注意点を含む自己管理法（**表6-5**）についての教育を受けた。

②非硬性骨盤ベルト群（28名）：ネオプレン製非硬性骨盤ベルト（Smiley Belt, Posture Products社）（**図6-3左**）が支給された。また，エクササイズ群と同様の骨盤輪安定化エクササイ

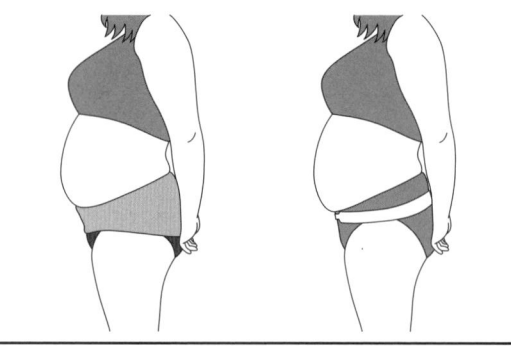

図 6-3 Depledge らが研究で用いた骨盤ベルト（文献 17 より作図）
左：非硬性骨盤ベルト，右：硬性骨盤ベルト．

ズおよび自己管理法が指導された．

③**硬性骨盤ベルト群**（29 名）：硬性骨盤ベルト（Lifecare Pubic Belt, Orthotic Centre 社）（図 6-3 右）が支給された．また，エクササイズ群と同様の骨盤輪安定化エクササイズおよび自己管理法が指導された．

本研究のアウトカムは能力障害の程度（Roland-Morris Questionnaire [5, 18]，Patient-Specific Functional Scale [19]）と疼痛強度（101 点式の numerical rating scale：NRT）[20] で，介入期間前後に評価が行われた．いずれの群も介入後にアウトカムの改善が認められたが，効果の群間差はなかった（図 6-4）．ただし，疼痛の平均値だけは例外で，エクササイズ群と硬性骨盤ベルト群により大きな改善が認められた．

Depledge らの研究 [17] では 3 群ともエクササイズと患者教育が共通であり，骨盤ベルトの有無およびその種類の影響が検出されるデザインであった．結果として明らかな群間差はなく，骨盤ベルトにはエクササイズに対する付加的効果がないことが示された．ほかの研究においては，骨盤ベルトは恥骨結合よりも仙腸関節の高さで装着したほうが仙腸関節の弛緩性抑制に効果的であったことから [15, 16]，今後有効な骨盤ベルトの装着位置を検証する必要がある．また，恥骨結合機能不全の発症メカニズム自体を見直す必要があるかもしれな

い．例えば，横方向以外の恥骨結合の不安定性が発症や疼痛に関与するとすれば，従来の骨盤ベルトでは対応しきれないと思われる．

骨盤帯痛を対象疾患とした研究の多くが，患者教育を介入に含めていた．妊娠と関連した骨盤帯痛の病態や予後の説明は，本疾患に対する妊婦の不安を解消させる役割を担う．また，骨盤内関節への離開ストレスや剪断ストレスを防止することを目的とした ADL 指導も不可欠であろう．このように，患者教育は保存療法の重要な構成要素の 1 つであると思われるが，患者教育単独での効果は不明である．

D. 妊娠と関連した骨盤帯痛に対する保存療法

1. エクササイズ

1）妊娠中の骨盤帯痛に対する効果

エクササイズが妊娠中の骨盤帯痛に及ぼす効果について，肯定的な報告はない．Nilsson-Wikmar ら [21] は，3 種類の介入が妊娠と関連した骨盤帯痛に及ぼす効果を比較した．対象は妊娠 35 週以前の妊婦 118 名であった．疼痛誘発テストによって骨盤帯痛が確認された後，出産経験回数を考慮した層化無作為化によって 3 群に割り付けられた．各群の介入内容は以下の通りであった．

①**対照群**（40 名，年齢 28.4 ± 3.9 歳）：骨盤帯痛の病態や解剖学，姿勢，身体の使い方について指導された．また，非弾性仙腸関節ベルト（Rehband®）が支給された．

②**ホームエクササイズ群**（41 名，年齢 29.5 ± 3.3 歳）：対照群と同じ患者教育および仙腸関節ベルトに加え，自宅で行う骨盤輪安定化エクササイズが指導された．内容は，座位または立位，四つばい位で膝の間にボールを挟み，上下肢を動かすものであった．エクササイズ終了後には，ハムストリングスと股関節屈筋群，下腿筋群のストレ

6. 骨盤輪不安定症の保存療法

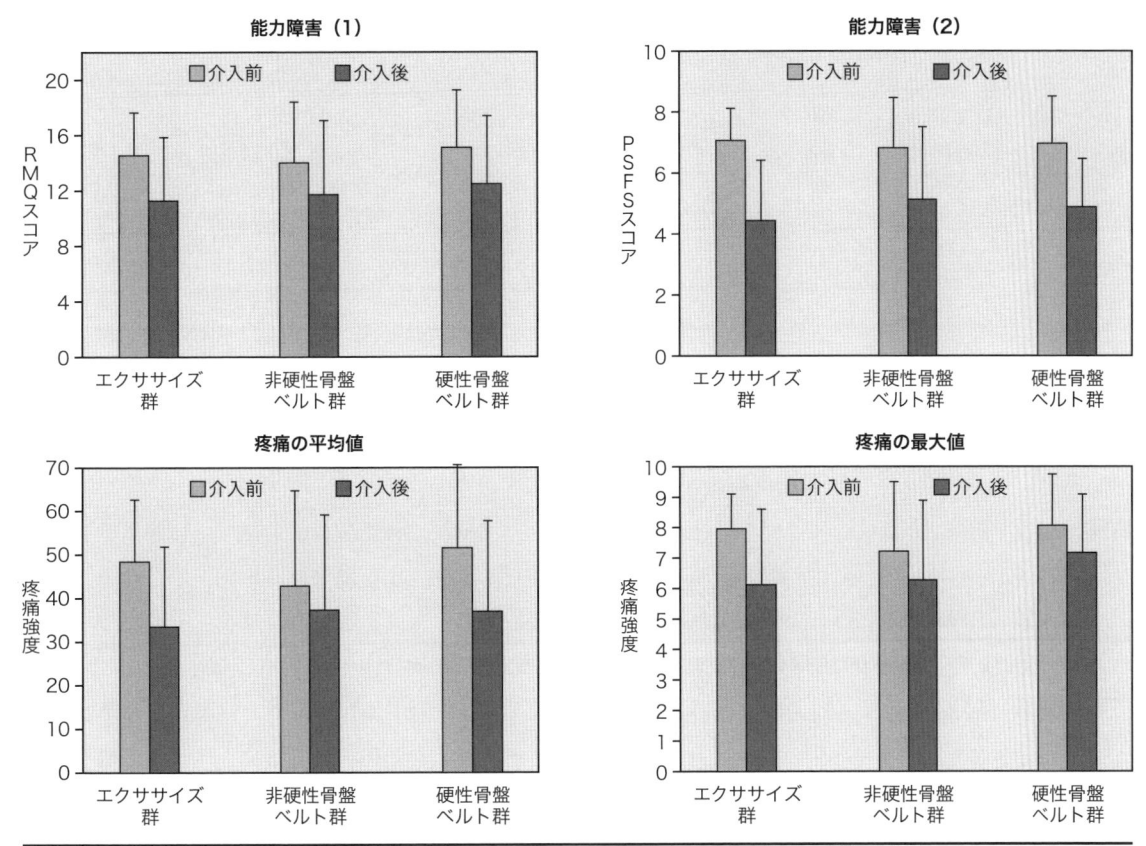

図6-4 恥骨結合機能不全に対する骨盤ベルト，エクササイズ，患者教育の効果の比較（文献17より改変）
RMQ：Roland-Morris Questionnaire，PSFS：Patient-Specific Functional Scale。いずれの群も介入後にアウトカムの改善が認められたが，効果の群間差はなかった。

ッチングも行った。

③**クリニックエクササイズ群**（37名，年齢：29.7±5.4歳）：対照群と同じ患者教育および仙腸関節ベルトに加え，クリニックで行う筋力トレーニングが指導された。内容は，ラットプルダウンと立位でのレッグプレス，シーテッドローイング，シットアップの4種目であった。負荷は20 RMに設定され，15回×3セット行った。理学療法士による指導を2回受けた後は1人で行ったが，負荷の変更などを訪ねることは許可された。

アウトカムは疼痛強度（VAS）と能力障害（Disability Rating Index：DRI）[22]であった。その結果，妊娠中および出産後のいずれの期間においてもアウトカムに群間差は認められなかった。すなわち，一般的な妊婦ケアに対するエクササイズの付加的メリットは示されなかった（**表6-6**）。

2）出産後の骨盤帯痛に対する効果

エクササイズが出産後の骨盤帯痛に及ぼす効果についての報告はいくつかあったが，その結果は一致していなかった。Mensら[23]は，異なる種類の体幹筋群トレーニングの効果を比較した。対象は出産後6週～6ヵ月以内に骨盤帯痛を有した44名（年齢23.6～37.5歳）で，無作為に3群に割り付けられた。介入は8週間にわたって行われ，すべて30分間のビデオ映像によって指導された。内容の大部分は3群とも共通で，出産後の骨盤帯痛の病態や疼痛に対する対応方法，非弾性骨盤ベルトの装着方法で構成された。これらに加え，下記の各群に特異的な介入が組み込まれた。

第2章 骨盤輪不安定症

表6-6 妊娠と関連した骨盤痛に対する一般的な妊婦ケアとエクササイズの効果の比較(文献21より改変)

		対照群	ホームエクササイズ群	クリニックエクササイズ群	p値
VAS	介入前	49 (8〜77)	46 (1〜100)	47 (5〜95)	0.58
VAS	妊娠38週	49 (0〜98)	50 (18〜99)	62 (0〜100)	0.82
VAS	出産12ヵ月後	5 (0〜78)	11 (0〜62)	16 (0〜74)	0.54
DRI	介入前	41 (1〜78)	38 (1〜86)	40 (7〜72)	0.99
DRI	妊娠38週	65 (13〜92)	66 (21〜91)	59 (14〜91)	0.58
DRI	出産12ヵ月後	8 (2〜34)	10 (0〜69)	12 (2〜62)	0.61

①**後斜筋群トレーニング群**(16名):後斜筋群トレーニング。トレーニングは高負荷のものと低負荷のもので構成された。

【高負荷トレーニング(週3回実施)】

対角線方向の腹筋運動:背臥位で膝を立てる。一側の肩を対側の膝に近づけるように、体幹を屈曲・回旋させる。最大限まで体幹を屈曲・回旋させた肢位を7秒間保持した後、開始肢位にもどり、3秒間休憩する。これを左右交互に5回ずつ行う。

対角線方向の背筋運動:腹臥位になり、上肢を頭部の横に置く。一側の上肢と対側の下肢を床から浮かせた肢位を7秒間保持した後、開始肢位にもどり、3秒間休憩する。これを左右交互に5回ずつ行う。

運動により疼痛や疲労が誘発されない場合は、5分間休憩した後に各エクササイズの反復回数を6回に増やして第2セットを行った。運動により疼痛や疲労が誘発された場合は負荷レベルを維持したが、可能な限り負荷を漸増するよう指導された。

【低負荷トレーニング(1日3回実施)】

エクササイズの内容は、高負荷トレーニングと同じであった。ただし、保持時間は3秒間で、第2セットは行わなかった。

②**深縦筋群トレーニング群**(14名)

直線方向の腹筋運動:背臥位で膝を立て、体幹屈曲運動を行う。最大限まで体幹を屈曲させた肢位を3秒間保持した後、開始肢位にもどり、3秒間休憩する。

ブリッジ:背臥位で膝を立て、床から骨盤を浮かせる。ブリッジ肢位を3秒間保持した後、開始肢位にもどり、3秒間休憩する。

いずれのエクササイズも、第1セットは5回、第2セットは6回反復した。運動により疼痛や疲労が誘発された場合は、負荷レベルを維持した。

③**非トレーニング群**(14名):日常生活の活動レベルを徐々にあげるための方法の指導。なお、エクササイズは控えるように指示された。

アウトカムは、介入後の全体的な改善の度合いと疼痛および疲労感の程度(VAS)、生活の質(Nottingham Health Profile:NHP)[24]であった。介入後の全体的な改善の度合いの評価では、「悪くなった」「変わらない」「よくなった」の3つから自身が抱く印象に最も近いものを患者に選択させた。なお、月経周期の影響を排除するため、測定を実施する曜日と時間帯は統一された。その結果、3群間で有意差は一切認められず、ビデオ映像指導による体幹筋群トレーニングの効果は示されなかった。また、後斜筋群トレーニングの4名と深縦筋群トレーニング群の1名が疼痛増悪によりエクササイズを中止していた。

同様に、Gutkeら[25]は骨盤輪安定化を意図したホームエクササイズが出産後の腰椎-骨盤痛に及ぼす効果を検証した。対象は腰椎-骨盤痛を有した出産3ヵ月後の女性88名であった。対象者

6. 骨盤輪不安定症の保存療法

対照群
1. 情報／疼痛対処法
2. 身体の使い方
3. 通常の身体活動
4. モビライゼーション／セルフモビライゼーション
5. マッサージ／リラクセーション
6. ストレッチング
7. 筋力トレーニング

骨盤輪安定化エクササイズ群

8. 骨盤輪安定化エクササイズ
まずインナーユニットを賦活させ，その後，徐々にアウターユニットを活動させる。

腹横筋と腰部多裂筋，大殿筋，広背筋，腹斜筋群，脊柱起立筋，腰方形筋，股関節内・外転筋群の共収縮を意図したエクササイズ。
対象者ごとに選択したエクササイズを10回×3セット実施させた。

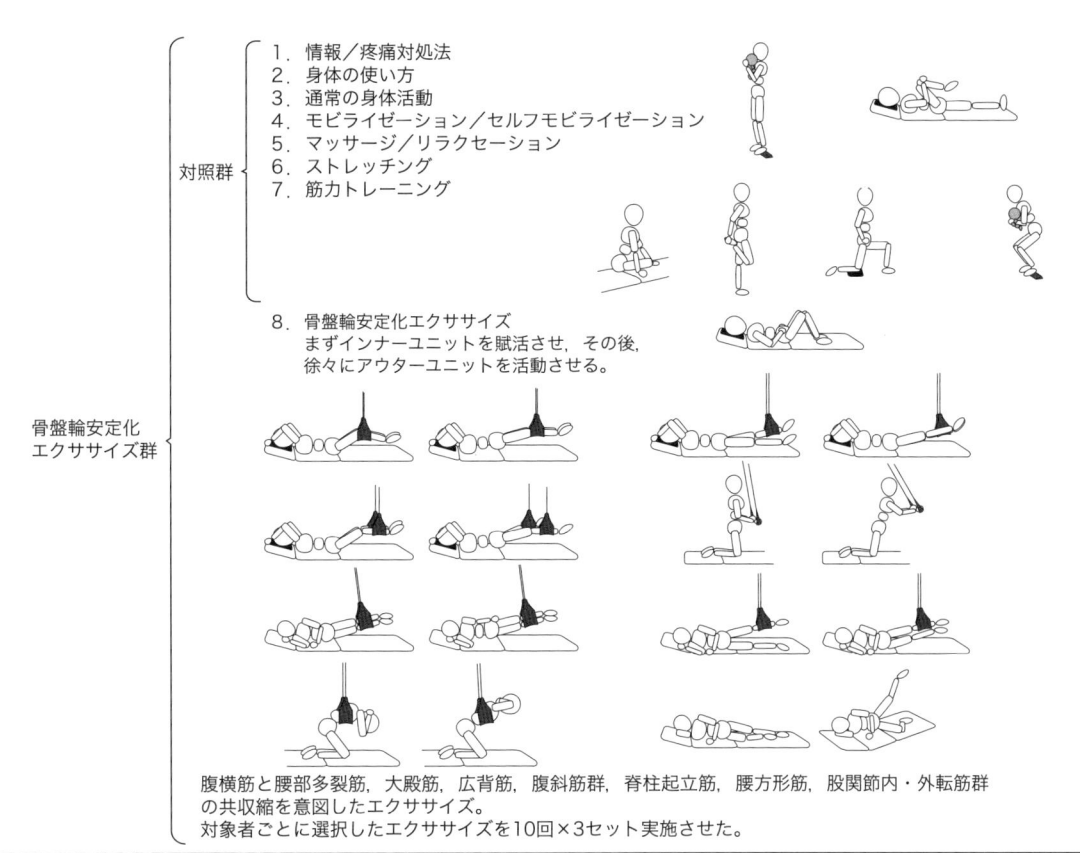

図6-5 Stugeらが実施した骨盤輪安定化エクササイズと理学療法（文献25より作図）

は，無作為に介入群34名（年齢32±4歳）と対照群54名（年齢30±4歳）に割り付けられた。平均年齢と新生児の平均体重は介入群のほうがいずれも高かったが，それ以外の身体特性に群間差はなかった。介入群は骨盤輪安定化エクササイズを行った。エクササイズは腹横筋と腰部多裂筋，骨盤底筋群に着目したもので，①局所のセグメント・コントロール，②クローズド・キネティック・チェーン・セグメント・コントロール，③オープン・キネティック・チェーン・セグメント・コントロールの順番で難易度を増加させた。対象者はエクササイズを1日2回以上自宅にて行うように指導された。なお，隔週で理学療法士による個別指導の時間も設けられた。対照群は患者教育のみを受けた。アウトカムは機能障害（ODI）と疼痛強度（VAS），疼痛の頻度，健康関連QOL（Quality of Life 5 Dimensions Questionnaire：EQ-5D, European Quality of Life health instrument thermometer：EQ-5D VAS)[26]，健康状態（VAS），筋機能テストであった。その結果，経過観察3ヵ月時点での疼痛頻度と左股関節平均伸展筋力のみ介入群のほうが優れていたが，それ以外では群間差が認められなかった。

先の2件の研究とは対照的に，個別的な介入については非常に良好な結果が報告された。Stugeら[27, 28]は，個人に合わせた骨盤輪安定化エクササイズの効果を検証した。対象は出産後6〜16週以内に骨盤帯痛を有した65名で，無作為に骨盤輪安定化エクササイズ群40名（年齢32.4±4.0歳）と対照群41名（年齢32.3±3.8歳）に割り付けられた。骨盤輪安定化エクササイズ群は，各種理学療法と骨盤輪安定化エクササイズを行っ

第2章 骨盤輪不安定症

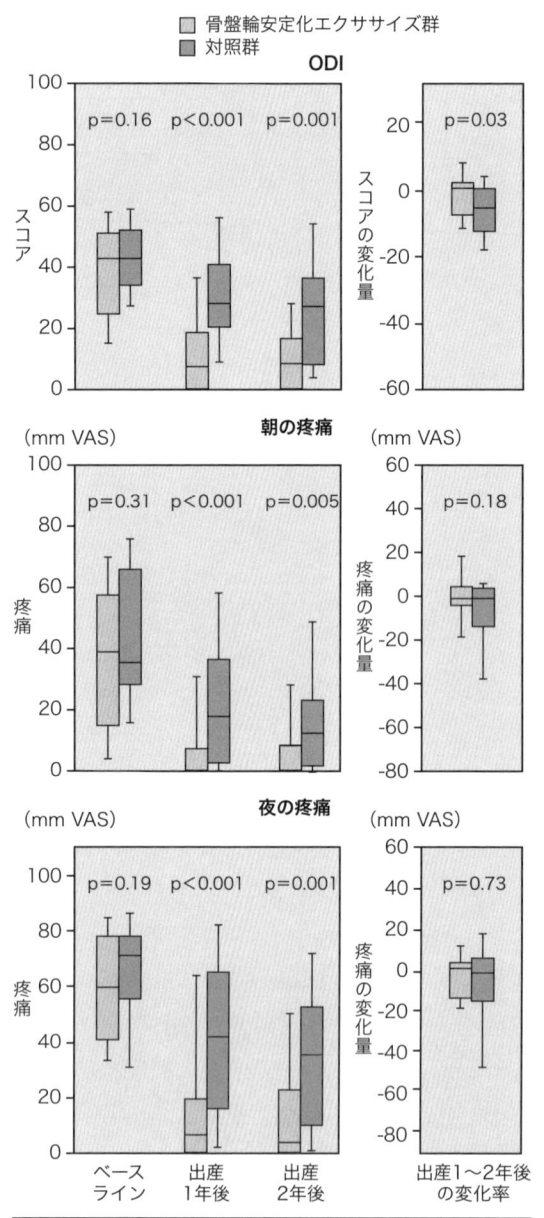

図6-6 出産後の骨盤帯痛に対する患者に合わせた骨盤輪安定化エクササイズの効果（文献26より引用）
ODI：Oswestry disability index。骨盤輪安定化エクササイズ群のほうが疼痛強度，能力障害の有意な改善がみられ，出産1年後，2年後においても良好な状態が維持されていた。

動させることを対象者に意識させた。理学療法士によるエクササイズの個別指導が毎週または隔週で設けられ，必要に応じてエクササイズの修正が施された。エクササイズは1回あたり30〜60分間で，週に3回，18〜20週間にわたって継続された。対照群は，臨床評価に基づいて取捨選択された各種理学療法のみを20週間にわたって行った。理学療法士による直接的な介入は隔週で設けられた。本研究のアウトカムは疼痛強度（VAS）と能力障害（ODI）であった。その結果，骨盤輪安定化エクササイズ群のほうが有意なアウトカムの改善が得られ，出産1年および2年後においても良好な状態が維持されていた（図6-6）。

3）エクササイズの骨盤帯痛予防効果

エクササイズの骨盤帯痛予防効果が検証されてきた。Morkvedら[29,30]は，骨盤底筋群トレーニングを主体としたエクササイズが腰椎-骨盤痛の存在率に及ぼす効果について調査した。対象は未経産の妊婦301名で，無作為に介入群148名（年齢28.0±5.3歳）と対照群153名（年齢26.9±3.9歳）に割り付けられた。介入群は，10〜15名でのグループエクササイズを1回あたり60分間，週に1回，妊娠20〜36週の間の12週間にわたって継続した。エクササイズは骨盤底筋群トレーニングや有酸素運動，背筋群と腹筋群のトレーニング，上下肢のトレーニング，ストレッチング，呼吸法，リラクセーション，患者教育で構成されていた。骨盤底筋群トレーニングでは，脚を開いた状態の臥位や坐位，膝立ち位，立位で骨盤底筋群の最大随意収縮を6〜8秒間保持した後に素早い収縮を3〜4回反復する運動を計5セット行った。また，日常的に骨盤底筋群を集中的に収縮させることも指導された。対照群には，一般的な患者教育のみが施された。アウトカムは腰椎-骨盤痛の存在率，病欠の有無，能力障害（DRI），骨盤底筋群の筋力であった。本研究

た（図6-5）。骨盤輪安定化エクササイズは，腹横筋と腰部多裂筋，大殿筋，広背筋，腹斜筋群，脊柱起立筋，腰方形筋，股関節内・外転筋群の共収縮を意図した内容で，まずインナーユニットを賦活させ，その後，徐々にアウターユニットを活

6. 骨盤輪不安定症の保存療法

における腰椎-骨盤痛の定義は「恥骨結合周囲や仙腸関節周囲，腰椎周囲に週1回以上の頻度で感じる痛み」で，患者の自己申告をもとに調査された。骨盤底筋群の筋力（cm H_2O）は，圧力変換器に繋いだバルーンカテーテルを膣内に挿入して測定された。その結果，妊娠36週の時点では腰椎-骨盤痛の存在率は介入群のほうが有意に少なかった（表6-7）。また，介入群は能力障害もより軽度であった。その一方，出産3ヵ月後の腰椎-骨盤痛の存在率と妊娠36週時点の病欠には差がなかった。介入後の骨盤底筋群の筋力は介入群のほうが有意に高かったが（表6-8），腰椎-骨盤痛の有無と骨盤底筋群の筋力の間には関連性が示されなかった（表6-9）。

同様に，Eggenら[31]も妊娠中の骨盤帯痛の存在率に及ぼすエクササイズの効果を調査した。対象は妊娠20週以前の妊婦257名で，無作為にエクササイズ群129名（年齢30.6±4.8歳）と対照群128名（年齢30.0±4.8歳）に割り付けられた。エクササイズ群は，グループエクササイズとホームエクササイズ，身体の使い方などについて指導された。エクササイズは日常生活における腰椎-骨盤帯の適切な運動コントロールや安定性の獲得を目的としたもので，インナーユニットとアウターユニットの協調的な活動に焦点が当てられた（図6-7）。グループエクササイズは，毎週1回，60分間実施された。ホームエクササイズは，毎日4分間継続するように指導された。介入

表6-7 骨盤底筋群トレーニングを主体としたエクササイズが妊娠中および出産後の腰椎-骨盤痛の存在率に及ぼす効果（文献29より改変）

	介入群 例数(%)	対照群 例数(%)	p値	リスク差% (95%CI)
妊娠 36週	65 (44)	86 (56)	0.033	12.2 (1.0, 23.3)
出産 3ヵ月後	39 (26)	56 (37)	0.056	10.2 (−0.2, 20.5)

表6-8 骨盤底筋群トレーニングを主体としたエクササイズが骨盤底筋群の筋力（cm H_2O）に及ぼす効果（文献30より改変）

	介入群平均 (95%CI)	対照群平均 (95%CI)	p値
妊娠 36週	39.9 (37.1, 42.7)	34.4 (31.6, 37.1)	0.008
出産 3ヵ月後	29.5 (26.8, 32.2)	25.6 (23.2, 27.9)	0.048

表6-9 腰椎-骨盤痛の有無と骨盤底筋群の筋力（cm H_2O）との関係（文献30より改変）

	腰椎-骨盤痛なし 平均(95%CI)	腰椎-骨盤痛あり 平均(95%CI)	p値
妊娠36週	36.6 (33.9, 39.3)	37.6 (34.6, 40.5)	0.635
妊娠20〜36週から出産3ヵ月後にかけての骨盤底筋群の筋力の変化	2.5 (0.9, 4.1)	1.6 (0.2, 3.0)	0.384
出産3ヵ月後	26.2 (24.2, 28.3)	30.2 (16.7, 33.8)	0.056
妊娠36週から出産3ヵ月後にかけての骨盤底筋群の筋力の変化	−10.2 (−8.6, 11.9)	−8.2 (−5.9, 10.6)	0.167

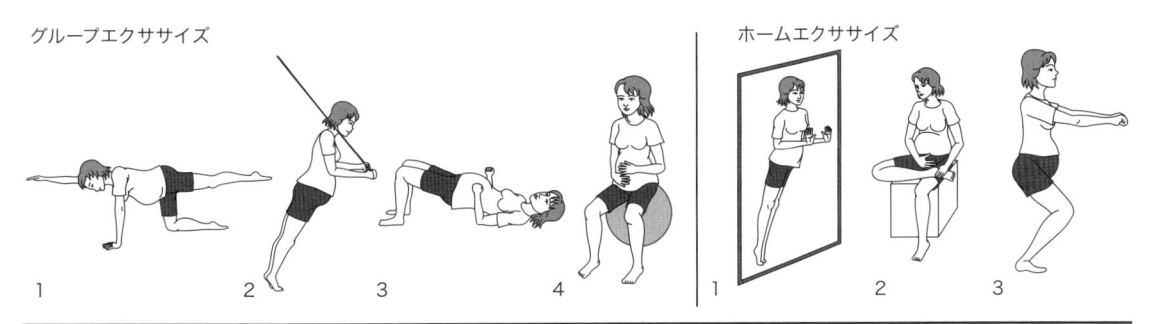

図6-7 Eggenらが実施したエクササイズ（文献31より改変）

第2章 骨盤輪不安定症

表6-10 Eggenらのエクササイズが妊娠中の骨盤帯痛の存在率に及ぼす効果（文献31より改変）

	エクササイズ群	一般ケア群	絶対リスク減少 （95％CI）	オッズ比 （95％CI）
ベースライン	18.6％	17.2％		
妊娠24週	28.2％	32.8％	5.1（－6, 11）	0.80（0.47, 1.38）
妊娠28週	36.8％	37.9％	5.5（－7, 17）	0.95（0.56, 1.60）
妊娠32週	46.6％	43.5％	3.0（－10, 16）	1.13（0.68, 1.88）
妊娠36週	50.5％	51.4％	4.8（－9, 19）	0.96（0.56, 1.66）

期間は妊娠16〜36週の間の16〜20週間であった。対照群は，一般的な妊婦ケアとして助産師による健康指導を月に1回受けた。アウトカムは骨盤帯痛の存在率で，ベースライン（妊娠20週以前）と妊娠24週，28週，32週，36週の5つの時点において質問紙によって調査された。対象者は，「あなたは現在，骨盤帯痛を有していますか？」という問いに対して「はい」または「いいえ」で答えた。その結果，いずれの時点においても，骨盤帯痛の存在率に群間差はみられず，エクササイズの骨盤帯痛予防効果は示されなかった（**表6-10**）。

対象者や例数，介入内容，介入期間に研究間でばらつきがあったため，妊娠と関連した骨盤帯痛に対する効果的なエクササイズについてのエビデンスは確立されたとはいえない。ただし，各介入の相違点から今後の方針を探ることは可能である。全体的な傾向として骨盤輪安定化を意図したエクササイズが採用されており，特にインナーユニットとアウターユニットの両者に対して介入を行っていた研究ほど好結果が示されていた。それぞれの筋群が骨盤帯の安定性に及ぼす作用は前述の通りであり，一般的な仮説が支持されたといえる。ただし，Morkvedら[29, 30]の報告によると，エクササイズを行った対象者のほうが介入後の骨盤底筋群の筋力が高く，妊娠36週時点での腰椎-骨盤痛の存在率が低かった一方，腰椎-骨盤痛の有無と骨盤底筋群の筋力との間には関連がなかった。この結果は非常に興味深く，今後同様の検証を続けることで骨盤帯痛のメカニズムやさらに詳細なエクササイズのアルゴリズムが明らかになるだろう。

介入形態も治療結果を左右する重要な因子であると思われる。ホームエクササイズやグループエクササイズを主体とした介入を採用した研究は軒並み結果がよくなかった一方で，個別的な骨盤輪安定化エクササイズを導入したStugeら[27, 28]の研究では，短期効果および2年間にも及ぶ長期効果が示された。骨盤輪安定化にはインナーユニットとアウターユニットの協調的な活動が有効であると考えられるが，その学習において個別介入のほうがよいことは想像できる。実際に，ビデオ映像による指導を行ったMensら[23]の研究では，計5名の対象者が疼痛増悪により介入を中止していたことから，エクササイズが適切に実施されていなかった可能性が高い。したがって，妊娠と関連した骨盤帯痛に対するエクササイズは，インナーユニットとアウターユニットの協調性を意識させた，医療従事者管理下での個別的な骨盤輪安定化エクササイズが望ましいと考えられる。

2．鍼治療

妊娠中の骨盤帯痛に対する鍼治療の効果については，好意的な見解が多数を占めていた。Kvorningら[32]は，鍼治療が妊娠中の骨盤帯痛または腰痛に及ぼす効果を検証した。対象は骨盤帯痛または腰痛を訴えた妊婦72名（妊娠期間28〜40週）で，無作為に鍼治療群37名と対照群

6. 骨盤輪不安定症の保存療法

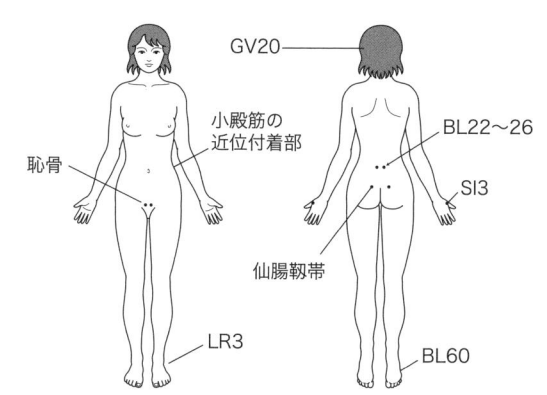

経穴部位（1寸3cmで換算）
GV20：前髪際を入ること15 cm，正中線上，脳戸穴の前約13.5 cm，神庭穴の後15 cm，連耳線（左右の耳尖を結んだ線が正中線と交わるところ），BL22：第1・2腰椎棘突起間の外4.5 cm，BL23：第2・3腰椎棘突起間の外4.5 cm，BL24：第3・4腰椎棘突起間の外4.5 cm，BL25：第4・5腰椎棘突起間の外4.5 cm，BL26：第5腰椎棘突起と正中仙骨稜第1仙椎棘突起間の外4.5 cm，BL60：外果の最も尖ったところの高さで，外果とアキレス腱の間，陥凹部，SI3：第5中手指節関節の上，尺骨の陥凹部，手を握ってできる横紋の端，LR3：足背の第1・2中足骨間の陥凹部。

図6-8 Kvorningらが鍼治療の対象とした経穴（文献32より改変）
まず経穴LR3とGV20を刺激し，反応が少なかった場合，経穴BL60とSI3，またはBL22～26と小殿筋の近位付着部，仙腸靱帯部，恥骨部のいずれかを組み合わせた刺激を加えた。

35名に割り付けられた。年齢や妊娠期間に群間差はなかった。また，鍼治療群の78％と対照群の80％の対象者がそれぞれ骨盤帯痛を訴えていた。鍼治療では，まず経穴LR3とGV20を刺激した。この刺激に対する反応が少なかった場合，経穴BL60とSI3，またはBL22～26と小殿筋の近位付着部，仙腸靱帯部，恥骨部のいずれかを組み合わせた刺激が加えられた（図6-8）。鍼治療が行われた具体的な時間や期間は不明であったが，最初の2週間は週2回，その後は週1回行われた。対照群では，介入は一切行われなかった。アウトカムは疼痛強度で，VASを用いて評価された。その結果，介入期間後に疼痛が減少したと述べた者は鍼治療群では60％にも及び，対照群に比べて有意に多かった（図6-9）。ただし，鍼治療群の38％が治療後に何らかの症状を訴えていた（局所痛6名，熱感5名，局所血腫2名，疲労2名，吐き気2名，脱力1名）。新生児の出産体重には群間差がなかった。

鍼治療と理学療法の効果比較も行われた。Wedenbergら[33]は，鍼治療と理学療法が妊娠中の骨盤帯痛または腰痛に及ぼす効果を比較した。対象は骨盤帯痛または腰痛を訴えた妊婦46名（妊娠期間～32週）で，無作為に鍼治療群28名（年齢21～36歳）と理学療法群18名（年齢22

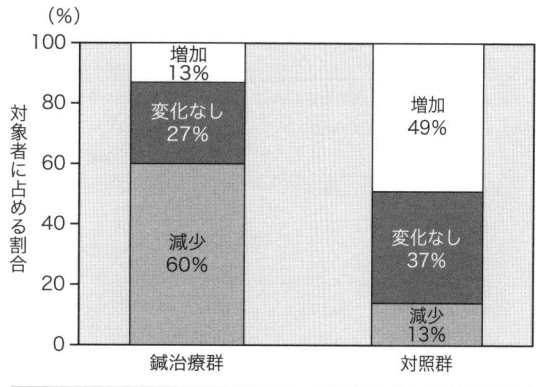

図6-9 鍼治療が妊娠中の骨盤帯痛・腰痛に及ぼす効果（文献32より改変）
介入後に疼痛が減少した者は鍼治療群では60％にも及び，対照群に比べて有意に多かった。

～36歳）に割り付けられた。鍼治療は耳の三角窩からはじめ，その後Bl26～30やBl60，Cw2などの経穴が刺激された。治療は1回あたり30分間で，最初の2週間は週3回，その後は週2回，1ヵ月間で合計10回行われた。理学療法群の介入は臨床評価に基づいて個別化されたプログラムで，患者教育やホームエクササイズ，骨盤ベルト，温熱療法，マッサージ，軟部組織モビライゼーション，水中療法などで構成された。プログラムは1回あたり50分間で，週1～2回，6～8週間で合計10回行われるようにスケジュールが組まれた。本研究のアウトカムは疼痛強度（VAS）と

第2章 骨盤輪不安定症

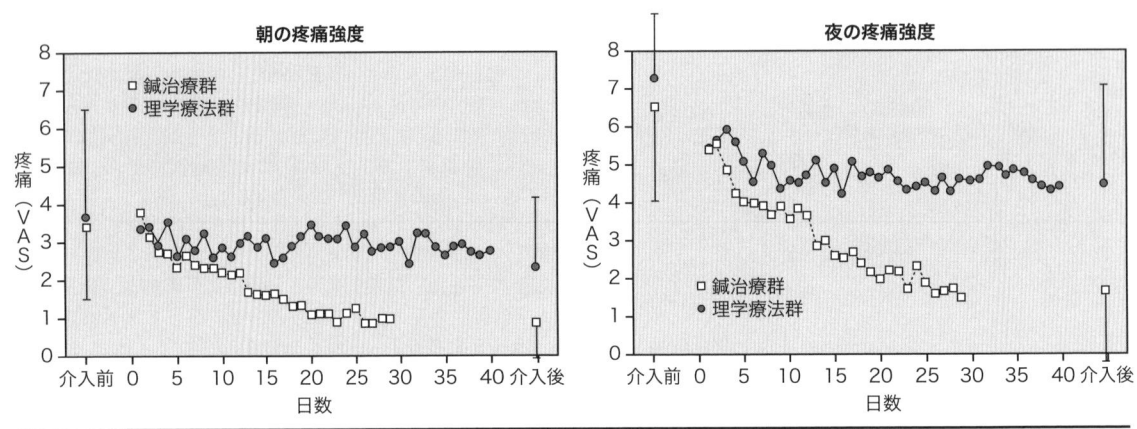

図6-10 鍼治療と理学療法が妊娠中の骨盤帯痛・腰痛の疼痛強度に及ぼす効果の比較（文献33より改変）
介入前後でのVASの平均値の変化。鍼治療群のほうが疼痛強度が有意に減少した。

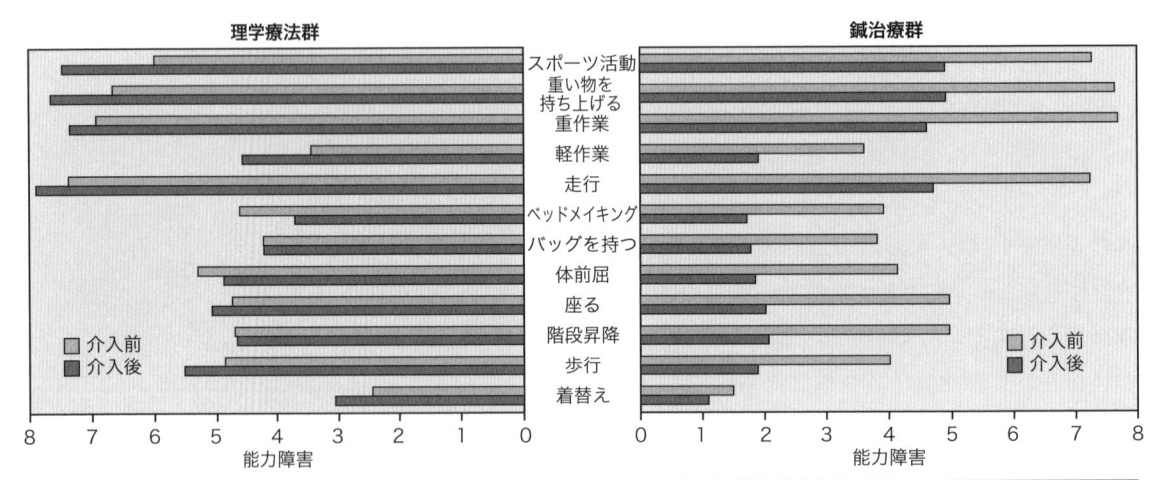

図6-11 鍼治療と理学療法が妊娠中の骨盤帯痛・腰痛による能力障害に及ぼす効果の比較（文献33より改変）
介入前後でのDisability Rating Indexの平均値の変化。鍼治療群のほうが能力障害が有意に減少した。

能力障害（DRI）であった。その結果，鍼治療群のほうが疼痛と能力障害が有意に大きく減少した（**図6-10，図6-11**）。ただし，疼痛部位の分布が群間で異なっていたため（鍼治療群：骨盤帯痛79％，腰痛0％，混合21％，理学療法群：骨盤帯痛56％，腰痛22％，混合22％），結果を額面通りには解釈できない。なお，鍼治療群では疲労や眠気，局所血腫などの訴えが若干数あったものの，新生児は全員健康で重篤な副作用はみられなかった。

同様に，Eldenら[34]は，鍼治療と骨盤輪安定化エクササイズ，一般的な妊婦ケアが妊娠中の骨盤帯痛に及ぼす効果を比較した。対象は妊婦386名（妊娠期間12〜31週）で，疼痛誘発テストによって骨盤帯痛が確認された後，無作為に3群に割り付けられた。介入は6週間にわたって実施された。各群の介入内容は以下の通りであった。

①対照群（130名，30.8±4.8歳）：理学療法士により，骨盤帯痛の病態や解剖学，日常生活活動の注意点が指導された。この患者教育の目的は，患者の不安を減らし，自身の管理によって活動的になることを促進することであった。また，骨盤

6. 骨盤輪不安定症の保存療法

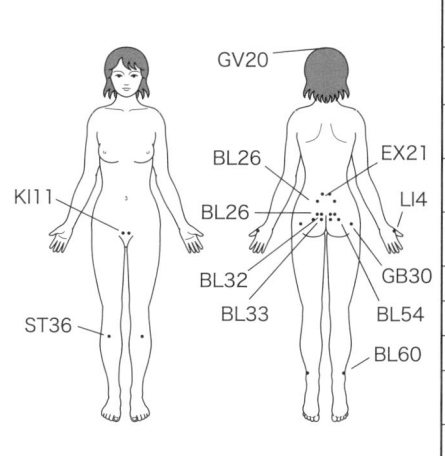

経穴	神経	筋
GV20	三叉神経（V），小後頭神経（C2），大後頭神経（C2～3）	帽状腱膜
LI4（両側）	正中神経・尺骨神経（C8, Th1）	背側骨間筋（I），虫様筋（II），母指内転筋
BL26（両側）	胸背神経（C6～8），長胸神経（Th9～12），腰神経叢（L1～3）	脊柱起立筋
BL32（両側）	胸背神経（C6～8），長胸神経（Th9～12），腰神経叢（L1～3）	胸腰筋膜，脊柱起立筋
BL33（両側）	胸背神経（C6～8），長胸神経（Th9～12），腰神経叢（L1～3）	胸腰筋膜，脊柱起立筋
BL54（両側）	下殿神経（L5, S1～2）	大殿筋
KI11（両側）	長胸神経（Th6～12），肋下神経	腹直筋鞘
BL60（両側）	腓腹神経（S2）	線維組織
EX21（両側）	腰神経叢（L4～5），仙骨神経叢（S1～2）	胸腰筋膜，脊柱起立筋
GB30（両側）	下殿神経（L5, S1），閉鎖神経（L4～5, S1）	大殿筋，上双子筋，梨状筋
ST36（両側）	深腓骨神経（L4～5）	前脛骨筋

図6-12 Eldenらが鍼治療の対象とした経穴（文献34, 35より改変）

ベルト（Puff Igång AB）が配布され，腹部筋群と殿筋群の強化を意図したホームエクササイズも指導された。

②鍼治療群（125名，30.6±4.0歳）：対照群と同じ介入に加え，鍼治療が行われた。治療対象となった経穴は，評価に基づいて個別に選択された（図6-12）。治療は1回あたり30分間で，週2回行われた。

③骨盤輪安定化エクササイズ群（131名，30.0±4.0歳）：対照群と同じ介入に加え，骨盤輪安定化エクササイズが行われた（表6-11）。まずインナーユニットの活性化を図った後にアウターユニットのエクササイズを行った。治療は個別に，6週間で合計6時間行われた。また，患者自身でも日に数回行うように指導した。

アウトカムは疼痛強度（VAS）と骨盤帯痛の重症度評価で，後者は理学療法士による各種徒手検査によって評価された。その結果，対照群に比べ鍼治療群と骨盤輪安定化エクササイズ群において有意に大きなアウトカムの改善が認められ，特に鍼治療の効果がより顕著であった（表6-12，表6-13）。ただし，これに続く追跡調査[35]によると，

表6-11 Eldenらが実施した骨盤輪安定化エクササイズ（文献34より改変）

> **骨盤底筋群の収縮による腹横筋と多裂筋の促通エクササイズ**
> 側臥位または四つばい位，坐位，立位にて行う。
> 基本動作が正しく行えたら，上下肢の運動を加える。
> **股関節回旋筋群の循環改善のためのエクササイズ**
> 下肢の間に枕を挟んだ側臥位か足を浮かした坐位にて行う。
> 低負荷・高反復回数。
> 限られた可動域内で行う。
> **股関節伸筋群・回旋筋群のマッサージ**
> **坐位での股関節伸筋群・回旋筋群のストレッチング**
> 各20秒間。

出産12週後の時点では対象者の99％で骨盤帯痛が認められず，疼痛強度にも群間差はなかった。また，対照群に比べ骨盤輪安定化エクササイズ群は疼痛誘発テストが陽性だった対象者の数が有意に少なかった。

Eldenら[36]は，鍼治療をプラセボと比較した臨床試験も行った。対象者はVASにおいて50/100 mm以上の骨盤帯痛を訴えた妊婦115名（妊娠期間12～29週間）で，無作為に鍼治療群58名（31±4歳）とプラセボ鍼治療群57名（30±4歳）に割り付けられた。鍼治療群の介入

第2章 骨盤輪不安定症

表6-12 妊婦ケアと鍼治療，骨盤輪安定化エクササイズが妊娠中の骨盤帯痛に及ぼす効果の比較（文献34より改変）

疼痛		C群（中央値（25～75パーセンタイル））	A群（中央値（25～75パーセンタイル））	SE群（中央値（25～75パーセンタイル））	群間比較 比較	中央値の差（95％CI）	p値
朝	ベースライン	23 (13～41)	23 (15～44)	22 (13～43)			
朝	介入終了1週間後	27 (12～58)	15 (7～29)	18 (9～37)	C－A C－SE A－SE	12 (5.9, 17.3) 9 (1.7, 12.8) －3 (－7.8, 0.3)	<0.001 0.0312 NS
夜	ベースライン	63 (49～75)	65 (47～76)	60 (4～73)			
夜	介入終了1週間後	58 (40～74)	31 (12～58)	45 (21～68)	C－A C－SE A－SE	27 (13.3, 29.5) 13 (2.7, 17.5) －14 (－18.1, －3.3)	<0.001 0.0245 0.0130

VAS。C群：対照群，A群：鍼治療群，SE群：骨盤輪安定化エクササイズ群。

表6-13 妊婦ケアと鍼治療、骨盤輪安定化エクササイズが妊娠中の骨盤帯痛の重症度に及ぼす効果の比較（文献34より改変）

		C群（例数（％））	A群（例数（％））	SE群（例数（％））	群間比較 比較	p値
骨盤帯痛の評価	疼痛陽性	100 (93)	94 (85)	97 (87)		NS
骨盤帯痛の評価	Posterior pelvic pain provocation test	92 (85)	72 (65)	95 (85)	A－C A－SE	0.0021 0.0024
骨盤帯痛の評価	寝返り時の疼痛	95 (88)	73 (66)	80 (71)	A－C SE－C	<0.001 0.0072
骨盤帯痛の評価	恥骨結合の触診	50 (46)	32 (29)	39 (35)	A－C	0.0261
骨盤帯痛の評価	Patrick FABERE test	57 (53)	36 (33)	47 (42)	A－C	0.0084
骨盤帯痛の評価	Trendelenburg test	43 (40)	30 (27)	30 (27)		NS
骨盤帯痛のサブグループ	骨盤帯症候群	33 (31)	20 (18)	25 (22)		NS
骨盤帯痛のサブグループ	両側の仙腸関節痛	50 (46)	32 (29)	39 (35)	A－C	0.0261
骨盤帯痛のサブグループ	片側の仙腸関節痛と恥骨結合痛	45 (42)	23 (21)	36 (32)	A－C	0.0027
骨盤帯痛のサブグループ	片側の仙腸関節痛	92 (85)	72 (65)	95 (85)	A－C A－SE	0.0021 0.0024

C群：対照群，A群：鍼治療群，SE群：骨盤輪安定化エクササイズ群。（ ）内は，最終経過観察数（C群108名，A群110名，SE群112名）に対する割合。

は，前述の研究[34,35]と同様であった。ただし，治療は1回あたり30分間で，前半4週間は週2回，後半4週間は週1回，計12回行われた。プラセボ鍼治療群では，鍼の芯が皮膚を貫通しない構造の偽鍼が用いられた。治療時間や経穴の触診などその他のプロトコルは鍼治療群と同じであった。アウトカムは疼痛強度（VAS）と能力障害（ODI，DRI），生活の質（EQ-5D，EQ-5D VAS）であった。また，単独の検者による骨盤帯痛の重症度評価も行われた。その結果，disability rating index（表6-14）と労働に参加している者の人数（表6-15）のみ鍼治療群のほうが優れていただけで，その他のアウトカムには群間差が認められなかった（表6-14～表6-17）。また，両群において重篤な副作用は報告されなかった（表6-18）。

鍼治療は妊娠中の骨盤帯痛に対して有効であることが示された。特に疼痛強度の緩和については，

6. 骨盤輪不安定症の保存療法

表6-14 鍼治療とプラセボ鍼治療が妊娠中の骨盤帯痛による能力障害に及ぼす効果の比較（文献36より改変）

	鍼治療群 介入前中央値（25〜75パーセンタイル）	鍼治療群 介入最終週中央値（25〜75パーセンタイル）	プラセボ鍼治療群 介入前中央値（25〜75パーセンタイル）	プラセボ鍼治療群 介入最終週中央値（25〜75パーセンタイル）	p値
着替え（補助なし）	20 (3〜30)	0 (0〜0)	22 (13〜44)	31 (24〜33)	介入前 0.184 介入最終週 0.001
屋外歩行	61 (43〜72)	15 (12〜21)	65 (53〜70)	46 (42〜60)	
階段昇段	63 (46〜75)	39 (31〜57)	66 (52〜74)	50 (38〜60)	
長時間座位保持	66 (57〜72)	38 (27〜50)	62 (53〜68)	46 (36〜58)	
流し台の前に立つ	51 (46〜62)	33 (27〜46)	59 (49〜68)	51 (37〜62)	
バッグを持つ	46 (34〜56)	33 (25〜28)	48 (43〜55)	44 (28〜53)	
ベッドメイキング	55 (42〜67)	33 (25〜42)	57 (49〜66)	48 (31〜57)	
走行	86 (80〜93)	34 (20〜47)	97 (90〜99)	95 (81〜99)	
軽労働	50 (44〜56)	80 (65〜88)	55 (50〜60)	45 (40〜56)	
重労働	87 (79〜92)	34 (28〜49)	92 (81〜97)	88 (75〜97)	
重い物を持ち上げる	88 (81〜94)	77 (69〜86)	93 (85〜100)	90 (77〜99)	
エクササイズ／スポーツ	82 (72〜91)	77 (72〜85)	86 (80〜98)	74 (64〜95)	
Disability Rating Index	60 (52〜70)	44 (30〜56)	66 (55〜75)	55 (44〜73)	

表6-15 鍼治療とプラセボ鍼治療が妊婦の能力障害と生活の質に及ぼす効果の比較（文献36より改変）

		鍼治療群例数（95% CI）	プラセボ鍼治療群例数（95% CI）	p値
ベースライン時の病欠日数		7	14	0.135
介入最終週時点での病欠の変化	改善した	1	2	0.284
	変化なし	40	33	
	悪化した	11	19	
労働に参加している者	介入最終週	28	16	0.041
骨盤帯痛の不快感	ベースライン	55	63 (58, 68)	0.110
	介入最終週	36 (21, 42)	41 (26, 53)	0.146
%ODIスコア	ベースライン	40 (34, 42)	40 (34, 44)	0.656
	介入最終週	35 (30, 42)	37 (30, 42)	0.473
EQ-5Dスコア	ベースライン	0.62 (0.36, 0.69)	0.55 (0.16, 0.62)	0.216
	介入最終週	0.62 (0.62, 0.69)	0.67 (0.59, 0.73)	0.511
EQ-5D VAS	ベースライン	50 (40, 59)	45 (40, 50)	0.989
	介入最終週	70 (60, 70)	68 (60, 70)	0.993

2件の研究において理学療法を上まわる効果が認められた。また、能力障害に対しても鍼治療のほうが有効であったとした報告もあった。ただし、いずれも短期効果であり、Eldenらの報告[35]にある通り、治療効果の優位性が長期的に維持されるかについては不確かである。また、鍼治療はプラセボ効果が諸家によって懸念されている[37,38]。ホームエクササイズやグループエクササイズなどの介入形態をとる理学療法に比べ鍼治療のほうが

表6-16 鍼治療とプラセボ鍼治療が妊娠中の骨盤帯痛（VAS）に及ぼす効果の比較（文献36より改変）

		鍼治療群（中央値）	プラセボ鍼治療群（中央値）	p値
朝	介入開始前1週間	46 (53)	45 (54)	0.727
	介入最終週	25 (18〜31)	24 (13〜33)	0.288
夜	介入開始前1週間	66 (62〜73)	69 (66〜73)	0.662
	介入最終週	36 (30〜46)	41 (31〜52)	0.483

第2章 骨盤輪不安定症

表6-17 鍼治療とプラセボ鍼治療が妊娠中の骨盤帯痛の重症度に及ぼす効果の比較（文献36より改変）

		鍼治療群 介入前 例数（%）	鍼治療群 介入後 例数（%）	プラセボ鍼治療群 介入前 例数（%）	プラセボ鍼治療群 介入後 例数（%）	p値
疼痛陽性		58（100）	43（74）	57（100）	41（72）	0.790
寝返り時の疼痛		58（100）	43（74）	57（100）	44（77）	0.703
疼痛誘発テスト	Posterior pelvic pain provocation test	58（100）	43（74）	57（100）	49（86）	0.113
	Patrick FABERE test	32（55）	19（33）	35（61）	27（47）	0.110
	Trendelenburg test	26（45）	17（29）	27（47）	18（32）	0.792
	恥骨結合の触診	26（45）	21（36）	29（51）	17（30）	0.467
機能評価　ASLR test（左右の合計）		4（0〜9）	2（0〜8）	3（0〜8）	2.5（0〜9）	0.705
Ostgaardの骨盤帯痛の基準を全て満たした者		58（100）	29（50）	57（100）	35（61）	0.112

表6-18 鍼治療とプラセボ鍼治療による副作用（文献36より改変）

	鍼治療群 例数（%）	プラセボ鍼治療群 例数（%）	p値
失神	5（8.6）	4（7）	1.000
わずかな出血	35（6）	34（6）	1.000
血腫	17（3）	17（3）	1.000
鍼による痛み	12（21）	13（23）	0.824
得気*	54（93）	16（28）	0.001
眠気	3（5）	2（4）	1.000

＊得気：身体の適切な箇所に鍼を刺入した後に起こる刺痛，しびれ感，疼きなどの感覚。

より患者と治療者の距離感が密接であるため，このことが研究結果へ作用した可能性も否めない。実際に，Eldenら[36]の研究ではプラセボ鍼治療群との間に疼痛強度や骨盤帯痛の重症度の差が認められなかった。副作用についても十分に配慮する必要がある。Kvorningら[32]とWedenbergら[33]は，鍼治療による軽度の副作用が認められたことを報告した。幸いにも胎児や新生児に対する有害事象は報告されていないが，妊婦を対象にする場合は十分に注意を払わなくてはならない。なお，このような副作用の調査は，鍼治療以外のどのような介入であろうとも行われるべきであると考える。

3. 妊婦用下着

妊娠中の骨盤帯痛に対して妊婦用下着を適用する国もあるようである。Kalusら[39]は，2種類の妊婦用下着が妊娠中の骨盤帯痛に及ぼす効果を比較した。対象は骨盤帯後部痛または腰痛を有する妊婦94名（妊娠期間20〜36週）で，無作為に介入群46名と対照群48名に割り付けられた。なお，年齢や身長，体重，妊娠期間に群間差はなかった。介入群には，BellyBra®（T&J Designs社）（図6-13左）が支給された。BellyBra®はナイロンスパンデックス製の肌着で，腰椎を覆うストレッチパネルと肩紐により支持性が生まれ，姿勢が改善するように意図されたものである。また，腹部の下を覆う弾性ベルトにより子宮が支えられ，骨盤に負荷される重さが軽減される構造になっている。一方，対照群にはTubigrip（図6-13右）が支給された。Tubigripは中位胸椎から仙骨までを覆う二重構造の下着で，オーストラリアのいくつかの病院ではしばしば用いられる製品である。両群とも，それぞれ指定された下着を3週間着用した。本研究のアウトカムは疼痛強度（VAS）と疼痛が日常生活（睡眠，立ち上がり，着席，座位，歩行，労働）に及ぼす影響，生活に対する満足感（satisfaction with life scale）[40]であった。疼痛が日常生活に及ぼす影響は，0点

6. 骨盤輪不安定症の保存療法

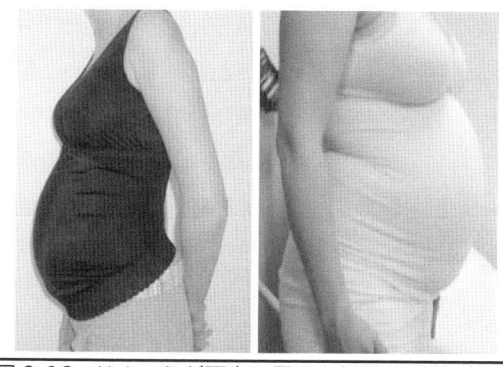

図6-13 Kalusらが研究で用いた妊婦用下着（文献39より引用）
左：BellyBra®, 右：Tubigrip。

表6-19 2種類の妊婦用下着が妊娠中の骨盤帯痛に及ぼす効果の比較（文献39より改変）

		BellyBra®	Tubigrip	p値
VAS		4.5 (2.6)	4.7 (2.3)	0.61
疼痛の影響	睡眠	3.4 (2.7)	4.8 (2.5)	0.007
	立ち上がり	4.2 (2.2)	5.4 (2.7)	0.02
	着席	2.7 (2.2)	3.7 (2.4)	0.04
	座位	4.0 (2.3)	4.5 (2.5)	0.30
	歩行	3.3 (2.2)	5.3 (3.0)	0.001
	労働	4.4 (2.4)	5.5 (2.5)	0.04
	全体	4.7 (2.1)	5.6 (2.4)	0.07
SWLS		23.1 (10.1)	22.5 (11.3)	0.80

（まったく影響なし）〜10点（いつも影響する）のリッカート尺度によって評価された。その結果，疼痛が日常生活に及ぼす影響のみTubigripに比べBellyBra®のほうが優れた効果が示されたが，それ以外は差がなかった（**表6-19**）。

2種類の妊婦用下着の効果が比較された結果，BellyBra®のほうが，疼痛が日常生活に及ぼす影響の緩和に効果的であった。骨盤帯痛に対する装具療法は骨盤ベルトが代表的であるが，BellyBra®のように腹部を支え骨盤への負荷を減少させることも有効であるかもしれない。ただし，妊婦用下着の機能的効果については報告がなく，アウトカムはすべて対象者の主観的評価であったことから，プラセボ効果の可能性は否定できない。

E. まとめ

1. すでに真実として承認されていること
- 骨盤輪不安定症の保存療法については，統一した見解は得られていない。

2. 議論の余地はあるが，今後の重要な研究テーマとなること
- マニピュレーション手技の効果。
- 疼痛発生部位と骨盤ベルトの効果の関係。
- 骨盤輪安定化エクササイズの指導方法による効果の差。
- 骨盤輪不安定症に対する保存療法が身体機能に及ぼす効果。
- 介入による副作用や有害事象の精査。

3. 真実と思われていたが実は疑わしいこと
- 骨盤輪安定化を意図したホームエクササイズやグループエクササイズが骨盤輪不安定症に対して効果的であること。

F. 今後の課題

- 対象者の選定・管理方法。
- 妊婦や出産後の女性以外の対象者層における，骨盤輪不安定症に対する保存療法の効果検証。
- 介入形態が治療結果に及ぼす影響についての考慮と検証。
- 出産前後での介入のアルゴリズムの違いについての検証。

本項では，骨盤輪不安定症に対する保存療法についての明確なエビデンスを提示できなかった。これには，いくつかの問題が関与している。まず，骨盤輪不安定症自体がよく理解されていなかっ

第2章　骨盤輪不安定症

た．本分野で用いられている用語やその定義が統一されていなかったことは，確かなエビデンスが得られない原因となっている．例えば，10年以上前に公表された論文の多くが骨盤帯痛と腰痛を区別していなかった．両者を含めれば採用文献数もより多かっただろう．また，骨盤帯痛の診断・評価も不確かな点が多く，結果として対象者が曖昧な基準で選抜されていた．ただし，妊娠と関連した骨盤帯痛に関しては，Wuら[41]のレビュー論文公表以降は共通認識がもたれはじめている．近年ではヨーロッパにおいてガイドラインが作成[42]されるなどの試みもあり，今後同様の活動が盛んになることで臨床試験の質も向上することが期待される．

現時点での研究結果から考えると，骨盤輪不安定症に対する保存療法の方針として疼痛管理と骨盤輪安定化があげられる．ただし，各研究で採用されていた介入のプロトコルは非常に多様であったため，その詳細は吟味が必要である．病態や発症メカニズムがより明らかになるにつれ，介入の焦点が絞られていくと思われる．また，臨床試験から治療方針に関する知見を得るためには，身体機能に及ぼす効果の検証が不可欠である．多くの研究が，疼痛や能力障害，アンケート調査に基づく骨盤帯痛の存在率調査など，患者の主観に依存するアウトカムしか測定していなかったため，プラセボ効果が反映しやすかったという限界があった．より客観性のあるアウトカムの導入が必要である．介入の形態も，研究結果に影響を及ぼす重要な因子であると考えられる．マニピュレーション手技や鍼治療のような徒手操作を伴う介入は集団や自宅で行う介入に対する心理面でのアドバンテージがあるため，それを考慮した比較デザインを検討するべきである．

骨盤帯痛は妊娠や出産と強く関連すると考えられていたことから，この分野のほとんどの臨床試験は妊婦や出産後の女性を対象としていた．したがって，本レビューに採用した研究の結果の外的妥当性はきわめて低いといわざるをえない．男性や一般集団，アスリート集団など，異なる対象者層での効果検証も重要な研究課題である．なお，妊婦や出産後の女性を対象とする場合は，月経周期の管理や出産経験でのサブグループ化，有害事象の調査などが研究デザイン上必須である．また，出産前後での介入方法の違いも興味深いテーマである．妊娠中は妊婦の体型や胎児への影響を考慮する必要があるため，介入の内容が制限されかねない．妊娠中と出産後では異なる治療のアルゴリズムを適応させる必要があるかもしれない．

現時点では，強いエビデンスに裏づけされた骨盤輪不安定症に対する保存療法は存在しなかった．より多くの良質な研究が待たれるが，それ以前に骨盤輪不安定症の病態や発症メカニズム，危険因子についての理解が深まらないかぎり，介入戦略のベクトルが定まることはないだろう．

文　献

1. Kanakaris NK, Roberts CS, Giannoudis PV: Pregnancy-related pelvic girdle pain: an update. *BMC Med.* 2011; 9: 15, 2011.
2. Kamali F, Shokri E: The effect of two manipulative therapy techniques and their outcome in patients with sacroiliac joint syndrome. *J Bodyw Mov Ther.* 2012; 16: 29-35.
3. Huskisson EC: Measurement of pain. *Lancet.* 1974; 2(7889): 1127-31.
4. Fairbank JC, Couper J, Davies JB, O'Brien JP: The Oswestry low back pain disability questionnaire. *Physiotherapy.* 1980; 66: 271-3.
5. Roland M, Fairbank J: The Roland-Morris Disability Questionnaire and the Oswestry Disability Questionnaire. *Spine (Phila Pa 1976).* 2000; 25: 3115-24.
6. Childs JD, Piva SR, Fritz JM: Responsiveness of the numeric pain rating scale in patients with low back pain. *Spine (Phila Pa 1976).* 2005; 30: 1331-4.
7. Monticone M, Barbarino A, Testi C, Arzano S, Moschi A, Negrini S: Symptomatic efficacy of stabilizing treatment versus laser therapy for sub-acute low back pain with positive tests for sacroiliac dysfunction: a randomised clinical controlled trial with 1 year follow-up. *Eura Medicophys.* 2004; 40: 263-8.
8. Laslett M, Williams M: The reliability of selected pain provocation tests for sacroiliac joint pathology. *Spine (Phila Pa 1976).* 1994; 19: 1243-9.

9. Mens JM, Vleeming A, Snijders CJ, Stam HJ, Ginai AZ: The active straight leg raising test and mobility of the pelvic joints. *Eur Spine J*. 1999; 8: 468-73.
10. Pool-Goudzwaard A, van Dijke GH, van Gurp M, Mulder P, Snijders C, Stoeckart R: Contribution of pelvic floor muscles to stiffness of the pelvic ring. *Clin Biomech (Bristol, Avon)*. 2004; 19: 564-71.
11. Richardson CA, Snijders CJ, Hides JA, Damen L, Pas MS, Storm J: The relation between the transversus abdominis muscles, sacroiliac joint mechanics, and low back pain. *Spine (Phila Pa 1976)*. 2002; 27: 399-405.
12. van Wingerden JP, Vleeming A, Buyruk HM, Raissadat K: Stabilization of the sacroiliac joint *in vivo*: verification of muscular contribution to force closure of the pelvis. *Eur Spine J*. 2004; 13: 199-205.
13. Pel JJ, Spoor CW, Pool-Goudzwaard AL, Hoek van Dijke GA, Snijders CJ: Biomechanical analysis of reducing sacroiliac joint shear load by optimization of pelvic muscle and ligament forces. *Ann Biomed Eng*. 2008; 36: 415-24.
14. Vleeming A, Buyruk HM, Stoeckart R, Karamursel S, Snijders CJ: An integrated therapy for peripartum pelvic instability: a study of the biomechanical effects of pelvic belts. *Am J Obstet Gynecol*. 1992; 166: 1243-7.
15. Damen L, Spoor CW, Snijders CJ, Stam HJ: Does a pelvic belt influence sacroiliac joint laxity? *Clin Biomech (Bristol, Avon)*. 2002; 17: 495-8.
16. Mens JM, Damen L, Snijders CJ, Stam HJ: The mechanical effect of a pelvic belt in patients with pregnancy-related pelvic pain. *Clin Biomech (Bristol, Avon)*. 2006; 21: 122-7.
17. Depledge J, McNair PJ, Keal-Smith C, Williams M: Management of symphysis pubis dysfunction during pregnancy using exercise and pelvic support belts. *Phys Ther*. 2005; 85: 1290-300.
18. Deyo RA, Battie M, Beurskens AJ, Bombardier C, Croft P, Koes B, Malmivaara A, Roland M, Von Korff M, Waddell G: Outcome measures for low back pain research. A proposal for standardized use. *Spine (Phila Pa 1976)*. 1998; 23: 2003-13.
19. Westaway MD, Stratford PW, Binkley JM: The patient-specific functional scale: validation of its use in persons with neck dysfunction. *J Orthop Sports Phys Ther*. 1998; 27: 331-8.
20. Jensen MP, Karoly P, Braver S: The measurement of clinical pain intensity: a comparison of six methods. *Pain*. 1986; 27: 117-26.
21. Nilsson-Wikmar L, Holm K, Oijerstedt R, Harms-Ringdahl K: Effect of three different physical therapy treatments on pain and activity in pregnant women with pelvic girdle pain: a randomized clinical trial with 3, 6, and 12 months follow-up postpartum. *Spine (Phila Pa 1976)*. 2005; 30: 850-6.
22. Salen BA, Spangfort EV, Nygren AL, Nordemar R: The Disability Rating Index: an instrument for the assessment of disability in clinical settings. *J Clin Epidemiol*. 1994; 47: 1423-35.
23. Mens JM, Snijders CJ, Stam HJ: Diagonal trunk muscle exercises in peripartum pelvic pain: a randomized clinical trial. *Phys Ther*. 2000; 80: 1164-73.
24. Hunt SM, McKenna SP, McEwen J, Williams J, Papp E: The Nottingham Health Profile: subjective health status and medical consultations. *Soc Sci Med A*. 1981; 15(3 Pt 1): 221-9.
25. Gutke A, Sjodahl J, Oberg B: Specific muscle stabilizing as home exercises for persistent pelvic girdle pain after pregnancy: a randomized, controlled clinical trial. *J Rehabil Med*. 2010; 42: 929-35.
26. Rabin R, de Charro F: EQ-5D: a measure of health status from the EuroQol Group. *Ann Med*. 2001; 33: 337-43.
27. Stuge B, Laerum E, Kirkesola G, Vollestad N: The efficacy of a treatment program focusing on specific stabilizing exercises for pelvic girdle pain after pregnancy: a randomized controlled trial. *Spine (Phila Pa 1976)*. 2004; 29: 351-9.
28. Stuge B, Veierod MB, Laerum E, Vollestad N: The efficacy of a treatment program focusing on specific stabilizing exercises for pelvic girdle pain after pregnancy: a two-year follow-up of a randomized clinical trial. *Spine (Phila Pa 1976)*. 2004; 29: E197-203.
29. Morkved S, Bo K, Schei B, Salvesen KA: Pelvic floor muscle training during pregnancy to prevent urinary incontinence: a single-blind randomized controlled trial. *Obstet Gynecol*. 2003; 101: 313-9.
30. Morkved S, Salvesen KA, Schei B, Lydersen S, Bo K: Does group training during pregnancy prevent lumbopelvic pain? A randomized clinical trial. *Acta Obstet Gynecol Scand*. 2007; 86: 276-82.
31. Eggen MH, Stuge B, Mowinckel P, Jensen KS, Hagen KB: Can supervised group exercises including ergonomic advice reduce the prevalence and severity of low back pain and pelvic girdle pain in pregnancy? A randomized controlled trial. *Phys Ther*. 2012; 96: 781-90.
32. Kvorning N, Holmberg C, Grennert L, Aberg A, Akeson J: Acupuncture relieves pelvic and low-back pain in late pregnancy. *Acta Obstet Gynecol Scand*. 2004; 83: 246-50.
33. Wedenberg K, Moen B, Norling A: A prospective randomized study comparing acupuncture with physiotherapy for low-back and pelvic pain in pregnancy. *Acta Obstet Gynecol Scand*. 2000; 79: 331-5.
34. Elden H, Ladfors L, Olsen MF, Ostgaard HC, Hagberg H: Effects of acupuncture and stabilising exercises as adjunct to standard treatment in pregnant women with pelvic girdle pain: randomised single blind controlled trial. *BMJ*. 2005; 330(7494): 761.
35. Elden H, Hagberg H, Olsen MF, Ladfors L, Ostgaard HC: Regression of pelvic girdle pain after delivery: follow-up of a randomised single blind controlled trial with different treatment modalities. *Acta Obstet Gynecol Scand*. 2008; 87: 201-8.
36. Elden H, Fagevik-Olsen M, Ostgaard HC, Stener-Victorin E, Hagberg H: Acupuncture as an adjunct to standard treatment for pelvic girdle pain in pregnant women: randomised double-blinded controlled trial comparing acupuncture with non-penetrating sham acupuncture. *BJOG*. 2008; 115: 1655-68.
37. Ee CC, Manheimer E, Pirotta MV, White AR:

Acupuncture for pelvic and back pain in pregnancy: a systematic review. *Am J Obstet Gynecol*. 2008; 198: 254-9.
38. Pennick VE, Young G: Interventions for preventing and treating pelvic and back pain in pregnancy. *Cochrane Database Syst Rev*. 2007; (2): CD001139.
39. Kalus SM, Kornman LH, Quinlivan JA: Managing back pain in pregnancy using a support garment: a randomised trial. *BJOG*. 2008; 115: 68-75.
40. Diener E, Emmons RA, Larsen RJ, Griffin S: The satisfaction with life scale. *J Pers Assess*. 1985; 49: 71-5.
41. Wu WH, Meijer OG, Uegaki K, Mens JM, van Dieen JH, Wuisman PI, Ostgaard HC: Pregnancy-related pelvic girdle pain (PPP), I: terminology, clinical presentation, and prevalence. *Eur Spine J*. 2004; 13: 575-89.
42. Vleeming A, Albert HB, Ostgaard HC, Sturesson B, Stuge B: European guidelines for the diagnosis and treatment of pelvic girdle pain. *Eur Spine J*. 2008; 17: 794-819.

〔窪田智史〕

第3章
股関節病変

　疫学研究のデータによると，股関節のスポーツ外傷・障害の発生頻度は，ほかの部位と比較して低い。しかしながら，下肢の土台として機能する股関節の痛みは，カッティングやステップ動作が求められる競技ではパフォーマンスに大きな影響を及ぼし，競技を継続することが困難になるケースもあることから軽視できない。

　股関節は，関節周囲を強固な靱帯で覆われた球関節であり，多方向の大きな可動性を有しているとともに，上半身の体重を直接支える荷重関節である。構造的な特徴から，股関節には膝関節や足関節で多くみられる靱帯損傷に起因する不安定性は生じにくいものの，関節にかかる軸圧や剪断力，繰り返される摩擦などの機械的ストレスによって，関節内の組織に損傷が生じる場合がある。股関節のスポーツ外傷・障害に着目した研究を調べると，2000年以前の報告では股関節の病変を有痛性股関節疾患や鼠径部痛として扱っているものが多くみられる。これらの研究では，股関節内で生じている病態を詳細に把握したうえで発生メカニズムや治療戦略を明確にする必要性を述べており，今後の課題としてあげていた。

　2000年代以降，特に2005年以降に入ると，股関節唇損傷および大腿骨寛骨臼インピンジメント（femoro acetabular impingement：FAI）に関する研究報告が徐々に増えており，画像診断の精度の向上により関節内で生じている病態を把握できるようになった。しかしながら，股関節唇損傷に関しては，確定診断がついた症例を対象とした臨床研究はごく少数であることから，研究データの蓄積が期待されるとともに，科学的知見をもとにした治療エビデンスを確立していく段階にあるといえる。

　本章では，股関節病変のうち，特に股関節唇に着目して文献的に検討を行った。最初に，股関節唇の疫学・病態に関する知見を整理し，臨床症状，発生メカニズムなどに関する情報をまとめた。次に，股関節唇損傷の診断・評価に関する知見を整理し，画像診断による診断の精度，理学検査の検出率などについて文献的に検討した。最後に，股関節唇の治療に関する知見をレビューし，手術療法および保存療法の適応，治療効果，競技復帰などについて検討する。これらの文献的情報から，現時点における股関節唇損傷の病態，評価・診断および治療のコンセンサスと今後の課題を導きたい。

第3章編集担当：吉田　昌弘

7. 股関節病変の疫学・病態

はじめに

　股関節周辺の痛みは関節内外の多くの病変に起因し（**表7-1**），股関節病変に対する適切なリハビリテーションプログラムを立案するには個々の病態を的確に把握することが必要となる[1]。しかし，スポーツ選手の股関節痛のなかには，原因病変を明らかにできず，原因不明の股関節痛として扱われる場合もある。近年の股関節鏡技術の進歩に伴い，原因不明の股関節痛とされた症例の多くに臼蓋関節唇損傷が認められることが明らかとなってきた[2]。股関節の臼蓋関節唇損傷については，損傷形態や損傷メカニズムの分類など，病態の整理が十分になされておらず，発症につながる危険因子や予防の可能性を示す研究もごく少数にかぎられている。本項では，まず臼蓋関節唇損傷の疫学について整理する。次に，病態の分類方法を提示し，その分類方法に従って症状や発生原因・危険因子を整理し，今後の研究の課題を考察する。

A. 文献検索方法

　文献検索にはPubMedを使用し，2012年3月1日の時点で「hip labral tears」をキーワードにヒットした246件の文献から，本項のテーマである股関節唇損傷の疫学，病態に関する文献を抽出した。また，抽出した論文に引用されている文献も適宜加え，合計31文献を対象にした。

B. 臼蓋関節唇損傷の疫学

　アスリートにおける臼蓋関節唇損傷の確定診断を得ることが容易でないため，十分な疫学データが蓄積されていない。Feeleyら[3]は，アメリカプロフットボールリーグ（NFL）を対象に行われた10年間の障害調査を整理し，すべての障害のうち3.1％が股関節周囲の障害であり，0.68％に臼蓋関節唇損傷を認めたと報告した。Gabbeら[4]は，オーストラリアンフットボールリーグで行われた8年間の障害調査において，股関節痛を有する選手の6％に臼蓋関節唇損傷か関節軟骨損傷が認められたと報告した。ただし，これらの研究では調査した者が臼蓋関節唇損傷の診断を行っておらず，臼蓋関節唇損傷の診断基準については明記されていなかった。

　臼蓋関節唇損傷の診断の精度に関してはいくつかの報告がある。Burnettら[5]は，2006年に股

表7-1　股関節痛を引き起こす病態（文献1より作成）

関節内	臼蓋関節唇損傷，関節内遊離体，大腿臼蓋インピンジメント，関節包の弛緩性（laxity），大腿骨頭靱帯損傷，関節軟骨損傷
関節外	腸腰筋腱炎，腸脛靱帯炎，中殿筋・小殿筋炎，大転子滑液包炎，大腿骨頸部疲労骨折，内転筋肉ばなれ，梨状筋症候群，仙腸関節病変
股関節類似病変*	groin pain（鼠径部痛）症候群，スポーツヘルニア，恥骨結合炎

＊股関節類似病変：内か外かわからない股関節周囲の病態。

第3章 股関節病変

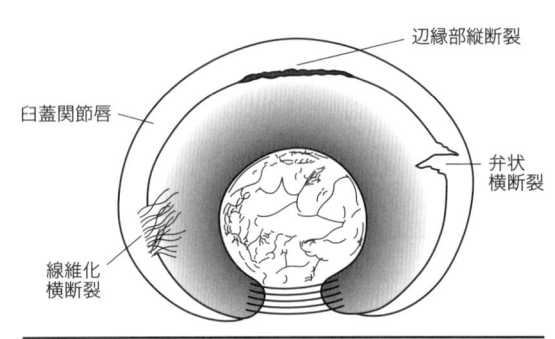

図7-1 臼蓋関節唇の損傷形態（文献8より引用）
臼蓋関節唇の損傷形態は，弁状横断裂，辺縁部縦断裂，線維化横断裂，不安定損傷に分類される。

関節鏡で臼蓋関節唇損傷の治療を受けた患者において確定診断がつくまでに受診した医療機関数を調査し，平均で3.3ヵ所，最大で11ヵ所の医療機関を受診していたと報告した。Martinら[6]は6名の整形外科医の臨床診断の妥当性を調査した結果，感度が53％，特異度は92％と感度が低いことを報告した。これらの報告から，臼蓋関節唇損傷の確定診断をつけることは容易ではなく，先行研究の障害調査で得られたデータを解釈する際には，この点を踏まえる必要がある。今後，臼蓋関節唇損傷の診断の精度が高まり，確定診断の基準を明確にした疫学調査が進められ，新たな知見が得られることが期待される。

C. 臼蓋関節唇損傷の分類

臼蓋関節唇損傷はその損傷部位や損傷形態によって分類されている。損傷部位の表現方法として，前方，後方など損傷の位置を示す方法や，時計板を当てはめて前方を3時，上方を12時，後方を9時として示す方法がある[7]。Lageら[8]は，臼蓋関節唇損傷の損傷形態を弁状横断裂（radial flap），辺縁部縦断裂（longitudinal peripheral），線維化横断裂（radial fibrillated），不安定損傷（unstable）の4つに分類した（図7-1）。鏡視下手術を受けた37名におけるそれぞれの存在率は，56.8％，16.2％，21.6％，5.4％であった[8]。臼蓋関節唇損傷は肩の関節唇損傷や膝の半月板損傷のように損傷部位や形態によって分類されている。そのため，一概に関節唇損傷といっても損傷によって症状，発生メカニズムなどの病態は異なると考えられる。それぞれの分類に従った症状や発生メカニズムの整理が，今後の予防や治療において重要と考えられる。

D. 臼蓋関節唇損傷の症状

臼蓋関節唇損傷の症状についての研究は十分ではない。Burnettら[5]は関節唇損傷が確認された患者の術前所見を報告した。疼痛出現部位として鼠径部が92％と最も多く，次いで大腿前面・膝，股関節外側，殿部の順であった。Philipponら[9]の研究でも鼠径部痛が最も多かった。また，疼痛による股関節屈曲＋回旋動作や外転動作の制限[9]，スナッピングやロッキング[5]が術前に認められた。これらの研究では，臼蓋関節唇損傷における症状を把握できたが，その症状が関節唇由来か，関節外の組織由来かは鑑別できていない。また，関節唇の損傷部位や損傷形態による症状の違いを正確に分類することが困難であった。

Arnoldら[10]は関節内病変が由来と考えられる症状を特定することを目的とし，前方関節唇損傷患者に対する関節内注射による疼痛軽減部位を調査した。その結果，鼠径部と大腿外側の痛みは関節内注射により有意に減少した。このことから，その他の部位の痛みは関節内が原因ではない可能性が示唆された（図7-2）。

今回レビューした範囲では，関節唇および関節外組織による症状の違いや，損傷部位と損傷形態の違いによる症状の変化を考慮した研究は1件しか存在しなかった[10]。現状では，前方関節唇損傷以外の損傷部位による症状や，損傷形態別の症状は整理されていないといえる。

E. 臼蓋関節唇損傷の発生原因

1. 外傷性の臼蓋関節唇損傷

外傷性の臼蓋関節唇損傷は股関節脱臼に合併する場合が多い。Philipponら[11]は，14名のプロスポーツ選手における外傷性股関節脱臼に伴う関節内病変の合併を報告した。85％が後方脱臼，15％が前方脱臼であったが，脱臼方向にかかわらずすべての患者で関節唇損傷と関節軟骨損傷の合併が認められた。しかし，損傷部位や損傷形態に関する記述はなく，関節唇損傷の詳細な発生メカニズムは考察されていない。Ilizaliturriら[12]は，外傷性股関節後方脱臼の患者17名中16名に関節唇損傷が認められたと報告した。関節唇を6つの領域に分類して損傷部位を分析したところ，後上方6名，前上方9名，前下方5名であった（**図7-3**）。損傷形態の分類に関する報告はみられなかったが，後方脱臼に伴う関節唇損傷は後方関節唇より前方関節唇のほうが多いことが示された。

2. 非外傷性の臼蓋関節唇損傷

非外傷性臼蓋関節唇損傷の発生原因は，加齢による退行変性と繰り返しの微細損傷とに分類される[13]。本項では，スポーツ活動による損傷原因として注目されている繰り返しの微細損傷が原因で発生する関節唇損傷について，ストレスパターンや危険因子について整理する。

1) 関節唇のストレスパターン

Safranら[14]は正常関節唇の円周方向への歪み応力が発生する股関節肢位に関して，屍体股関節を用いた実験を行った。関節唇の前方（3時），前上方（1時半），上方（12時），後方（9時）の4ヵ所において，円周方向への歪みを計測するために装着したストレインゲージを用いて歪み応力を計測した。部位別の最大ストレス肢位は**表7-2**

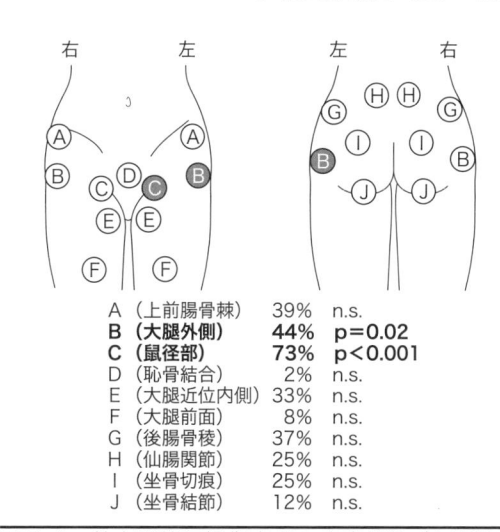

A （上前腸骨棘）	39%	n.s.
B （大腿外側）	**44%**	**p＝0.02**
C （鼠径部）	**73%**	**p＜0.001**
D （恥骨結合）	2%	n.s.
E （大腿近位内側）	33%	n.s.
F （大腿前面）	8%	n.s.
G （後腸骨稜）	37%	n.s.
H （仙腸関節）	25%	n.s.
I （坐骨切痕）	25%	n.s.
J （坐骨結節）	12%	n.s.

図7-2　前方関節唇損傷患者の疼痛部位（左関節唇損傷の場合）と対象者のうち関節内注射によって疼痛が軽減した者の割合（文献10より作図）
鼠径部と大腿外側の痛みは関節内注射により有意に軽減した。

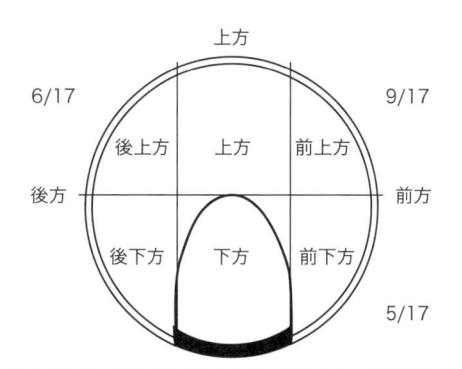

図7-3　外傷性股関節後方脱臼に伴う関節唇損傷部位（文献12より作図）
17名中14名において前方領域（前下方と前上方）に損傷が認められた。

の通りであった（**表2-2**参照）。関節唇へのストレステストとして臨床で用いられている屈曲90°における内転・内旋強制（インピンジメントテスト）では前上方の関節唇へのストレスが最大であった。この報告は，関節唇の部位ごとにストレスが加わる肢位の違いを検討した唯一の研究であり，損傷部位別の発生メカニズムの推察の根拠となりうる。しかし，ストレインゲージの装着方向が限定されており，計測できる歪みがどのよう

第3章 股関節病変

表7-2 関節唇の部位別最大ストレス肢位（文献14より作成）

部　位	ストレイン増大肢位
前方　3時	屈曲，内転
前上方　1時30分	伸展，外旋
上方　12時	屈曲，外転
後方　9時	屈曲，内転

正常関節唇に円周方向の歪みが計測できるように装着したストレインゲージにより部位ごとのストレスを算出。

な損傷形態を引き起こす力であるかは明らかにされていない。

2）危険因子：骨形態異常

　繰り返しの微細損傷が原因で発生する関節唇損傷の危険因子に関して，鏡視下で関節唇損傷が認められた患者に存在している身体的特徴が注目されてきた。関節唇損傷において特に注目すべき構造的な危険因子としては骨形態の異常があげられる。Wengerら[15]は，31名の関節唇損傷患者の87％に何らかの骨形態の異常が認められたと報告した。骨形態の異常は，大きく臼蓋形成不全と大腿骨寛骨臼インピンジメント（femoroacetabular impingement：FAI）に分類され[16]，関節唇損傷患者におけるこれらの骨形態異常の存在率が報告された。大腿骨寛骨臼インピンジメントは，Ganzら[17,18]が報告した概念であり，寛骨臼蓋や大腿骨頭から頸部にかけての骨形態異常によって臼蓋と大腿骨の間でインピンジメントが起こる病態である。大腿骨寛骨臼インピンジメンはさらにキャムやピンサー変形に分類される（図7-4）[19]。Farjoら[20]は，鏡視下で股関節唇損傷が確認された28名の50％に臼蓋形成不全が確認されたと報告した。Burnettら[5]は，66名の関節唇損傷患者の22.7％に臼蓋形成不全を，27.3％にキャムやピンサー変形に分類される骨形態異常を認めたと報告した。さらにPhilipponら[21]は，鏡視下で関節唇損傷が確認されたオリンピックレベルアスリート157名における大腿骨寛骨臼インピンジメント存在率が36％であったと報告した。このように鏡視下で関節唇損傷が認められた患者には高い割合で何らかの骨形態異常が認められた。

　先行研究では，骨形態異常のタイプと関節鏡所見から，関節唇損傷の発生メカニズムが推察されてきた。McCarthyら[22]は，臼蓋形成不全を伴う関節唇損傷患者の関節鏡所見を報告した。損傷部位は前上方が66％と最も多く，部位にかかわらずすべての関節唇が関節面からはがれるように損傷していた。このことから，臼蓋形成不全を伴う関節唇損傷の発生メカニズムは，関節唇と関節面および関節軟骨との移行部に加わる引き離し外力であると推察した。Beckら[23]は，キャムおよびピンサー変形を伴う場合の関節唇および関節軟骨の損傷部位と損傷形態から，その発生メカニズムを以下のように考察した。キャム変形を伴う群は前上方の損傷が最も多く，関節唇と関節軟骨が

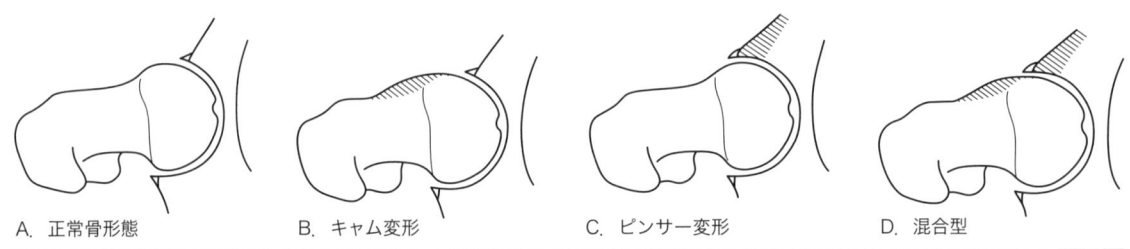

図7-4 大腿骨寛骨臼インピンジメント（FAI）の骨形態異常分類（文献19より引用）
A：正常骨形態，B：キャム変形（大腿骨頭から頸部にかけての膨隆），C：ピンサー変形（寛骨臼蓋の過被覆），D：混合型（キャム変形とピンサー変形の併存）。

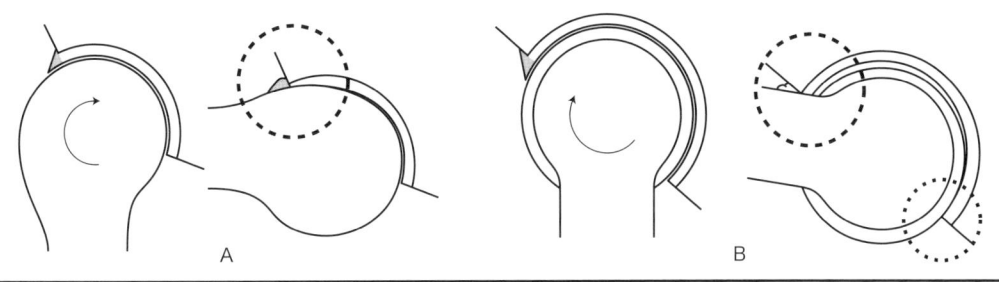

図 7-5 大腿骨寛骨臼インピンジメント（FAI）による関節唇損傷発生メカニズム（文献 23 より引用）
A：キャム変形。関節唇と関節軟骨の分岐点に，両者を引き離すような外力が生じる，B：ピンサー変形。前上方で大腿骨と臼蓋の間に関節唇が挟まれるような外力が生じ，それに伴い骨頭が後下方にずれるような外力生じる。

割けるように損傷していた。ピンサー変形を伴う群は上方から前上方の損傷が最も多く，31％の患者に後下方の不整所見や線維化損傷の合併所見が認められた。Tannastら[24]も，各大腿骨寛骨臼インピンジメン変形群に同様の損傷部位を認めたと報告した。これらの研究結果から，キャム変形では関節唇と関節軟骨の移行部に両者を引き離す応力，ピンサー変形では前上方で大腿骨と臼蓋の間に関節唇を挟む応力が生じ，加えて骨頭が後下方にずれるような外力が生じることでそれぞれの部位で損傷が生じると考察した（図 7-5）。これらの損傷発生のメカニズムは損傷所見をもとにした推察であり，メカニズムを検証するバイオメカニクス研究は存在しない。今後は骨形態異常のタイプ別に，損傷にいたる応力の種類を詳細に検証することが望まれる。

関節唇損傷患者における骨形態異常の存在率から，骨形態異常は関節唇損傷の危険因子となりうるとされてきた。これに対し，2010 年頃から関節唇損傷の有無にかかわらず，キャムやピンサー変形に分類される骨形態異常が高い割合で存在することが報告されてきた[25,26]。Siebenrockら[27]は，股関節疾患のないバスケットボール選手と非アスリートのキャム変形の存在率を比較し，バスケットボール選手の前上方の変形存在率が有意に高いと報告した。Kapronら[28]は，96 名の症状のないアメリカンフットッボール選手の 78％に

キャム変形，66％にピンサー変形，合わせると全体の 95％に骨形態の異常が確認されたと報告した。これらの研究より，すべての骨形態異常が関節唇損傷を引き起こすわけではないことが示された。今後は，骨形態異常のカットオフ値を明確にした前向き研究により，関節唇損傷の危険因子となりうる骨形態異常や軟部組織の影響に関する研究が必要である。

3）骨形態異常以外の危険因子

骨形態異常以外で関節唇損傷の患者に多い身体的特徴として，股関節包の弛緩性（laxity）が指摘された。Philipponら[21]は，股関節鏡視下で関節唇損傷を認めたアスリート 157 例の 58％に股関節包の弛緩性を認めたと報告した。また，股関節包の弛緩性の発生メカニズムとして，外傷性の脱臼や亜脱臼によるものと非外傷性の関節唇損傷の存在があげられた[21]。アスリートにおける非外傷性の股関節包弛緩性の原因として，スポーツ動作中に股関節に軸負荷を伴う回旋運動の強制の繰り返しにより腸骨大腿靱帯の伸張変化が起きると推察した[21]。

股関節包の弛緩性と関節唇損傷の関係性についても検証されてきた。Myersら[29]は屍体股を用いて，12 時から 3 時方向の関節唇損傷モデルと腸骨大腿靱帯損傷モデル，同時損傷モデル，おのおのの修復モデルを作成し，5 Nm の外旋トルク

を加えた際の骨頭の前後方向の移動量を比較した（図2-10参照）。その結果，腸骨大腿靱帯の制動性が失われた場合のみ，前上方関節唇が骨頭の前方移動を制御する二次的なスタビライザーとなることが示された。このことから，腸骨大腿靱帯の弛緩性が存在する状態で大腿骨頭に繰り返しの前方移動ストレスが加わると，関節唇損傷が引き起こされる可能性があると考察された。しかし，この研究では関節唇へのストレスが直接計測されていない。関節唇損傷の発生と股関節包の弛緩性の関係を明らかにするためには，骨頭の前方変位が関節唇に与えるストレスや，それに伴う関節唇の損傷形態を検証する研究が必要である。

症例報告では，股関節唇と腸腰筋腱の位置関係から，腱の張力やこすれあう応力が関節唇損傷を引き起こすストレスとなる可能性が議論されてきた。Heyworthら[30]は，再手術となった股関節唇損傷患者24例のうち7例に損傷した関節唇と，股関節伸展位でタイトネスが確認される腸腰筋腱との関係を認めたと報告した。Alpertら[31]は，8体の屍体股を用いて直視下で股関節唇と腸腰筋腱を観察したところ，すべての股関節で腸腰筋腱と2～3時方向の関節唇関節包複合体の隣接関係を確認した。これらの研究から腸腰筋腱の張力による関節唇への圧迫ストレスや腱と関節唇がこすれあうストレスにより関節唇損傷が発生すると推察された。しかし，これらの研究は関節唇への外力を計測したわけではなく，腸腰筋腱のストレスにより関節唇損傷が誘発されるのか，ほかの原因により発生した関節唇損傷に腸腰筋腱のタイトネスが併存しているだけかは不明である。

F. まとめ

1. すでに真実として承認されていること
- 関節唇損傷は損傷部位，損傷形態で分類されている。
- 外傷性股関節脱臼では，高い割合で関節唇損傷が合併する。
- 関節唇損傷には高い割合で何らかの骨形態異常が併存する。

2. 議論の余地はあるが，今後の重要な研究テーマとなること
- 前方関節唇損傷由来の症状が鼠径部と大転子外側の疼痛のみである可能性。
- 関節包の弛緩性が関節唇損傷の発生原因となる可能性。
- 腸腰筋腱の張力により関節唇にストレスが加わる可能性。

3. 真実と思われていたが実は疑わしいこと
- 関節唇損傷の確定診断は容易ではないため，過去の疫学データは実際の関節唇損傷の発生率より低値となっている可能性がある。
- すべての骨形態異常が関節唇損傷を引き起こすわけではない可能性がある。

G. 今後の課題

過去に行われてきた関節唇損傷の病態の整理は，損傷分類が考慮に入れられてなかった。Arnoldら[10]の研究のように，損傷部位や損傷形態などの分類に従った症状や発生メカニズムの整理がされてくると，より目的を明確にしたリハビリテーションアプローチの立案につながると考えられる。そのことからも，以下の研究課題に関する報告が今後期待される。

- 損傷部位，損傷形態分類に従った関節唇損傷由来の症状の解明。
- 損傷部位，損傷形態分類を考慮した関節唇へのストレスパターンの解明。
- 骨形態異常のカットオフ値を明確にした前向き研究。

文献

1. Tibor LM, Sekiya JK: Differential diagnosis of pain around the hip joint. *Arthroscopy*. 2008; 24:1407-21.
2. Kelly BT, Weiland DE, Schenker ML, Philippon MJ: Arthroscopic labral repair in the hip: surgical technique and review of the literature. *Arthroscopy*. 2005; 21: 1496-504.
3. Feeley BT, Powell JW, Muller MS, Barnes RP, Warren RF, Kelly BT: Hip injuries and labral tears in the National Football League. *Am J Sports Med*. 2008; 36:2187-95.
4. Gabbe BJ, Bailey M, Cook JL, Makdissi M, Scase E, Ames N, Wood T, McNeil JJ, Orchard JW: The association between hip and groin injuries in the elite junior football years and injuries sustained during elite senior competition. *Br J Sports Med*. 2010; 44: 799-802.
5. Burnett RS, Della Rocca GJ, Prather H, Curry M, Maloney WJ, Clohisy JC: Clinical presentation of patients with tears of the acetabular labrum. *J Bone Joint Surg Am*. 2006; 88: 1448-57.
6. Martin RL, Kelly BT, Leunig M, Martin HD, Mohtadi NG, Philippon MJ, Sekiya JK, Safran MR: Reliability of clinical diagnosis in intraarticular hip diseases. *Knee Surg Sports Traumatol Arthrosc*. 2010; 18: 685-90.
7. Blankenbaker DG, De Smet AA, Keene JS, Fine JP: Classification and localization of acetabular labral tears. *Skeletal Radiol*. 2007; 36: 391-7.
8. Lage LA, Patel JV, Villar RN: The acetabular labral tear: an arthroscopic classification. *Arthroscopy*. 1996; 12: 269-72.
9. Philippon MJ, Maxwell RB, Johnston TL, Schenker M, Briggs KK: Clinical presentation of femoroacetabular impingement. *Knee Surg Sports Traumatol Arthrosc*. 2007; 15: 1041-7.
10. Arnold DR, Keene JS, Blankenbaker DG, Desmet AA: Hip pain referral patterns in patients with labral tears: analysis based on intra-articular anesthetic injections, hip arthroscopy, and a new pain "circle" diagram. *Phys Sportsmed*. 2011; 39: 29-35.
11. Philippon MJ, Kuppersmith DA, Wolff AB, Briggs KK: Arthroscopic findings following traumatic hip dislocation in 14 professional athletes. *Arthroscopy*. 2009; 25: 169-74.
12. Ilizaliturri VM Jr, Gonzalez-Gutierrez B, Gonzalez-Ugalde H, Camacho-Galindo J: Hip arthroscopy after traumatic hip dislocation. *Am Sports J Med*. 2011; 39 Suppl: 50S-7S.
13. Philippon MJ, Schroder e Souza BG, Briggs KK: Labrum: resection, repair and reconstruction sports medicine and arthroscopy review. *Sports Med Arthrosc*. 2010; 18: 76-82.
14. Safran MR, Giordano G, Lindsey DP, Gold GE, Rosenberg J, Zaffagnini S, Giori NJ: Strains across the acetabular labrum during hip motion: a cadaveric model. *Am J Sports Med*. 2011; 39 Suppl: 92S-102S.
15. Wenger DE, Kendell KR, Miner MR, Trousdale RT: Acetabular labral tears rarely occur in the absence of bony abnormalities. *Clin Orthop Relat Res*. 2004; 426: 145-50.
16. Lewis CL, Sahrmann SA: Acetabular labral tears. *Phys Ther*. 2006; 86: 110-21.
17. Ganz R, Parvizi J, Beck M, Leunig M, Notzli H, Siebenrock KA: Femoroacetabular impingement: a cause for osteoarthritis of the hip. *Clin Orthop Relat Res*. 2003; 417: 112-20.
18. Ito K, Minka-II M-A, Leunig M, Werlen S, Ganz R: Femoroacetabular impingement and the cam-effect. A MRI-based quantitative anatomical study of the femoral head-neck offset. *J Bone Joint Surg Br*. 2001; 83:171-6.
19. Lavigne M, Parvizi J, Beck M, Siebenrock KA, Ganz R, Leunig M: Anterior femoroacetabular impingement part I. Techniques of joint preserving surgery. *Clin Orthop Relat Res*. 2004; 418: 61-6.
20. Farjo LA, Glick JM, Sampson TG: Hip arthroscopy for acetabular labral tears. *Arthroscopy*. 1999; 15: 132-7.
21. Philippon MJ, Schenker M: Athletic hip injuries and capsular laxity. *Oper Tech Orthop*. 2005; 15: 261-6.
22. McCarthy JC, Lee JA: Acetabular dysplasia: a paradigm of arthroscopic examination of chondral injuries. *Clin Orthop Relat Res*. 2002; (405): 122-8.
23. Beck M, Kalhor M, Leunig M, Ganz R: Hip morphology influences the pattern of damage to the acetabular cartilage: femoroacetabular impingement as a cause of early osteoarthritis of the hip. *J Bone Joint Surg Br*. 2005; 87: 1012-8.
24. Tannast M, Goricki D, Beck M, Murphy SB, Siebenrock KA: Hip damage occurs at the zone of femoroacetabular impingement. *Clin Orthop Relat Res*. 2008; 466: 273-80.
25. Hack K, Di Primio G, Rakhra K, Beaule PE: Prevalence of cam-type femoroacetabular impingement morphology in asymptomatic volunteers. *J Bone Joint Surg Am*. 2010; 92: 2436-44.
26. Jung KA, Restrepo C, Hellman M, AbdelSalam H, Morrison W, Parvizi J: The prevalence of cam-type femoroacetabular deformity in asymptomatic adults. *J Bone Joint Surg Br*. 2011 ; 93: 1303-7.
27. Siebenrock KA, Ferner F, Noble PC, Santore RF, Werlen S, Mamisch TC: The cam-type deformity of the proximal femur arises in childhood in response to vigorous sporting activity. *Clin Orthop Relat Res*. 2011; 469: 3229-40.
28. Kapron AL, Anderson AE, Aoki SK, Phillips LG, Petron DJ, Toth R, Peters CL: Radiographic prevalence of femoroacetabular impingement in collegiate football players: AAOS Exhibit Selection. *J Bone Joint Surg Am*. 2011; 93: e111(1-10).
29. Myers CA, Register BC, Lertwanich P, Ejnisman L, Pennington WW, Giphart JE, LaPrade RF, Philippon MJ: Role of the acetabular labrum and the iliofemoral ligament in hip stability: an *in vitro* biplane fluoroscopy study. *Am J Sports Med*. 2011; 39 Suppl: 85S-91S.
30. Heyworth BE, Shindle MK, Voos JE, Rudzki JR, Kelly BT: Radiologic and intraoperative findings in revision hip arthroscopy. *Arthroscopy*. 2007; 23: 1295-302.
31. Alpert JM, Kozanek M, Li G, Kelly BT, Asnis PD: Cross-sectional analysis of the iliopsoas tendon and its relationship to the acetabular labrum: an anatomic study. *Am J Sports Med*. 2009; 37: 1594-8.

〔戸田　創〕

8. 股関節病変の診断・評価

はじめに

近年，スポーツで発生する股関節疾患の病態と損傷メカニズムについて研究が進みつつある。Dyら[1]は屍体股を用いた研究において，股関節外旋，外転運動は前方関節唇に大きな引っぱり応力をもたらしたとした。Safranら[2]は屍体股を用いた研究において，股関節唇の円周方向に対するストレスを計測した。その結果，前方インピンジメントテストの肢位と同様の股関節屈曲90°，内転，内旋位において前上方関節唇へのストレスが増大したと報告した。また，股関節屈曲90°，外転位において上方関節唇へのストレスが増大したと報告した。股関節最大伸展，外旋では後方関節唇へのストレスが増大したと報告した。

上記のような股関節疾患の発生メカニズムの理解は，診断・評価の信頼性を高めるために不可欠であり，その詳細は前項に記載されている。本項では，股関節疾患の病態を踏まえつつ，股関節唇損傷の診断・評価についての文献をレビューし，最新の情報を整理する。診断・評価のなかでも特に多く報告されてきた理学検査，画像診断についてまとめ，各評価・診断手技の有用性を検討する。

A. 文献検索方法

文献検索にはPubMedを利用し，2012年4月の時点で検索を実施した。「acetabular labrum tear」「acetabular labral tear」「diagnosis」「examination」「evaluation」「clinical presentation」をキーワードとして検索し，今回のテーマに関連する文献を選択した。また，選択した文献の引用文献から，今回のテーマに関連するものも適宜加え，合計27論文をレビューした。

B. 徒手検査

1. 前方インピンジメントテスト

股関節唇損傷に対する徒手検査で最も多く報告されているものは，前方インピンジメントテストである[3〜6]。図8-1のように，股関節屈曲90°もしくは最大屈曲位で他動的に股関節内転，内旋させ，鼠径部の疼痛が誘発された場合を陽性とする[3,6,7]。Wangら[6]，Binningsley[3]は，股関節唇損傷側は健側と比較し，股関節屈曲・内旋可動域が低下したと報告した。Haseら[8]は，股関節唇損傷患者において股関節屈曲90°位での内

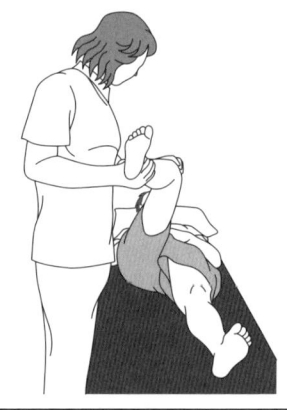

図8-1 前方インピンジメントテスト（文献7より引用）
股関節屈曲90°もしくは最大屈曲位で他動的に股関節内転，内旋させ，鼠径部の疼痛が誘発された場合を陽性とする。

8. 股関節病変の評価・診断

表8-1 前方インピンジメントテストの股関節唇損傷に対する感度・特異度

報告者	比較対象	損傷部位	感度	特異度
Wangら[6]	関節鏡	前上方	100 %	全例で損傷を認めた
Burnettら[4]	関節鏡	前方 64 % 前上外側 15 % 上外側 14 % 前方＋後方 5 % 後方 3 %	95 %	全例で損傷を認めた
Narvaniら[5]	関節鏡	前上方 75 % 後下方 15 %	75 %	43 %

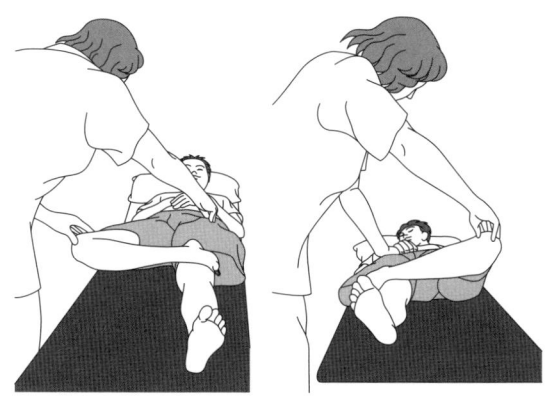

図8-2 FABER（flexion abduction external rotation）テスト（文献7より引用）
背臥位にて検査側の腓骨外果を非検査側の脛骨上に乗せるように股関節屈曲，外転，外旋させる検査。

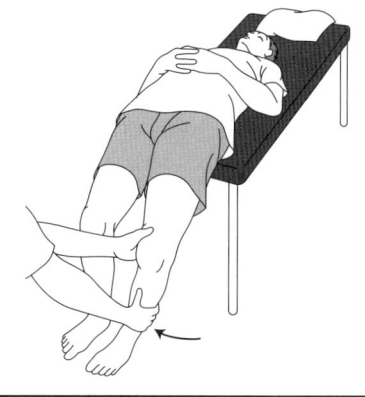

図8-3 後方インピンジメントテスト（文献12より引用）
下肢をベッドからはみ出させた背臥位にて股関節最大伸展位とし，検者が他動的に股関節を外旋，外転させる検査。

旋運動により疼痛が誘発され，屈曲可動域が疼痛により制限されたと報告した。Narvaniら[5]は，股関節唇損傷が存在しても全可動域の運動が可能であったが，4名中2名において股関節内旋動作で疼痛が誘発されたと報告した。以上より，股関節唇損傷患者では，股関節屈曲・内旋による疼痛誘発およびそれに伴う可動域制限の存在が共通の知見であるといえる。上記のような症状が認められる場合，確定的ではないにせよ股関節唇損傷を疑うべきであろう。このテストの感度，特異度に関する報告を表8-1にまとめた。感度については，100 %[6]，95 %[4]，75 %[5]と概ね高い値が得られた。一方，特異度については，Narvaniら[5]が43 %と報告したのみであり，信頼性を判断するうえで十分ではない。

2. FABER（flexion abduction external rotation）テスト

FABERテストは，背臥位にて検査側の腓骨外果を非検査側の脛骨上に乗せるように股関節屈曲，外転，外旋させる検査である[9]（図8-2）。陽性所見は，脛骨結節から診療台の高さの健患差[7]，または鼠径部，股関節前内側面の疼痛出現[10]である。これらの症状出現の作用機序は，大腿骨頭の前方移動による前方股関節唇に対する圧迫と推測された[3]。FABERテストの股関節唇損傷に対する感度，特異度の報告数は少ない。Wangら[6]によると，前上方関節唇損傷に対する感度は71 %であった。Troelsenら[11]によると，感度は41 %，特異度は100 %であった。これらから，前方インピンジメントテストと比較して感度が劣る。

第3章 股関節病変

表8-2 MRIの股関節唇損傷に対する感度・特異度

報告者	比較対象	解像度	損傷部位	感度	特異度
Byrdら[17]	関節鏡	1.5 T	−	25 %	37 %
Mintzら[15]	関節鏡	1.5 T	前方94 % 前上方3 % 上方2 %	96 %	33 %
Toomayanら[18]	関節鏡	1.5 T (LFOV) 1.5 T (SFOV)	− −	8 % 25 %	100 % 0 %
Sunbergら[16]	関節鏡	3.0 T	前上方	100 %	33 %
Zlatkinら[19]	関節鏡	1.5 T	−	85 %	−

3. 後方インピンジメントテスト

後方インピンジメントテストは，下肢をベッドからはみ出させた背臥位にて股関節最大伸展位とし，検者が他動的に股関節を外旋，外転させる（図8-3）[12]。その陽性徴候は鼠径深部の疼痛の誘発であり，その作用機序は後方関節唇へのストレスであると推測された[13,14]。後方インピンジメントテストの股関節唇損傷に対する感度，特異度の報告は見当たらない。

C. 画像診断

1. MRI

股関節唇損傷の画像診断として，MRIの信頼性に関して多数の報告がある。Mintzら[15]，Sunbergら[16]は，損傷部位が前方または前上方の関節唇である症例において，MRI診断の感度が高かったことを報告した。しかし，その他の研究では損傷部位は検討されず，また感度，特異度についても一定した結果は得られなかった（表8-2）[15〜19]。Sundbergら[16]は，8名の患者の関節鏡所見における股関節唇損傷の有無との照合により，3.0 T（テスラ）MRI画像と1.5 T MR関節造影（magnetic resonance arthrogram：MRA）像の信頼性の差を検証した。その結果，7名の患者においては両画像とも同様の結果を示したが，1名の患者において3.0 T MRIにおいてのみ関節唇損傷が認められた。このことから，3.0 T MRIは1.5 T MRAと同様，もしくはそれに優る関節唇損傷の描出能力をもっている可能性があると考察された。

2. MR関節造影（MRA）

MRAは，MRIと同様に股関節唇損傷の画像診断法であり，その信頼性に関する研究が数多く報告されてきた。MRAは，X線透視下にて股関節内にガドリニウム造影剤を注入したうえでMRIの撮像を行う。MRAの前方，前上方関節唇損傷における感度は高いのに対し，その特異度は33〜100 %とばらつきがある（表8-3）[16,18〜21]。Rakhra[22]は股関節唇損傷の画像診断においてMRAが最も有用であると結論づけた。Smithら[23]も，MRAはMRIと比較して股関節唇損傷の画像診断として優れていると報告した。一方，Ziegertら[24]は，MRAの撮像方向による関節唇損傷の発見率の違いを報告した。MRAの軸斜像での前上方関節唇病変の発見率は85 %であり，さらにこの方向でしか発見できなかった前上方股関節唇損傷が5 %であった。また，軸斜面，矢状面，冠状面の三方向からの撮像により95 %以上の前上方関節唇損傷が発見されたことから，多方向の撮像の必要性が示唆された。

現在広く用いられているMRAの診断基準はCzernyら[25]によって提唱された。Czernyら[25]

表8-3 MR関節造影（MRA）の股関節唇損傷に対する感度・特異度

報告者	比較対象	解像度	損傷部位	感度	特異度
Nishi ら[20]	関節鏡	1.5 T	—	82 %	100 %
Toomayan ら[18]	関節鏡	1.5 T	前方86 % 後方14 %	92 %	100 %
Sunberg ら[16]	関節鏡	1.5 T	前上方	80 %	33 %
Studler ら[21]	関節鏡	1.5 T	前上方76 % 前方4 %	98 %	54 %
Zlatkin ら[19]	関節鏡	1.5 T	—	100 %	—

表8-4 MR関節造影（MRA）における股関節唇損傷の診断基準（文献25より作成）

	タイプA		タイプB	
ステージ0		正常		
ステージⅠ		三角形の関節唇の中心の信号強度上昇		肥厚した関節唇中心の信号強度上昇
ステージⅡ		剥離はないが，造影剤の関節唇内への拡張，三角形への関節唇		ステージⅡ，タイプAと同等の状態だが，関節唇の肥厚がみられる
ステージⅢ		剥離，三角形の関節唇		剥離，肥厚した関節唇

は，関節唇損傷をステージ0からⅢまでの4段階に分け，ステージ0を正常，ステージⅡ，Ⅲを股関節唇損傷と定義した．ステージⅠAは関節唇の中心の信号強度が上昇した状態，ⅠBは肥厚した関節唇中心の信号強度が上昇した状態，ステージⅡAは剥離はなく三角形の関節唇を保っているが造影剤の関節唇内への拡張がみられる状態，ⅡBはⅡAと同様の状態だが関節唇の肥厚がみられる状態，ステージⅢAは関節唇が三角形を保っているが剥離している状態，ⅢBは関節唇が剥離し肥厚した状態と定義した（表8-4）．

Blankenbaker ら[26] は，Czerny ら[25] によるMRAの損傷分類と，Lage ら[9] の関節鏡所見による分類を同一患者において照合した．Lage ら[9] は，関節鏡所見により股関節唇損傷を分類した．すなわち，タイプ1を損傷形態から弁状横断裂（radial flap tear：分離皮弁を伴う関節唇自由縁の損傷），タイプ2を線維化横断裂（radial fibrillated tear：毛様の関節唇自由縁の損傷），タイプ3を辺縁部縦断裂（longitudinal peripheral tear：寛骨臼辺縁部に沿って起こる縦断裂），タイプ4を不安定断裂（unstable tear：形態的変化ではなく，機能異常を起こした股関節唇）の4つに分類した（図7-1参照）．Blankenbaker ら[26] はCzerny らの分類[25] を，ステージ0・ⅠA・ⅠBを非損傷，ⅡA・ⅡBを弁状断裂，ⅢA・ⅢBを辺縁断裂（peripheral tear）と改変したうえで，Lage らの関節鏡所見と照合した．その結果，ステージⅡ・Ⅲ損傷とタイプ1・3に有意な相関関係はみられなかった（p＝0.99）．この結果か

第3章 股関節病変

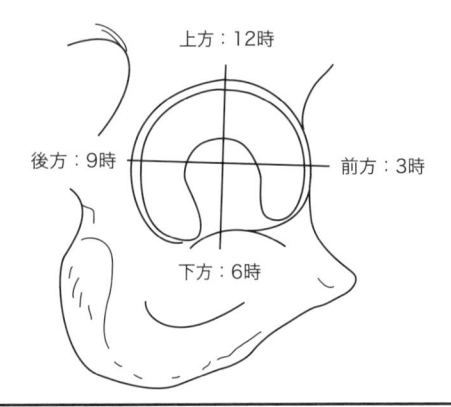

図8-4 股関節唇の clock wise 法による方向分類 (文献27より作図)

	損傷部位			
	後方		前方	
	下方	上方	上方	下方
MRAによる発見率	18%	37%	33%	13%
術中所見での発見率	10%	41%	40%	9%

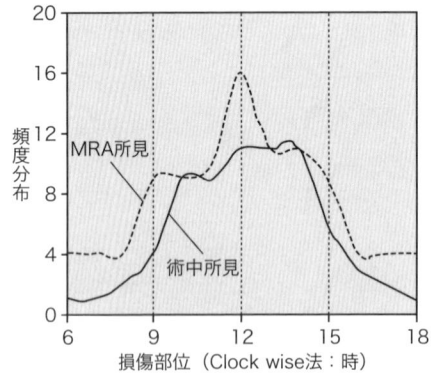

図8-5 MR関節造影（MRA）と術中所見の股関節唇損傷部位の差異（文献27より作図）
MRAと術中所見で発見された clock wisw 法における損傷部位はおおよそ同一であった。

ら，MRAによる損傷分類と関節鏡所見による分類とは診断上一致しない可能性が示唆された。

MRAによる損傷部位の正確性についての研究はいくつかある．Leunigら[27]は，MRA所見と術中所見における股関節唇損傷部位を，clock wise 法（図8-4）にて比較した．損傷部位はMRAでは平均12.0±0.3時，術中所見では平均12.3±0.3時（p＝0.5117）であり，両者間に有意な差はみられなかった（図8-5）．Blankenbakerら[26]はMRA所見と関節鏡所見における損傷部位を clock wise 法にて比較した．損傷部位が完全に一致したものは63%（41/65），1時（30°）のずれが生じたものは23%（15/65），2時（60°）のずれが生じたものが14%（9/65）であった．以上より，MRA所見と術中，関節鏡所見における clock wise 法によるよる損傷部位の差異は小さいことが示された．

MRAは優れた診断能を有する反面，いくつかの短所も指摘されてきた．Rakhraら[22]は，股関節唇損傷の画像診断として，MRAはMRIよりも高い感度，特異度を有する反面，その短所として侵襲，X線被曝，造影剤による副作用を指摘した．一方，MRIにはそのような短所はないが，Sundbergら[16]が指摘したように1.5 T MRIでは発見できない病変も存在することに留意する必要がある．今後，3.0 Tの高解像度のMRIによる診断の有用性に関しての報告が待たれる．

D. まとめと今後の課題

1. すでに真実として承認されていること

- 股関節唇損傷を有する場合，股関節屈曲・内旋運動の可動域制限もしくはそれに伴う疼痛が誘発される．
- MRAの感度は概ね良好である．
- 損傷部位別では，前（上）方関節唇損傷におけるMRAの感度，特異度が高い．

2. 議論の余地はあるが，今後の重要な研究テーマとなること

- 股関節運動とそれに伴う股関節唇へのストレスパターンの詳細な検討．
- 各徒手検査法による股関節唇に対するストレスの検討．
- 前（上）方関節唇損傷以外の損傷部位での

MRI，MRA の感度，特異度の検討。
- 各股関節唇損傷に有用な撮像方向の検討。
- 感度と特異度をともに満たす股関節唇損傷に対する徒手検査法の検討
- 3.0 T MRI での股関節唇損傷の感度，特異度，精度の検討。

文　献

1. Dy CJ, Thompson MT, Crawford MJ, Alexander JW, McCarthy JC, Noble PC: Tensile strain in the anterior part of the acetabular labrum during provocative maneuvering of the normal hip. *J Bone Joint Surg Am*. 2008; 90: 1464-72.
2. Safran MR, Giordano G, Lindsey DP, Gold GE, Rosenberg J, Zaffagnini S, Giori NJ: Strains across the acetabular labrum during hip motion: a cadaveric model. *Am J Sports Med*. 2011; 39 Suppl: 92S-102S.
3. Binningsley D: Tear of the acetabular labrum in an elite athlete. *Br J Sports Med*. 2003; 37: 84-8.
4. Burnett RS, Della Rocca GJ, Prather H, Curry M, Maloney WJ, Clohisy JC: Clinical presentation of patients with tears of the acetabular labrum. *J Bone Joint Surg Am*. 2006; 88: 1448-57.
5. Narvani AA, Tsiridis E, Kendall S, Chaudhuri R, Thomas P: A preliminary report on prevalence of acetabular labrum tears in sports patients with groin pain. *Knee Surg Sports Traumatol Arthrosc*. 2003; 11: 403-8.
6. Wang WG, Yue DB, Zhang NF, Hong W, Li ZR: Clinical diagnosis and arthroscopic treatment of acetabular labral tears. *Orthop Surg*. 2011; 3: 28-34.
7. Philippon MJ, Maxwell RB, Johnston TL, Schenker M, Briggs KK: Clinical presentation of femoroacetabular impingement. *Knee Surg Sports Traumatol Arthrosc*. 2007; 15: 1041-7.
8. Hase T, Ueo T: Acetabular labral tear: arthroscopic diagnosis and treatment. *Arthroscopy*. 1999; 15: 138-41.
9. Lage LA, Patel JV, Villar RN: The acetabular labral tear: an arthroscopic classification. *Arthroscopy*. 1996; 12: 269-72.
10. Martin RL, Enseki KR, Draovitch P, Trapuzzano T, Philippon MJ: Acetabular labral tears of the hip: examination and diagnostic challenges. *J Orthop Sports Phys Ther*. 2006; 36: 503-15.
11. Troelsen A, Mechlenburg I, Gelineck J, Bolvig L, Jacobsen S, Soballe K: What is the role of clinical tests and ultrasound in acetabular labral tear diagnostics? *Acta Orthop*. 2009; 80: 314-8.
12. Tannast M, Siebenrock KA, Anderson SE: Femoroacetabular impingement: radiographic diagnosis -what the radiologist should know. *AJR Am J Roentgenol*. 2007; 188: 1540-52.
13. Fitzgerald RH Jr: Acetabular labrum tears. Diagnosis and treatment. *Clin Orthop Relat Res*. 1995; (311): 60-8.
14. Ganz R, Parvizi J, Beck M, Leunig M, Notzli H, Siebenrock KA: Femoroacetabular impingement: a cause for osteoarthritis of the hip. *Clin Orthop Relat Res*. 2003; (417): 112-20.
15. Mintz DN, Hooper T, Connell D, Buly R, Padgett DE, Potter HG: Magnetic resonance imaging of the hip: detection of labral and chondral abnormalities using non-contrast imaging. *Arthroscopy*. 2005; 21: 385-93.
16. Sundberg TP, Toomayan GA, Major NM: Evaluation of the acetabular labrum at 3.0-T MR imaging compared with 1.5-T MR arthrography: preliminary experience. *Radiology*. 2006; 238: 706-11.
17. Byrd JW, Jones KS: Diagnostic accuracy of clinical assessment, magnetic resonance imaging, magnetic resonance arthrography, and intra-articular injection in hip arthroscopy patients. *Am J Sports Med*. 2004; 32: 1668-74.
18. Toomayan GA, Holman WR, Major NM, Kozlowicz SM, Vail TP: Sensitivity of MR arthrography in the evaluation of acetabular labral tears. *AJR Am J Roentgenol*. 2006; 186: 449-53.
19. Zlatkin MB, Pevsner D, Sanders TG, Hancock CR, Ceballos CE, Herrera MF: Acetabular labral tears and cartilage lesions of the hip: indirect MR arthrographic correlation with arthroscopy -a preliminary study. *AJR Am J Roentgenol*. 2010; 194: 709-14.
20. Nishii T, Nakanishi K, Sugano N, Naito H, Tamura S, Ochi T: Acetabular labral tears: contrast-enhanced MR imaging under continuous leg traction. *Skeletal Radiol*. 1996; 25: 349-56.
21. Studler U, Kalberer F, Leunig M, Zanetti M, Hodler J, Dora C, Pfirrmann CW: MR arthrography of the hip: differentiation between an anterior sublabral recess as a normal variant and a labral tear. *Radiology*. 2008; 249: 947-54.
22. Rakhra KS: Magnetic resonance imaging of acetabular labral tears. *J Bone Joint Surg Am*. 2011; 93 Suppl 2: 28-34.
23. Smith TO, Hilton G, Toms AP, Donell ST, Hing CB: The diagnostic accuracy of acetabular labral tears using magnetic resonance imaging and magnetic resonance arthrography: a meta-analysis. *Eur Radiol*. 2011; 21: 863-74.
24. Ziegert AJ, Blankenbaker DG, De Smet AA, Keene JS, Shinki K, Fine JP: Comparison of standard hip MR arthrographic imaging planes and sequences for detection of arthroscopically proven labral tear. *AJR Am J Roentgenol*. 2009; 192: 1397-400.
25. Czerny C, Hofmann S, Neuhold A, Tschauner C, Engel A, Recht MP, Kramer J: Lesions of the acetabular labrum: accuracy of MR imaging and MR arthrography in detection and staging. *Radiology*. 1996; 200: 225-30.
26. Blankenbaker DG, De Smet AA, Keene JS, Fine JP: Classification and localization of acetabular labral tears. *Skeletal Radiol*. 2007; 36: 391-7.
27. Leunig M, Werlen S, Ungersbock A, Ito K, Ganz R: Evaluation of the acetabular labrum by MR arthrography. *J Bone Joint Surg Br*. 1997; 79: 230-4.

〈池田祐真〉

9. 股関節病変の保存療法と手術療法

はじめに

近年の画像診断能力の向上に伴い，股関節唇損傷の病態解明が進んでおり，その治療法も多様化している。よって，適切な治療法を選択するためには，組織の治癒能力，損傷や外科的修復に伴うバイオメカニクス変化，治療成績などを理解することが重要である。本項では股関節唇に関するこれらの知見を整理し，治療選択の参考となる基礎知識として提示する。

A. 文献検索方法

文献検索はPubMedを使用し，2012年3月1日の時点で実施した。股関節唇および治癒，保存療法，手術療法に関連したキーワード「acetabular labral」「labrum tear」「femoroacetabular impingement」「vascular／healing」「treatment」「arthroscopy」「resection／repair／reconstruction」を組み合わせて検索を行った。検索結果から，股関節唇の治癒，断裂股関節唇のバイオメカニクス，股関節唇損傷に対する治療成績に関する研究を抽出し，さらにヒットした文献で引用されている参考文献を含め，26件の文献を本レビューの対象とした。

B. 関節唇の治癒能力

1. 関節唇の血管分布

臼蓋および関節唇への血液供給はその治癒能力を決定する重要な因子である。関節唇は上殿動脈および下殿動脈の分枝により栄養されているが，その血行量は非常に少ない[1,2]。関節唇の冠状断面における血管分布量を観察した研究では，関節側と比較して関節包側は血管分布量が多く，関節側は無血管あるいはそれに近いと報告された[3,4]。一方，前方や後方など関節唇の部位による血管分布量やパターンに差はない[2,3]。

2. 動物実験による股関節唇の治癒過程

股関節唇の治癒能力の検証を目的として，ヒトの関節唇と解剖学的に近似しているヒツジを対象とした研究が存在する。Miozzariら[5]は，上方1／3の関節唇を約2 cm幅で切除したヒツジを関節固定や荷重制限をせずに活動させ，関節唇の治癒経過を観察した。切除後6週以降の関節唇を観察したところ，18頭中16頭において線維性瘢痕組織による修復がみられた。また，Philipponら[6]は，10頭のヒツジの前上方関節唇に1.5 cmの縦断裂を作製した後，修復術を実施し，関節固定や荷重制限をせず活動させたうえで関節唇の治癒経過を観察した。修復術の12週後では，修復部の関節包側は治癒し，関節側では断裂が残存していた。これらから，ヒツジを用いた動物実験においては，切除関節唇は自然治癒すると推察され，断裂関節唇は縫合後で部分的に治癒し，治癒は関節包側から生じることが示唆された。

3. ヒトの股関節唇の治癒能力

ヒトの関節唇の治癒能力に関する研究が2件存

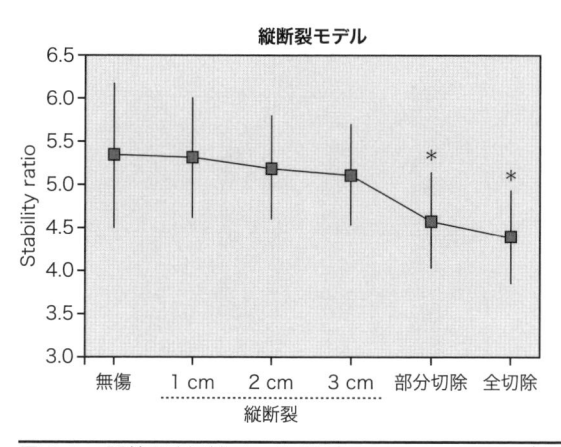

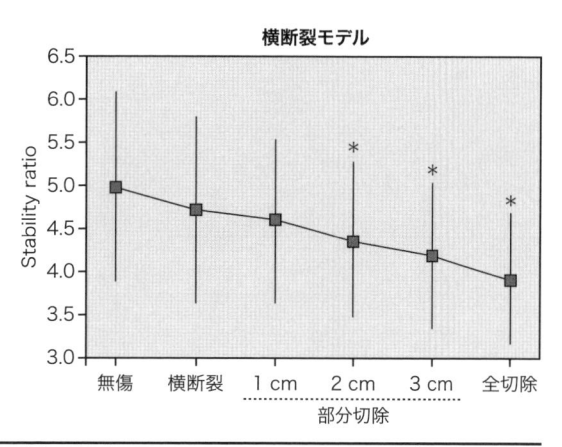

図9-1 関節唇断裂および切除時のstability ratio（文献9より引用）
3 cm以下の縦断裂や1 cm以下の横断裂ではstability ratioに有意な変化は生じなかったが，それ以上の断裂または切除によりstability ratioは有意に低下した。＊p＜0.05。

在する。Seldesら[7]は，屍体の股関節唇を顕微鏡写真にて観察し，断裂が存在した関節唇では断裂部周囲に微小血管形成の増加が認められたと報告した。Ikedaら[8]は，股関節痛および関節唇断裂を有する若年者7名のうち，治療当初の関節鏡視下にて断裂周囲の血管拡張を認めた2症例において，その後完全免荷により症状改善を得たと報告した。しかし，この2名の症状改善後の再鏡視において血管消失と断裂残存が認められた。以上より，断裂後のヒトの関節唇の周囲には血管反応が生じる可能性がある。これが治癒に関与している可能性が推察されるが，症状の変化と断裂組織の修復程度の関係性は明らかとなっていない。

C. 断裂関節唇が股関節バイオメカニクスに及ぼす影響

関節唇の断裂が股関節バイオメカニクスに及ぼす影響について検証した in vitro 研究が複数存在する。Smithら[9]は，屍体関節唇の辺縁部に縦断裂，横断裂（図7-1参照），部分切除，全切除を施した前後におけるstability ratio〔臼蓋に対して大腿骨頭が偏位する際に必要な大腿骨軸に加える前方偏位力（N）／関節圧縮負荷（N）〕の変化を比較した。その結果，3 cm以下の縦断裂や1 cm以下の横断裂ではstability ratioに有意な変化は生じなかったが，それ以上の断裂または切除によりstability ratioは有意に低下した（図9-1）。よって，屍体股関節において，関節唇断裂は股関節の安定性に影響を与えない可能性があり，関節唇の部分切除または全切除は安定性を有意に低下させる可能性がある。

屍体標本における股関節荷重時の大腿骨頭と関節軟骨の接触圧について，MRIを用いた研究が存在する。Greavesら[10]は，股関節無傷時，関節唇断裂時，断裂関節唇修復時，関節唇切除時の4条件においてMRIを撮像し，荷重による大腿骨頭軟骨厚の変化量を基準値（非荷重時の軟骨厚）で除した値 cartilage strain を算出した。その結果，関節唇断裂時は無傷時に対し cartilage strain に有意な変化はなかったが，関節唇切除時は関節唇修復時に対して有意に cartilage strain が大きくなった（図9-2）。よって，屍体股関節において，関節唇切除は関節軟骨への負荷を有意に増大させる可能性がある。ただし，以上の研究は屍体が対象であり，生体内での機能変化は不明である。

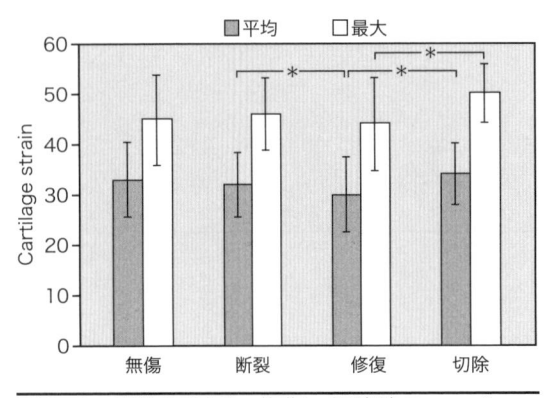

図9-2 関節唇断裂，修復，切除時のcartilage strain（文献10より引用）
関節唇断裂時は無傷時に対し有意な変化はなかったが，関節唇切除時は関節唇修復時に対して有意に大きくなった。＊p＜0.05。

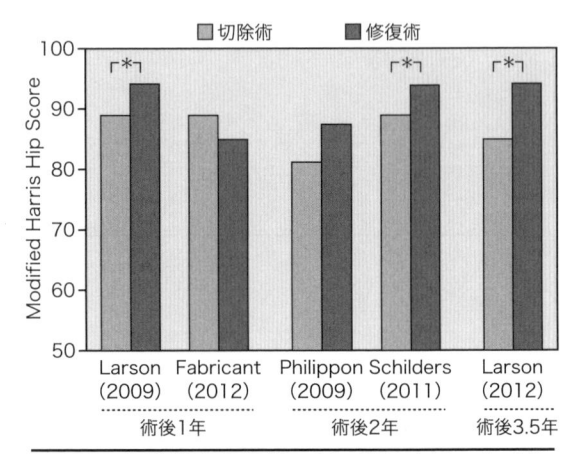

図9-3 切除術と修復術のModified Harris Hip Score（MHHS）の比較（文献15～19より作図）
修復術群は切除術群と比較して良好な傾向であった。＊p＜0.05。

D. 保存療法

　股関節唇損傷に対する保存療法の治療成績に関する研究は少ない。Ikedaら[8]は，鏡視下に関節唇の断裂を確認した患者7名の経過観察を行った。その結果，数週から数ヵ月の免荷によって6名の症状が改善したが，1名では7週間の免荷でも疼痛が残存したため手術にいたった。Yazbekら[11]は，MRIと臨床所見にて関節唇損傷と診断された患者4人に対して，9週から4ヵ月の運動療法を実施した結果，全症例で症状が改善し，1人は受傷前のレベルの競技スポーツに復帰可能であったと報告した。Lewisら[12]は，筋骨格モデルを使用した股関節前方負荷のシミュレーションにより，腸腰筋の筋力を減少させた場合の股関節屈曲において，また殿筋群（大殿筋，中殿筋，小殿筋）の筋力を減少させた場合の股関節伸展時に股関節前方負荷が増大すると結論づけた。この知見に基づき，Yazbekら[11]は筋機能の改善をコンセプトとしたプログラムを実施した。しかし，その運動プログラムには多くのエクササイズが含まれていたため，筋機能改善と症状軽減の関係性は不明瞭である。よって，股関節唇損傷に対して保存療法が短期的に症状を改善する可能性が示されたが，短期的な症状改善と機能変化の関連や長期成績は依然不明である。

E. 手術療法

　股関節唇損傷に対する手術療法として，関節唇切除術，修復術，再建術が提唱された[13]。そのなかで，切除術は骨の異常形態や不安定性がなく単純な関節唇辺縁の断裂時において，修復術は臼蓋連結部からの剥離や大部分の損傷に対して，再建術は修復不能な複雑損傷・水平断裂・関節唇の欠損時に適応となると記載された。

1. 切除術と修復術の術後成績比較

　切除術と修復術の術後成績の比較が報告されてきた[14～19]。ADLレベルの痛みや機能の評価スケールであるModified Harris Hip Score（MHHS）を用いて術後1年から3.5年までの術後成績を比較した研究では，切除術群と比較して修復術群のほうが良好な傾向であった（図9-3）[15～19]。関節症性変化の評価スケールであるTönnis gradeを用いた研究では，術後1年および2年において切

表9-1 関節唇損傷に対する関節鏡手術の術後成績を報告した研究

報告者	対象数	年齢（歳）（範囲）	術式	スポーツ種目	復帰率
Philipponら[23]	45	31 (17〜61)	デブリドマン11% 修復82% 腸脛骨靱帯再建4%	ホッケー24，ゴルフ6，フットボール5，サッカー3，その他7	93%
Philipponら[26]	16	15 (11〜16)	デブリドマン56% 修復44%	ダンス5，野球2，バレーボール3，スケート2，その他4	100%
Kangら[22]	41	26 (12〜65)	デブリドマン	テコンドー12，体操3，ゴルフ5，サッカー4，その他17	71%
Philipponら[24]	14	30.5 (16〜46)	デブリドマン43% 修復57%	フットボール5，自転車3，その他6	100%
Philipponら[25]	28	27 (18〜37)	修復	アイスホッケー（NFL選手）28	100%
Fabricantら[15]	21	17.6 (14〜19)	デブリドマン76% 修復24%	競技スポーツ17（サッカー6，ランナー3，ソフトボール・野球3，アイスホッケー3，その他9，種目重複あり），レクリエーショナル4	100%

除術群で有意に高値であったが[14,16]，術後3.5年で有意差がなかった[17]，と矛盾した結果が報告された。アスリートを対象としたスポーツの機能評価スケールであるHOS sportsを用いた治療成績では，術後1〜2.5年の追跡で有意差がなかった[15]。以上から，修復術のほうが短期的なアウトカムは良好であるが，アスリートに関してはさらに検証が必要である。また，切除術は術後の関節症性変化が大きい可能性があるが，実際の長期成績は不明である。

2. 再建術

再建術は近年発展してきている術式であり，腸脛靱帯と大腿骨頭靱帯を用いた手術が提唱された。Philipponら[20]は，進行した関節唇変性または欠損が認められた成人43名に対して腸脛靱帯による再建術を行い，術後平均18ヵ月（12〜32ヵ月）でMHHSが62（35〜92）から85（53〜100）へ改善したと報告した。Sierraら[21]は，FAI（Functional Assessmant Inventory）により手術が必要であった成人5人に対して大腿骨頭靱帯を用いた再建術を行い，術後平均10ヵ月（5〜12ヵ月）で痛み，歩行，日常生活や仕

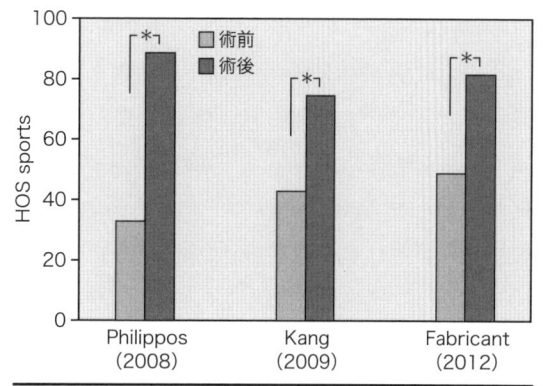

図9-4 アスリートに対する術後のHOS sports
（文献15，22，26より作図）
HOS sportsを用いた3つの研究において，手術によってそのスコアが有意に改善した。$*p < 0.05$。

事に関係する機能を評価するUCLA scoreが5（2〜6）から8.2（6〜10）へ改善したと報告した。これらから，再建術後，短期的に症状の改善が得られる可能性が示されたものの，その有効性を検証した研究は少ない。

3. アスリートの術後成績

股関節唇損傷を呈するアスリートを対象とした手術的治療の術後成績に関する研究は少ない。表9-1は，関節唇損傷に対する関節鏡手術の術後成

績を明示した研究の一覧である[15, 22〜26]。対象者のスポーツ種目はさまざまで，年齢も幅広いものの，いずれの研究でも非常に高い競技復帰率が報告された。Kangら[22]の研究では，71％と比較的競技復帰率が低かったが，その理由は格闘技を行っている対象者が多く含まれているためと考察され，格闘技スポーツの競技復帰率は非格闘技スポーツよりも低いと結論づけられた。また，HOS sportsを用いた３つの研究において，そのスコアが手術により有意に改善した（図9-4）[15, 22, 26]。競技復帰までの期間および復帰後の競技継続期間を明記した研究はそれぞれ１件ずつであった。Philipponら[25]は，プロアイスホッケー選手を対象に術後平均3.8ヵ月でスケートおよびホッケーの練習に復帰したと報告した。Philipponら[23]は，手術対象者の78％が術後1.6年以上競技継続可能であったと報告した。合併損傷が術後成績に及ぼす影響に関して，関節唇損傷に軟骨損傷が合併した場合，術後のアウトカムは低く，復帰時期が遅れる傾向があった[25, 26]。以上から，アスリートの股関節唇損傷術後の高い競技復帰率が示されてきたが，スポーツ種目との関係性，競技復帰時期，競技継続期間についての研究は十分とはいえない。

F. まとめ

1. すでに真実として承認されていること

- 関節唇は関節包側は比較的血管分布量が多く，関節側は血管に乏しい。
- ヒツジの関節唇では，切除時は線維性瘢痕組織によって自然治癒し，断裂縫合時は関節包側から修復される。
- 切除術と比較して修復術の短期成績が良好である。
- 再建術の再建素材には腸脛靱帯と大腿骨頭靱帯が用いられ，短期的に症状の改善が認められる。

2. 議論の余地はあるが，今後の重要な研究テーマとなること

- ヒトの関節唇における治癒過程の解明。
- 生体にて断裂関節唇が股関節バイオメカニクスに与える影響の解明。
- 免荷や運動療法などの保存療法による治療効果の検証。
- アスリートにおける術式比較，長期成績，種目による術後成績の差異。
- 再建術の長期成績，術式による治療成績の相違，アスリートを対象とした術後成績。

3. 真実と思われていたが実は疑わしいこと

- 屍体実験において，断裂関節唇は股関節安定性および負荷に影響を与えない可能性。

文 献

1. Kalhor M, Beck M, Huff TW, Ganz R: Capsular and pericapsular contributions to acetabular and femoral head perfusion. *J Bone Joint Surg Am*. 2009; 91: 409-18.
2. McCarthy JC, Noble PC, Schuck MR, Wright J, Lee J: The role of labral lesions to development of early degenerative hip disease. *Clin Orthop Relat Res*. 2001; (393): 25-37.
3. Kelly BT, Shapiro GS, Digiovanni CW, Buly RL, Potter HG, Hannafin JA: Vascularity of the hip labrum: a cadaveric investigation. *Arthroscopy*. 2005; 21: 3-11.
4. Petersen W, Petersen F, Tillmann B: Structure and vascularization of the acetabular labrum with regard to the pathogenesis and healing of labral lesions. *Arch Orthop Trauma Surg*. 2003; 123: 283-8.
5. Miozzari HH, Clark JM, Jacob HA, von Rechenberg B, Notzli HP: Effects of removal of the acetabular labrum in a sheep hip model. *Osteoarthritis Cartilage*. 2004; 12: 419-30.
6. Philippon MJ, Arnoczky SP, Torrie A: Arthroscopic repair of the acetabular labrum: a histologic assessment of healing in an ovine model. *Arthroscopy*. 2007; 23: 376-80.
7. Seldes RM, Tan V, Hunt J, Katz M, Winiarsky R, Fitzgerald RH Jr: Anatomy, histologic features, and vascularity of the adult acetabular labrum. *Clin Orthop Relat Res*. 2001; (382): 232-40.
8. Ikeda T, Awaya G, Suzuki S, Okada Y, Tada H: Torn acetabular labrum in young patients. Arthroscopic diagnosis and management. *J Bone Joint Surg Br*. 1988; 70: 13-6.
9. Smith MV, Panchal HB, Ruberte Thiele RA, Sekiya JK: Effect of acetabular labrum tears on hip stability and

10. Greaves LL, Gilbart MK, Yung AC, Kozlowski P, Wilson DR: Effect of acetabular labral tears, repair and resection on hip cartilage strain: a 7T MR study. *J Biomech*. 2010; 43: 858-63.
11. Yazbek PM, Ovanessian V, Martin RL, Fukuda TY: Nonsurgical treatment of acetabular labrum tears: a case series. *J Orthop Sports Phys Ther*. 2011; 41: 346-53.
12. Lewis CL, Sahrmann SA, Moran DW: Anterior hip joint force increases with hip extension, decreased gluteal force, or decreased iliopsoas force. *J Biomech*. 2007; 40: 3725-31.
13. Philippon MJ, Schroder e Souza BG, Briggs KK: Labrum: resection, repair and reconstruction sports medicine and arthroscopy review. *Sports Med Arthrosc*. 2010; 18: 76-82.
14. Espinosa N, Rothenfluh DA, Beck M, Ganz R, Leunig M: Treatment of femoro-acetabular impingement: preliminary results of labral refixation. *J Bone Joint Surg Am*. 2006; 88: 925-35.
15. Fabricant PD, Heyworth BE, Kelly BT: Hip arthroscopy improves symptoms associated with FAI in selected adolescent athletes. *Clin Orthop Relat Res*. 2012; 470: 261-9.
16. Larson CM, Giveans MR: Arthroscopic debridement versus refixation of the acetabular labrum associated with femoroacetabular impingement. *Arthroscopy*. 2009; 25: 369-76.
17. Larson CM, Giveans MR, Stone RM: Arthroscopic debridement versus refixation of the acetabular labrum associated with femoroacetabular impingement: mean 3.5-year follow-up. *Am J Sports Med*. 2012; 40: 1015-21.
18. Philippon MJ, Briggs KK, Yen YM, Kuppersmith DA: Outcomes following hip arthroscopy for femoroacetabular impingement with associated chondrolabral dysfunction: minimum two-year follow-up. *J Bone Joint Surg Br*. 2009; 91: 16-23.
19. Schilders E, Dimitrakopoulou A, Bismil Q, Marchant P, Cooke C: Arthroscopic treatment of labral tears in femoroacetabular impingement: a comparative study of refixation and resection with a minimum two-year follow-up. *J Bone Joint Surg Br*. 2011; 93: 1027-32.
20. Philippon MJ, Briggs KK, Hay CJ, Kuppersmith DA, Dewing CB, Huang MJ: Arthroscopic labral reconstruction in the hip using iliotibial band autograft: technique and early outcomes. *Arthroscopy*. 2010; 26: 750-6.
21. Sierra RJ, Trousdale RT: Labral reconstruction using the ligamentum teres capitis: report of a new technique. *Clin Orthop Relat Res*. 2009; 467: 753-9.
22. Kang C, Hwang DS, Cha SM: Acetabular labral tears in patients with sports injury. *Clin Orthop Surg*. 2009; 1: 230-5.
23. Philippon M, Schenker M, Briggs K, Kuppersmith D: Femoroacetabular impingement in 45 professional athletes: associated pathologies and return to sport following arthroscopic decompression. *Knee Surg Sports Traumatol Arthrosc*. 2007; 15: 908-14.
24. Philippon MJ, Kuppersmith DA, Wolff AB, Briggs KK: Arthroscopic findings following traumatic hip dislocation in 14 professional athletes. *Arthroscopy*. 2009; 25: 169-74.
25. Philippon MJ, Weiss DR, Kuppersmith DA, Briggs KK, Hay CJ: Arthroscopic labral repair and treatment of femoroacetabular impingement in professional hockey players. *Am J Sports Med*. 2010; 38: 99-104.
26. Philippon MJ, Yen YM, Briggs KK, Kuppersmith DA, Maxwell RB: Early outcomes after hip arthroscopy for femoroacetabular impingement in the athletic adolescent patient: a preliminary report. *J Pediatr Orthop*. 2008; 28: 705-10.

〔河合　誠〕

第4章
鼠径部痛症候群

　鼠径部痛症候群は，器質的な問題を背景とした疾患名ではなく鼠径部周囲に持続した疼痛が生じる症候名である．その原因は，恥骨結合炎や内転筋損傷といった筋骨格系の問題や神経絞扼障害のような神経系の問題などさまざまである．症状が多岐にわたるため，原因の特定や病態を鑑別するための評価法，コンセンサスの得られた治療法が確立されていないのが現状である．

　臨床においては，原因・病態を特定したうえでより確実性の高い治療を選択する必要がある．そこで本章では，鼠径部痛症候群を「疫学・病態」「診断・評価」「手術療法と保存療法」の3項に分けて整理し，鼠径部痛症候群に関する現時点でのゴールデンスタンダードを見出すことを目的とした．

　まず「疫学・病態」においては，スポーツ選手に生じる鼠径部痛の疫学と病態に関して整理をした．疫学に関しては，競技別の発生頻度，性差や左右差といった一般的な項目に関してレビューをした．病態に関しては，混在する原因を整理して捉えるために，Falveyらの鼠径部の区画を参考にし，上方の病態，内側の病態，中央の病態と部位別にまとめた．

　次に「診断・評価」に関しては，鼠径部痛症候群の評価法を整理することを目的とした．まずは，前項であげた鼠径部の区画に則り，部位や病変ごとの理学所見や画像所見についてまとめた．さらに，鼠径部痛と身体機能や活動との関係について整理したうえで，理学検査の信頼性についてレビューをした．

　最後に，「手術療法と保存療法」に関しては，保存療法および手術療法の各成績や変遷についてレビューした．鼠径部痛症候群の最善の治療選択という観点からは成績比較を行うべきであるが，現在のところ病態の確定診断法が確立されておらず，一般的には保存療法がプライマリーな選択肢で，抵抗する場合に手術療法が選択されることから，保存療法と手術療法の報告は単純に比較することが難しい．本レビューではこの点を考慮したうえで，手術療法と保存療法について比較できる文献をまとめた．そして，本項の最後には，国際論文としては検索されなかったが，日本国内にて成果が示されてきた日本語論文を引用し，本邦の現状について記述した．

第4章編集担当：鈴川　仁人

10. 鼠径部痛症候群の疫学・病態

はじめに

鼠径部痛症候群（groin pain syndrome）は多くの病態を含み，明確な定義がされていない．鼠径部の疼痛は，筋骨格系病変に加え，循環器系，消化器系，神経系や腫瘍・腫瘤などさまざまな原因で引き起こされる（**表 10-1**）[1]．スポーツ選手に生じる鼠径部痛の原因を，Hureibi ら[2]は「骨病変」「筋腱病変」「腹壁病変」「神経絞扼」の 4 つに分類した．本項では，スポーツ選手の鼠径部痛の発生に関する疫学調査と混在する病態を可能な範囲で整理した．

A. 文献検索方法

文献検索は 2012 年 8 月に実施した．鼠径部痛症候群（groin pain syndrome）に加え，同義と思われる「groin pain」「inguinal pain」「sports hernia」「sportsman's hernia」「osteitis pubis」「athletic pubalgia」さらに「sports」「epidemiology」「pathology」を掛け合わせて検索した．また，近年のレビュー論文および引用文献からのハンドサーチを行い，明らかな真性ヘルニアに関する文献を除外し，現在の主流と思われる 49 論文をレビューの対象とした．

B. 疫 学

1. 近年の傾向

鼠径部痛の発生頻度は，すべてのスポーツ障害の 0.5 ～ 6.2 ％であると報告された[3～6]．Meyers ら[7]の後ろ向き調査研究によると，鼠径部痛患者は 1986 ～ 2008 年の 20 年間に増加していた（**図 10-1**）．鼠径部痛が多発するスポーツはサッカー，ラグビー，ホッケー，野球，バスケットボ

表 10-1　鼠径部痛を生じる原因疾患（文献1より改変）

腹部大動脈瘤	陰嚢水腫/精索静脈瘤	骨盤疲労骨折
寛骨臼障害	炎症性腸疾患	分娩後の恥骨結合分離
内転筋損傷	鼠径 or 大腿ヘルニア	前立腺炎
内転筋腱炎	腹腔内膿瘍	恥骨部不安定症
骨端炎	レッグ-カルヴェ-ペルテス病	仙腸関節異常
虫垂炎	腰椎病変	血清反応陰性脊椎関節症
大腿骨頭壊死	リンパ節（腫瘍）症	大腿骨頭すべり症
剥離骨折	筋損傷	弾発股
滑液包炎	骨化性筋炎	スポーツヘルニア
結合腱離開	神経絞扼	疲労骨折
クローン病	閉鎖神経絞扼	滑膜炎
憩室疾患	恥骨骨炎	精巣（睾丸）悪性腫瘍
精巣上体炎	変形性関節症	精巣（睾丸）捻転
大腿寛骨臼インピンジメント	卵巣嚢胞	尿道炎
髄核ヘルニア	骨盤感染症	尿路感染症
Hockey player's syndrome	骨盤内炎症性疾患	

第4章 鼠径部痛症候群

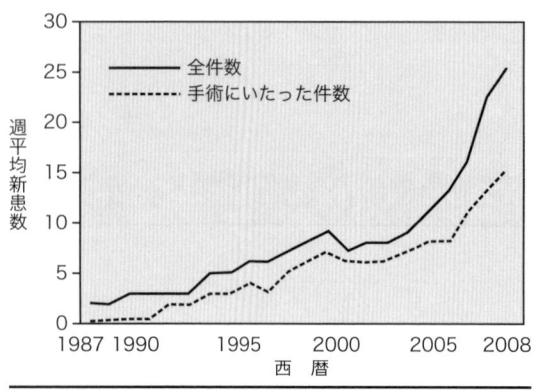

図10-1 20年間の鼠径部痛患者の推移（文献7より改変）
鼠径部痛患者は徐々に増加している。

表10-2 アメリカにおける鼠径部痛患者のスポーツ種目の内訳（上位6種目）（文献7より作成）

	1986〜2008年	2007〜2008年
サッカー	44.6％	27.2％
ラグビー	22.3％	32.7％
ホッケー	8.1％	10.2％
野球	6.3％	6.1％
バスケットボール	6.2％	5.3％
長距離走	1.2％	4.2％

表10-3 鼠径部痛患者の競技内訳（文献9〜13より作成）

スポーツ種目	Polglaseら[9] 64例	Lovell[10] 189例	Meyersら[11] 276例	Holmichら[12] 207例	Bradshawら[13] 218例
オーストラリアンフットボール	71.8％	51％	−	−	−
ランニング	10.9％	14％	3.8％	17.9％	12.8％
サッカー	9.3％	12％	46.4％	66.2％	16.9％
ホッケー	−	2％	16.5％	0.5％	−
ラグビー	−	2％	13.3％	1.0％	16.5％
クリケット	3.1％	6％	−	0.5％	−
テニス	1.5％	3％	2.5％	1.4％	−
マラソン/トライアスロン	1.5％	1％	2.5％	0.5％	−
水泳	−	−	3.1％	−	−
バスケットボール	−	1％	2.5％	0.5％	−
ゴルフ	−	−	1.2％	−	−
その他	1.5％	8％	3.1％	11.5％	−

ール，長距離走が上位6種目であり，発生率の高い競技種目の傾向は2000年代に入ってからも変わっていない（表10-2）[7]。鼠径部痛の増加の原因として，プレー強度が高くなったことに加え，スポーツ現場において医師やトレーナーなどのスタッフが，選手のコンディションについて注意深く観察，評価をするようになったことがあげられた[6,8]。

2. 競技別発生頻度

医療機関を受診した鼠径部痛患者の競技別内訳を表10-3にまとめた[9〜13]。報告ごとに発生率にばらつきがみられるが，カッティングやキック，スイング動作を有する競技，ランニングなどの繰り返しの股関節屈伸運動が生じる持久系競技に多く発生している点は一致していた。Emeryら[14]によるプロのアイスホッケー選手（NHL）を対象とした6シーズン（1991〜1997年）にわたる前向き調査の結果，1991〜1992年のシーズンでは12.99 injuries/100 players/yearであったが，1996〜1997年シーズンにおいては19.87 injuries/100 players/yearに増加した。

表10-4 後ろ向き研究による競技別の鼠径部痛発生頻度（文献19より作表）

	サッカー	水泳	長距離ランナー	クロスカントリースキー
例数	167例 (男性77例, 女性90例)	154例 (男性71例, 女性83例)	143例 (男性67例, 女性76例)	149例 (男性62例, 女性87例)
急性鼠径部痛	8.9%	1.9%	1.4%	1.3%
男性	14.3%（11件）	4.2%（3件）	1.5%（1件）	1.6%（1件）
女性	4.4%（4件）	(0)	1.3%（1件）	1.2%（1件）
慢性鼠径部痛	1.8%			
男性	1.3%（1件）	(0)	(0)	(0)
女性	2.2%（2件）	(0)	(0)	(0)

O'Connor[15]によるプロラグビー選手100例を2年間追跡した調査によると、23%に鼠径部痛が出現した。また、鼠径部痛はサッカーの全障害発生のうち8〜18%であった[16〜18]。Paajanenら[19]は後ろ向き研究を実施し、フィンランドのトップサッカー選手と、対照群として持久系の非コンタクトスポーツ（競泳、長距離、クロスカントリースキー）選手の鼠径部痛発生率を比較した。その結果、急性鼠径部痛の発生率はサッカーでは男女合わせて8.9%であったのに対し、水泳選手1.9%、長距離選手1.4%、クロスカントリースキー選手1.3%と、サッカー選手で有意に多発していた。また、慢性鼠径部痛はサッカー選手のみに発生し、ほかの競技では認められなかった（表10-4）。しかし、これらの報告ではいずれも明確な鼠径部痛の定義は示されておらず、複数の病態を含んだ発生率であるため、単純に比較することはできない。鼠径部痛のみに焦点をあてた前向きな疫学調査研究は少なく、多くの研究は医療機関を受診した鼠径部痛患者を対象としていた。

3. 性差と左右差

鼠径部痛は圧倒的に男性に多く出現し、片側性から両側性に移行する例が多い。鼠径部痛全体における女性が占める割合は、1980年代では全体の1.0%以下であったが、1990年代には8.0%、2000年代には15.2%まで増加した[7]。一方、

表10-5 疼痛発生から医療機関受診までの期間（文献10、13より作成）

期間	Lovell[10]	Bradshawら[13]		
		恥骨病変	股関節病変	神経・筋病変
0〜3ヵ月	44%	44%	30%	32%
4〜6ヵ月	22%	11%	24%	18%
7〜12ヵ月	18%	11%	11%	24%
13〜24ヵ月	7%	0%	17%	8%
24ヵ月以上	9%	4%	18%	18%

Meyersら[11]によると、慢性鼠径部痛患者157名のうち片側性89例、両側性68例であった、また、両側性68例のうち62例が片側性に発症した後に両側に症状が出現し、両側同時に発症したのは6例のみであった。Harmon[20]のシステマティックレビューによると、両側性の症状を呈する鼠径部痛患者は7〜75%であり、研究間でのばらつきが大きかった。

4. 罹患期間

初診時の問診おいて、疼痛発生から医療機関受診までの期間を調査したところ、3ヵ月以内が最も多く、半数以上が6ヵ月以内であった[10,13]。一方、2年以上にわたって疼痛が生じたまま競技を続けている選手が4〜18%存在した（表10-5）。

第4章 鼠径部痛症候群

表10-6 内転筋損傷の発生率（文献21〜26より作成）

報告者	国	スポーツ	方法	結果
Feeley ら[26]	アメリカ	アメリカンフットボール（NFL）	1997〜2006年シーズン中の傷害調査	筋損傷のうち6.3％が内転筋損傷
Grote ら[25]	アメリカ	競泳NCAA division1（296例）	平泳ぎ，メドレー，その他の選手の比較	平泳ぎ6.92％。内転筋部痛による休息を要した選手が他部位の疼痛に比べ有意に多い
Tyler ら[24]	アメリカ	アイスホッケー（NHL）（58例）	予防プログラム介入前後の比較研究	発生率（1,000 players-game exposure）。介入前3.2，介入後0.71。
Mölsä ら[23]	フィンランド	アイスホッケー	1988〜1989年シーズン中の傷害調査	筋損傷のうち43％が内転筋損傷
Lorentzon ら[22]	スウェーデン	アイスホッケー	1982〜1985年シーズン中の傷害調査	全傷害のうち10％が内転筋損傷
Ekstrand ら[21]	スウェーデン	サッカー（180例）	1年間の傷害調査	全傷害のうち13％が内転筋損傷

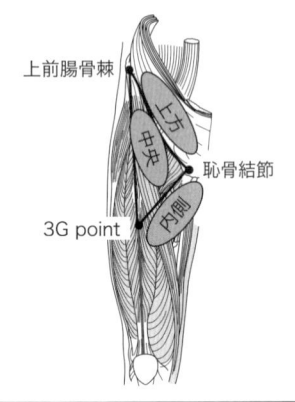

図10-2 Groin triangle（文献27より改変）
上前腸骨棘，恥骨結節，上前腸骨棘から膝蓋骨上極までの中央点（3G point）を結ぶ三角形をgroin triangleと定義し，疼痛部位によりその上方，中央，内側の領域に分けた。

図10-3 鼠径管前壁の構造
鼠径管前壁は外側1/3に内腹斜筋が起始し，内側部では外腹斜筋腱膜が覆っている。

C. 病態

　鼠径部痛は多彩な病態を含む概念である。鼠径部痛を有するアスリート189例を対象としたLovell[10]による調査の結果，その内訳は真性ではない初期の鼠径ヘルニア50％，内転筋損傷19％，恥骨結合炎14％，恥骨部不安定症4％，腸腰筋損傷3％，腸骨鼠径神経損傷2％，関連痛（脊柱）2％，股関節病変1％，その他4％であった。内転筋損傷に関する文献は散見されたが，その存在率は競技によりばらつきがみられる（表10-6）[21〜26]。複数の病態が混在する鼠径部痛症候群を整理するために，Falveyら[27]は，上前腸骨棘，恥骨結節，上前腸骨棘から膝蓋骨上極までの中央点（3G point：groin, gluteal, greater trochantter triangles point）を結ぶ三角形をgroin triangleと定義し，疼痛部位によりその上方，中央，内側の領域に分けた（図10-2）。本項ではgroin triangleをもとに病態理解を深めることにする。

1．上方の病態

1）腹壁の構造

　鼠径管前壁の外側1/3に内腹斜筋が起始して

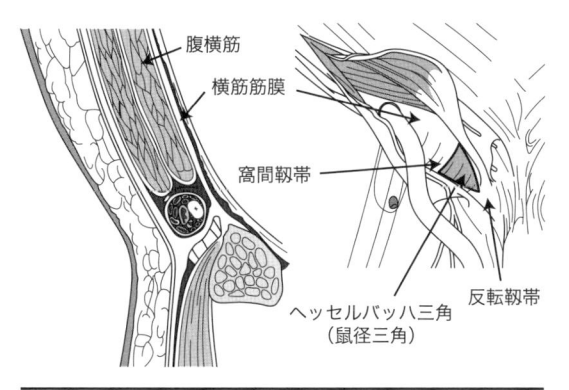

図10-4 鼠径管後壁の構造
後壁は，腹横筋を覆う横筋筋膜によって形成され，浅鼠径輪付近で靱帯および結合腱の補強を受けている。腹直筋外側縁，鼠径靱帯，下腹壁動脈で囲まれた部分をヘッセルバッハ三角と呼ぶ。

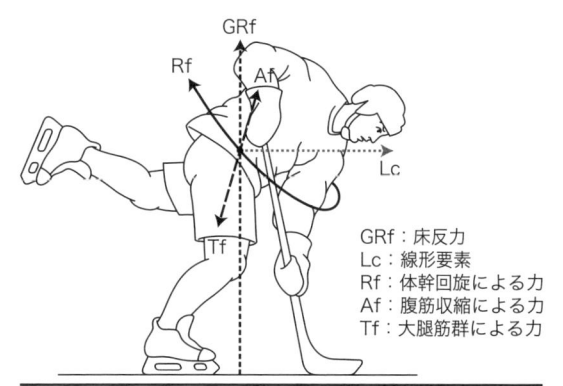

図10-5 Hockey player's syndromeの発生メカニズム（文献29より引用）
前壁障害で外腹斜筋腱膜の損傷に加えて，腸骨神経絞扼が付随しているものをHockey player's syndromeと呼ぶ。

おり，内側部を外腹斜筋腱膜が覆っている（**図10-3**）。一方，鼠径管後壁は腹横筋を覆う横筋筋膜によって形成され，特に鼠径輪付近では靱帯および鼠径管をなす内腹斜筋および腹直筋外側部と恥骨をつなぐ結合腱の補強を受けている。腹直筋外側縁，鼠径靱帯，下腹壁動脈で囲まれた部分はヘッセルバッハ三角（鼠径三角）と呼ばれ，多くの場合に内腹斜筋や腹横筋腱膜成分を欠き，腹壁が弱化した部分である（**図10-4**）。そのため，同部位は鼠径ヘルニアの好発部位となっている[28]。

2）前壁障害

代表的な前壁の障害には，Gilmore[4]が提唱したGilmore groinがある。その特徴として，①外腹斜筋腱膜離開，②結合腱断裂，③結合腱と鼠径靱帯との離開，④結合腱の恥骨結節からの裂離，⑤明らかなヘルニア所見が認められない，の5点をあげた。Meyersら[11]による慢性的に鼠径部痛を有し，保存療法で改善の得られなかった157名（高校〜プロアスリートレベル）の術中所見の研究において，鼠径管壁の弱化が57％に，次いで外腹斜筋腱膜の損傷が48％に，そして腹直筋の部分断裂が23％に認められた。また，臨床症状として，内転抵抗時痛65％，労作時の鼠径部痛71.3％がみられたが，安静時痛やバルサルバ，咳嗽，くしゃみなどの腹圧上昇に関係する疼痛は10％以下であった。

腸骨神経絞扼を付随した外腹斜筋腱膜の損傷はhockey player's syndromeと呼ばれる[29]。これは，アイスホッケーで行われるフォアハンドショットの際に，反対側鼠径部に加わるストレスが原因であると考えられている（**図10-5**）。しかし，その際の筋活動や超音波所見などの動態を含めたバイオメカニクス研究が不十分であり，その発症メカニズムは明らかでない。Brownら[30]は，鼠径部痛を有するホッケー選手98名（NHL 67名，American Hockey League 15名，Major Junior A hockey leagues 16名）107肢を対象に，前壁障害の主要な損傷部位である外腹斜筋腱膜の詳細を術中所見により調査した。外腹斜筋腱膜の鼠径管中央部の損傷（central tear）が1肢を除く106肢に認められたのに対し，鼠径管内側部と外側部の損傷はそれぞれ6肢と2肢であった。なお，神経線維症や軸索変性などを伴う腸骨鼠径神経損傷の合併は23例（22％）に認められた（**図10-6**）。

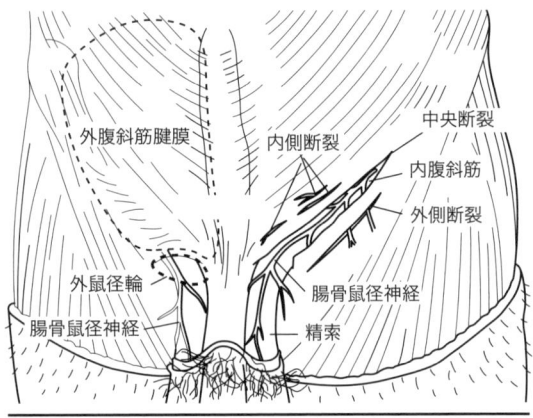

図10-6 外腹斜筋腱膜の損傷部位（文献30より引用）
外腹斜筋腱膜の鼠径管中央部106肢，鼠径管内側部6肢，外側部2肢に損傷がみられた。

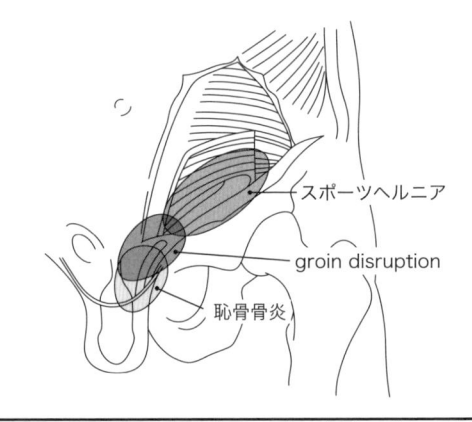

図10-7 鼠径間後壁病変の疼痛部位の違い（文献32より引用）
スポーツヘルニアの疼痛は前壁障害よりも近位外側に出現し，腹圧上昇で増強する。

表10-7 腹壁構成体の強度（tensile strength test）（文献34より改変）

	張力（N）	厚さ（μm）	面積（mm²）	1 mm² あたりの破断強度（N/mm²）
外腹斜筋腱膜（前壁）	6.02	472	2.36	2.55
内腹斜筋腱膜	3.02	399	1.99	1.51
横筋筋膜（後壁）	1.74	60	0.30	5.80
腹膜（腹膜前腔の組織を含む）	7.50	161	0.81	9.32

3) 後壁障害

スポーツヘルニアは，鼠径管後壁の病変，すなわち鼠径管後壁の弱化および潜在性または間接的ヘルニアを特徴とした疾患である[31,32]。スポーツヘルニアと腹直筋遠位部挫傷や裂離あるいはgroin disruptionとの鑑別が困難であり[32]，これらが混同されることも多い。一方，異なる臨床所見として，スポーツヘルニアの疼痛は前壁障害よりも近位外側に出現し（図10-7），腹圧上昇で増強する。また，鼠径靱帯，会陰部，腹直筋への放散痛，陰嚢痛がスポーツヘルニア全体の30％に出現する[33]。Malychaら[31]によると，臨床所見や評価では鑑別できなかった慢性鼠径部痛患者の術中所見の調査では，80％に鼠径管後壁の弱化を認めたが，明らかなヘルニア所見を認めた例はなく，また14％において鼠径管後壁に異常は認められなかった。さらに，発症からの期間は2～48ヵ月（平均9ヵ月）と広く分散していた．

4) 腹壁強度

Groin triangle上方の鼠径部痛には，腹壁病変を主因とする例が多く含まれる。Wolloscheckら[34]は，鼠径管前壁および後壁の強度について以下のように報告した。引張試験による破断強度では，外腹斜筋腱膜（前壁）が最も強く，後壁の構成体である横筋筋膜はその約1/3であった（表10-7）。また，膜組織に対して垂直方向に圧を加えた際の破断強度をみるpunching testでも，同様に外腹斜筋腱膜が最も強度が高く，横筋筋膜は強度が弱かった（図10-8）。しかし，大き

10. 鼠径部痛症候群の疫学・病態

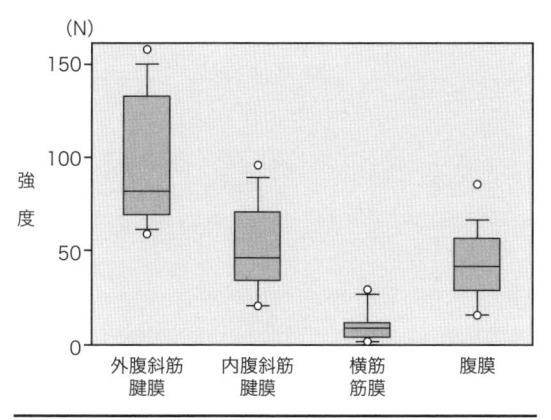

図10-8 腹壁構成体の強度（punching test）（文献34より改変）
膜組織に対して垂直方向に圧を加えた際の破断強度は，外腹斜筋腱膜が最も高く，横筋筋膜は弱かった。

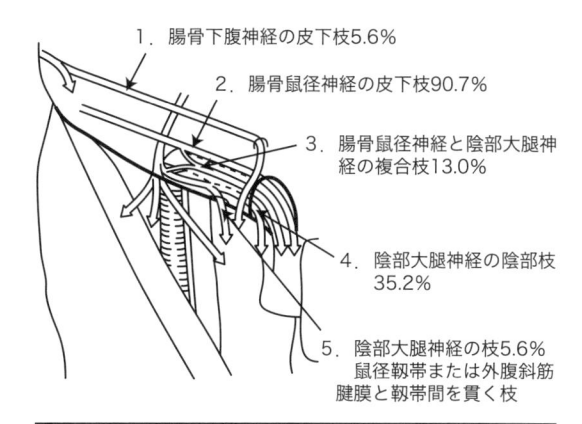

図10-9 境界神経のバリエーション（文献8より改変）
体幹と下肢との境界領域に存在する groin triangle 上方部の神経は境界神経（border nerves）と呼ぶ。

さを考慮して計算した固有張力では，外腹斜筋腱膜の 1 mm² あたりの破断強度は横筋筋膜の固有張力よりも小さかった（**表10-7**）。これは，コラーゲン組織配列の違い，すなわち外腹斜筋腱膜は並列なコラーゲン線維であるのに対して，横筋筋膜は interweaving（織り交ざった，複雑に絡んだ）配列構造であることに起因すると考察された。この屍体実験の結果は，前壁障害が腹圧上昇よりもむしろ，回旋などによる前壁の張力上昇に起因するのに対し，後壁障害は繰り返し加わる腹圧上昇に起因することを示唆した。

5）境界神経の絞扼

体幹と下肢との境界領域に存在する groin triangle 上方部の神経は境界神経（border nerves）と呼ばれている。Akitaら[8]は屍体骨盤54部位（27体）を対象に境界神経の出現頻度とバリエーションを調査した。その結果，存在率は腸骨下腹神経の皮下枝 5.6％，腸骨鼠径神経の皮下枝 90.7％，腸骨鼠径神経と陰部大腿神経の複合枝 13.0％，陰部大腿神経の陰部枝 35.2％，陰部大腿神経の枝（鼠径靱帯または外腹斜筋腱膜と靱帯間を貫く枝）5.6％であった（**図10-10**）。絞

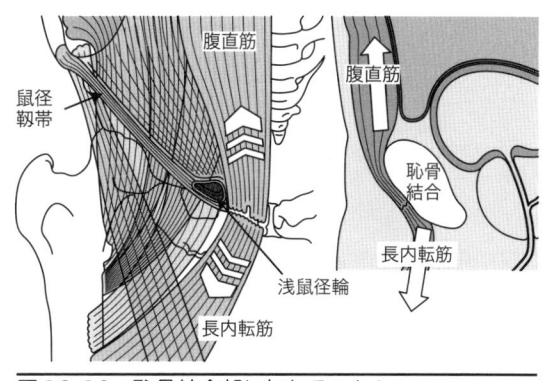

図10-10 恥骨結合部に加わるストレス
腹直筋の収縮により後上方の牽引力が，長内転筋収縮の作用により前下方への牽引力が加わるため，腹直筋と長内転筋の収縮により恥骨結合には上下方向の剪断力が生ずる。

扼障害は，いずれも鼠径靱帯や筋膜部分を通過する領域での絞扼が原因で発生すると考察された[35,36]。

2．内側の病態

1）恥骨結合炎

Groin triangle の内側における鼠径部痛の原因としては，恥骨結合炎，内転筋損傷，閉鎖神経絞扼が代表的である。恥骨結合の上方には腹直筋が，下方には長内転筋が付着する。腹直筋の収縮によ

第4章 鼠径部痛症候群

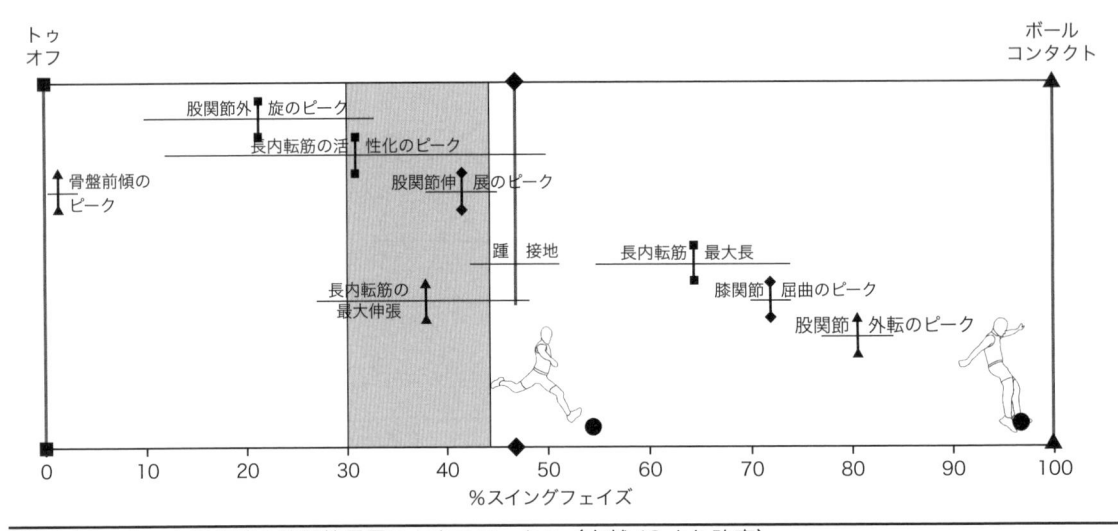

図10-11 キック動作時の股関節周囲のキネマティクス（文献43より改変）
長内転筋の活動が遠心性に最も活動し、最も早くストレッチされるポイントはスイングフフェイズの30〜45％であり、この際に最も筋損傷を生じるリスクが高い。

り後上方（posterior - superior）の牽引力が、長内転筋収縮の作用により前下方（anterior - inferior）への牽引力が加わる。このため、腹直筋と長内転筋の収縮により恥骨結合には上下方向の剪断力が生じ、恥骨結合炎が発症するとされた（**図10-10**）[37]。近年、Verrallら[38]による恥骨結合炎患者を対象とした組織学的な研究では、恥骨結合部に炎症細胞や骨壊死徴候は認められないが、骨芽細胞を含んだ新しい線維性骨構造が認められた。同様にRadicら[39]の研究では、恥骨体の線維軟骨・硝子軟骨片において変性軟骨は認めるが、炎症細胞は認められなかった。Hitiら[40]は、恥骨結合部における骨新生などの骨反応が存在し、必ずしも炎症反応が恥骨結合部の疼痛の原因ではない可能性があると考察した。一方で、恥骨結合炎には仙腸関節の異常を合併しているとの報告がある。Majorら[41]は、鼠径部痛を有するアスリート11例を対象に画像診断による調査を行った結果、全例に恥骨結合部の硬化や偏位などの異常所見が認められたほか、4例に単純X線上で仙腸関節の骨硬化や骨棘が認められ、2例にCTやMRI上で仙腸関節に異常信号が生じていた。

2）内転筋損傷

内転筋損傷は鼠径部に生じる筋損傷で最も多く、なかでも長内転筋の近位筋腱移行部損傷が多い[37]。アスリートの鼠径部痛のなかでも最頻で、57.5〜62％に存在する[12,42]。臨床所見上、長内転筋起始部の圧痛、伸張時痛や抵抗時痛が認められる。Robertsonら[1]は、これらの疼痛は腱障害ではなく、腱付着部の炎症によるものと考察した。内転筋損傷の危険因子として外転可動域減少[21]、内転筋力低下[24]、内転筋損傷の既往があげられ、その再発率は38〜44％であった[24]。Charnockら[43]は、サッカーのキック動作時の内転筋活動を測定した。内転筋の遠心性活動が最大となり、最も伸張されるのはスイングフェイズの30〜45％であり、この時期に筋損傷を生じるリスクが高いと考察した（**図10-11**）。さらに、長内転筋の最大筋活動および最大伸張速度、股関節最大伸展角度が出現するタイミングから、長内転筋は股関節の伸展および屈曲開始のコントロールを補助していると考察された。このことから、強いキック動作時の股関節最大伸展角度の増加は内転筋損傷のリスクを増大させる可能性がある。

10. 鼠径部痛症候群の疫学・病態

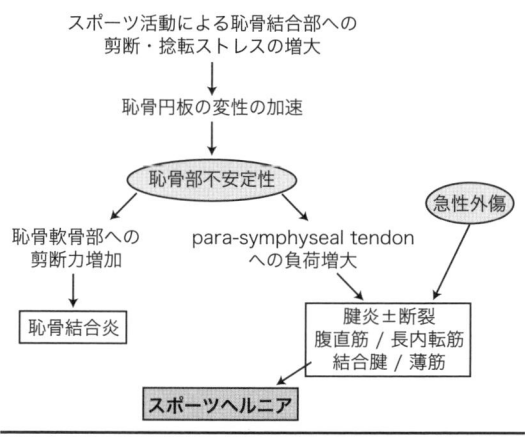

図10-12 病態発生メカニズムの考察（文献44より改変）

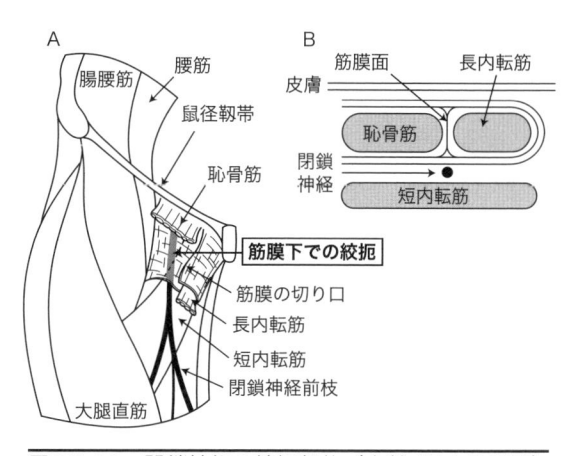

図10-13 閉鎖神経の絞扼部位（文献45より引用）
A：前額面，B：横断面．閉鎖神経の絞扼は短内転筋と外閉鎖筋筋膜との間で生じると考えられている．

Garveyら[44]は，恥骨結合炎と内転筋損傷の発生メカニズムとして，スポーツ活動により増大した恥骨結合部への剪断・捻転ストレスが恥骨円板の変性を加速し，恥骨部不安定性を生じると考察した．さらに，恥骨軟骨部への剪断力の増加により恥骨結合炎にいたり，さらにpara-symphyseal tendonへの負荷増大により恥骨に付着部をもつ筋の腱炎や断裂が生じると考えた（図10-12）．

3）閉鎖神経絞扼

Groin triangle内側での神経絞扼として閉鎖神経の絞扼障害があげられる．これは閉鎖孔付近において短内転筋と外閉鎖筋筋膜との間で生じると考えられている（図10-13）[45]．その臨床症状として，長・短内転筋の脱神経パターンが出現するほか，内転筋の恥骨付着部の疼痛，運動時に大腿内側から膝周辺に向かって生じる疼痛，患肢でのジャンプ動作能力の低下が指摘された[45,46]．

3．中央の病態：腸腰筋滑液包炎・腸腰筋腱炎

鼠径靱帯下方に位置するgroin triangle中央部における鼠径部痛の原因として，腸腰筋腱炎と腸腰筋滑液包炎があげられる．腸腰筋滑液包は人体内で最大の滑液包であり，腸腰筋滑液包炎は股関節の急激な屈曲伸展の繰り返しによる腸恥隆起上での摩擦が原因と考察された[47]．そのため，サッカー，バレエ，アップヒルランニング，ハードル選手やボート選手など，股関節の屈曲伸展を繰り返すスポーツに多発する[48]．その臨床症状としては，鼠径部痛（deep groin pain）に加え，股関節前面から大腿前面への放散痛，弾発症状（snapping sensation）を示す場合もある[49]．その発症から診断までの期間は31〜42ヵ月であった[47]．

4．その他の病態

鼠径部痛に関連するその他の病変として疲労骨折や剥離骨折がある．これらは画像診断によって容易に鑑別診断が可能である．鼠径部痛をまねく疲労骨折は大腿骨頸部や恥骨下枝に生じ，長距離ランナーや軍隊，女性アスリートに多いといわれている．一方，上前腸骨棘，下前腸骨棘，坐骨結節に生じる剥離骨折が鼠径部痛を生じさせると報告された[6]．上前腸骨棘剥離骨折はジャンプ系競技に多く，下前腸骨棘剥離骨折はサッカーなどのキック動作の多い競技，そして坐骨結節剥離骨折はスプリンターやハードラーに多いと報告された[3,6,33,42]．

D. まとめ

1. すでに真実として承認されていること

- 鼠径部痛を有する患者は近年増加傾向にある。
- サッカーやホッケーなど急な切り返し動作，ストップ動作を繰り返す競技における発生率が高い。
- 腹壁前壁，後壁の障害ともに，鼠径管壁の弱化は認められるが，明らかな真性ヘルニアは存在していない。
- 腹直筋，長内転筋収縮による恥骨結合部への前上方，後下方への牽引力が恥骨結合への剪断ストレスを増大させる。

2. 議論の余地はあるが，今後の重要な研究テーマとなること

- 神経絞扼が鼠径靱帯および筋膜下で生じている可能性。

E. 今後の研究課題

- 鼠径部痛に関する疫学研究の多くは後ろ向き研究であり，かつ複数の病態が混在していた。今後は，病態ごとの大規模な前向き疫学調査が必要である。
- 鼠径部に疼痛を生じさせる病態が複数あるなかで，それぞれの発生メカニズムについての研究はほとんど見当たらない。今後は，バイオメカニクス研究による病態解明が必要である。

文献

1. Robertson BA, Barker PJ, Fahrer M, Schache AG: The anatomy of the pubic region revisited: implications for the pathogenesis and clinical management of chronic groin pain in athletes. *Sports Med*. 2009; 39: 225-34.
2. Hureibi KA, McLatchie GR: Groin pain in athletes. *Scott Med J*. 2010; 55: 8-11.
3. Fon LJ, Spence RA: Sportsman's hernia. *Br J Surg*. 2000; 87: 545-52.
4. Gilmore J: Groin pain in the soccer athlete: fact, fiction, and treatment. *Clin Sports Med*. 1998; 17: 787-93, vii.
5. Kluin J, den Hoed PT, van Linschoten R, IJzerman JC, van Steensel CJ: Endoscopic evaluation and treatment of groin pain in the athlete. *Am J Sports Med*. 2004; 32: 944-9.
6. Anderson K, Strickland SM, Warren R: Hip and groin injuries in athletes. *Am J Sports Med*. 2001; 29: 521-33.
7. Meyers WC, McKechnie A, Philippon MJ, Horner MA, Zoga AC, Devon ON: Experience with "sports hernia" spanning two decades. *Ann Surg*. 2008; 248: 656-65.
8. Akita K, Niga S, Yamato Y, Muneta T, Sato T: Anatomic basis of chronic groin pain with special reference to sports hernia. *Surg Radiol Anat*. 1999; 21: 1-5.
9. Polglase AL, Frydman GM, Farmer KC: Inguinal surgery for debilitating chronic groin pain in athletes. *Med J Aust*. 1991; 155: 674-7.
10. Lovell G: The diagnosis of chronic groin pain in athletes: a review of 189 cases. *Aust J Sci Med Sport*. 1995; 27: 76-9.
11. Meyers WC, Foley DP, Garrett WE, Lohnes JH, Mandlebaum BR: Management of severe lower abdominal or inguinal pain in high-performance athletes. PAIN (Performing Athletes with Abdominal or Inguinal Neuromuscular Pain Study Group). *Am J Sports Med*. 2000; 28: 2-8.
12. Holmich P: Long-standing groin pain in sportspeople falls into three primary patterns, a "clinical entity" approach: a prospective study of 207 patients. *Br J Sports Med*. 2007; 41: 247-52; discussion 252.
13. Bradshaw CJ, Bundy M, Falvey E: The diagnosis of longstanding groin pain: a prospective clinical cohort study. *Br J Sports Med*. 2008; 42: 851-4.
14. Emery CA, Meeuwisse WH, Powell JW: Groin and abdominal strain injuries in the National Hockey League. *Clin J Sport Med*. 1999; 9: 151-6.
15. O'Connor D: Groin injuries in professional rugby league players: a prospective study. *J Sports Sci*. 2004; 22: 629-36.
16. Hölmich P, Uhrskou P, Ulnits L, Kanstrup IL, Nielsen MB, Bjerg AM, Krogsgaard K: Effectiveness of active physical training as treatment for long-standing adductor-related groin pain in athletes: randomised trial. *Lancet*. 1999; 353 (9151): 439-43.
17. Ekstrand J, Hilding J: The incidence and differential diagnosis of acute groin injuries in male soccer players. *Scand J Med Sci Sports*. 1999; 9: 98-103.
18. Walden M, Hagglund M, Ekstrand J: UEFA Champions League study: a prospective study of injuries in professional football during the 2001-2002 season. *Br J Sports Med*. 2005; 39: 542-6.
19. Paajanen H, Ristolainen L, Turunen H, Kujala UM: Prevalence and etiological factors of sport-related groin injuries in top-level soccer compared to non-contact sports. *Arch Orthop Trauma Surg*. 2011; 131: 261-6.
20. Harmon KG: Evaluation of groin pain in athletes. *Curr Sports Med Rep*. 2007; 6: 354-61.
21. Ekstrand J, Gillquist J: The avoidability of soccer injuries. *Int J Sports Med*. 1983; 4: 124-8.
22. Lorentzon R, Wedren H, Pietila T: Incidence, nature, and causes of ice hockey injuries. A three-year prospective

22. study of a Swedish elite ice hockey team. *Am J Sports Med*. 1988; 16: 392-6.
23. Mölsä J, Airaksinen O, Näsman O, Torstila I: Ice hockey injuries in Finland. A prospective epidemiologic study. *Am J Sports Med*. 1997; 25: 495-9.
24. Tyler TF, Nicholas SJ, Campbell RJ, Donellan S, McHugh MP: The effectiveness of a preseason exercise program to prevent adductor muscle strains in professional ice hockey players. *Am J Sports Med*. 2002; 30: 680-3.
25. Grote K, Lincoln TL, Gamble JG: Hip adductor injury in competitive swimmers. *Am J Sports Med*. 2004; 32: 104-8.
26. Feeley BT, Powell JW, Muller MS, Barnes RP, Warren RF, Kelly BT: Hip injuries and labral tears in the national football league. *Am J Sports Med*. 2008; 36: 2187-95.
27. Falvey EC, Franklyn-Miller A, McCrory PR: The groin triangle: a patho-anatomical approach to the diagnosis of chronic groin pain in athletes. *Br J Sports Med*. 2009; 43: 213-20.
28. Peiper C, Junge K, Prescher A, Stumpf M, Schumpelick V: Abdominal musculature and the transversalis fascia: an anatomical viewpoint. *Hernia*. 2004; 8: 376-80.
29. Lacroix VJ, Kinnear DG, Mulder DS, Brown RA: Lower abdominal pain syndrome in national hockey league players: a report of 11 cases. *Clin J Sport Med*. 1998; 8: 5-9.
30. Brown RA, Mascia A, Kinnear DG, Lacroix V, Feldman L, Mulder DS: An 18-year review of sports groin injuries in the elite hockey player: clinical presentation, new diagnostic imaging, treatment, and results. *Clin J Sport Med*. 2008; 18: 221-6.
31. Malycha P, Lovell G: Inguinal surgery in athletes with chronic groin pain: the 'sportsman's' hernia. *Aust N Z J Surg*. 1992; 62: 123-5.
32. Morelli V, Weaver V: Groin injuries and groin pain in athletes: part 1. *Prim Care*. 2005; 32:163-83.
33. Lynch SA, Renstrom PA: Groin injuries in sport: treatment strategies. *Sports Med*. 1999; 28: 137-44.
34. Wolloscheck T, Gaumann A, Terzic A, Heintz A, Junginger T, Konerding MA: Inguinal hernia: measurement of the biomechanics of the lower abdominal wall and the inguinal canal. *Hernia*. 2004; 8: 233-41.
35. Ekberg O, Persson NH, Abrahamsson PA, Westlin NE, Lilja B: Longstanding groin pain in athletes. A multidisciplinary approach. *Sports Med*. 1988; 6: 56-61.
36. Ekberg O: Inguinal herniography in adults: technique, normal anatomy, and diagnostic criteria for hernias. *Radiology*. 1981; 138: 31-6.
37. Omar IM, Zoga AC, Kavanagh EC, Koulouris G, Bergin D, Gopez AG, Morrison WB, Meyers WC: Athletic pubalgia and "sports hernia": optimal MR imaging technique and findings. *Radiographics*. 2008; 28: 1415-38.
38. Verrall GM, Henry L, Fazzalari NL, Slavotinek JP, Oakeshott RD: Bone biopsy of the parasymphyseal pubic bone region in athletes with chronic groin injury demonstrates new woven bone formation consistent with a diagnosis of pubic bone stress injury. *Am J Sports Med*. 2008; 36: 2425-31.
39. Radic R, Annear P: Use of pubic symphysis curettage for treatment-resistant osteitis pubis in athletes. *Am J Sports Med*. 2008; 36: 122-8.
40. Hiti CJ, Stevens KJ, Jamati MK, Garza D, Matheson GO: Athletic osteitis pubis. *Sports Med*. 2011; 41: 361-76.
41. Major NM, Helms CA: Pelvic stress injuries: the relationship between osteitis pubis (symphysis pubis stress injury) and sacroiliac abnormalities in athletes. *Skeletal Radiol*. 1997; 26: 711-7.
42. Morelli V, Smith V: Groin injuries in athletes. *Am Fam Physician*. 2001; 64: 1405-14.
43. Charnock BL, Lewis CL, Garrett WE Jr, Queen RM: Adductor longus mechanics during the maximal effort soccer kick. *Sports Biomech*. 2009; 8: 223-34.
44. Garvey JF, Read JW, Turner A: Sportsman hernia: what can we do? *Hernia*. 2010; 14: 17-25.
45. Bradshaw C, McCrory P, Bell S, Brukner P: Obturator nerve entrapment. A cause of groin pain in athletes. *Am J Sports Med*. 1997; 25: 402-8.
46. Brukner P, Bradshaw C, McCrory P: Obturator neuropathy: a cause of exercise-related groin pain. *Phys Sportsmed*. 1999; 27: 62-73.
47. Johnston CA, Wiley JP, Lindsay DM, Wiseman DA: Iliopsoas bursitis and tendinitis. A review. *Sports Med*. 1998; 25: 271-83.
48. Toohey AK, LaSalle TL, Martinez S, Polisson RP: Iliopsoas bursitis: clinical features, radiographic findings, and disease associations. *Semin Arthritis Rheum*. 1990; 20: 41-7.
49. Fricker PA: Management of groin pain in athletes. *Br J Sports Med*. 1997; 31: 97-101.

〈中村絵美〉

11. 鼠径部痛症候群の診断・評価

はじめに

鼠径部痛症候群は疾患名ではなく，鼠径部周囲に持続した疼痛を生じる症候名である．鼠径部痛を生じる原因は多岐にわたり，しばしば複数の病態が混在するため，主な原因を特定することが難しい．また鼠径部痛症候群の定義は曖昧で，疼痛の原因が明らかな場合と明らかでない場合が混同されていることもあり，病態の理解を混乱させている．鼠径部痛症候群における特異的な診断法や評価法は現在のところ確立されていない．本項は鼠径部痛の原因となる病変の特定や診断法確立の一助となることを目的とし，臨床所見や画像所見および評価の信頼性に関してレビューする．

A. 文献検索方法

文献検索にはPubMedを使用し，2012年3月5日時点において表11-1に示すキーワードにて検索した．またレビュー文献などからハンドサーチによって本テーマに関連する論文を収集した．これらの論文のなかから最終的に48文献を対象とした．

表11-1 文献検索のキーワードとヒット件数

	キーワード	ヒット件数
1	"groin pain" or "inguinal pain"	881件
2	1. and sports	192件
	1. and athlete(s)	169件
3	2. and diagnosis	156件
	2. and assessment	18件

B. 鼠径部痛症候群の分類

スポーツに関連する鼠径部痛の原因となる3つの主な病変として，鼠径管（腹壁）の病変，恥骨結合の病変，内転筋機能不全があげられた[1]．また，Falveyら[2]はgroin triangleという区画から鼠径部痛の出現部位を分類した（図10-2参照）．本章ではgroin triangleの上方部，内側部，中央部に認められる代表的な病変について整理していく．

1. 鼠径管上方部の病変

1）鼠径管前壁の破綻

鼠径管前壁は外腹斜筋腱膜や結合腱で構成される．Gilmore[4]は鼠径管前壁が何らかの原因で断裂や離開（groin disruption）を起こすことで疼痛を呈すると報告し（図10-6参照）[3,4]．これらの病変をGilmore groinと称した．その臨床所見の特徴として，明らかなヘルニアを認めない，浅鼠径輪の圧痛，内転筋から会陰に広がる疼痛，動作時痛（スプリント，キック，咳払いなど腹腔内圧が高まる動作）があげられた[4〜7]．画像所見としては，超音波像にて外腹斜筋腱膜の断裂部が低エコーに描出されると報告されたが[5]，超音波診断の感度・特異度に関する報告はみられない．

2）鼠径管前壁の断裂と神経絞扼

鼠径管前壁断裂に神経絞扼を合併する病態が存在する．Lacroixら[8,9]は，鼠径管前壁の断裂部

に生じた創傷痕によって，その周囲を走行する腸骨鼠径神経が絞扼される病態を報告した。この病態はプロアイスホッケー選手22名の術中所見で確認されたことに由来してhockey player's syndromeと称された[9]。その臨床所見の特徴は，局所の圧痛と放散痛，フォアハンドショットやゴルフスイングのような体幹回旋時の疼痛である（**図10-5参照**）[6, 8, 9]。画像上の特異的な所見はなく，術中所見によって確定診断された報告のみであった[6]。

3）鼠径管後壁の破綻

鼠径管後壁は，腹横筋の深層を覆う横筋筋膜によって構成される。この横筋筋膜の弱化や欠損によって，潜在的または間接的なヘルニアを呈することをスポーツヘルニアと称した[5, 6, 10〜13]。その臨床所見の特徴は，鼠径部周辺の圧痛と動作時痛である。安静時は無症状またはわずかな疼痛を認めるが，腹腔内圧が高まる動作や身体活動の増加に伴い疼痛が再発する[6, 14]。しかし，臨床所見がはっきりしないこともしばであった[15]。鼠径管後壁の病変を特異的に検出する評価方法はなく，病歴，疼痛（部位，期間，伸張時，動作時，抵抗時），視診，触診，関節可動域（下肢，体幹），筋力（内転筋，腹直筋，腸腰筋）など一連の臨床評価をもとに鑑別していく必要がある[14]。画像所見として，超音波像が有用と報告された[16〜19]。MRIは軸位像から左右の鼠径部を比較して評価できる[7]が，費用と手間の問題が指摘された[17]。ヘルニオグラフィーは鼠径管の微細損傷を検出できるが，侵襲や合併症の問題から近年使用されることは少なくなった[6]。以下にそれぞれの信頼性（感度・特異度）を示す。

(1) 信頼性：超音波所見 vs. 術中所見

超音波所見と術中所見の比較から，信頼性を検証した研究を示す。Bradleyら[17]の研究によると，咳払いやバルサルバの際に鼠径管ヘルニアを認めた症例を陽性としたとき，術中所見に対する超音波像の感度・特異度はともに100％であった。直接ヘルニアと間接ヘルニアの判別に関しては，直接ヘルニアは感度86％，特異度97％，間接ヘルニアは感度97％，特異度87％であった[17]。また超音波所見の陽性的中率は94〜100％であり[18〜20]，超音波診断が手術適応を検討するうえで有用であることが示唆された。一方，Alamら[16]による超音波診断の研究においては感度は33％であった。その原因として，超音波診断において鼠径管の膨張を定量的に判断する基準がないことや，ある程度の操作技術と読影経験が必要であることが指摘された[19]。

(2) 信頼性：超音波所見 vs. 鼠径部痛の有無

超音波所見と症状との一致度から信頼性を検証した研究が1件存在する。Orchardら[21]はリアルタイム超音波所見と鼠径部痛の関係について調査した。対象はプロのオーストラリアンフットボール選手35名のうち，鼠径部痛群14名（過去8ヵ月のうち1ヵ月以上の運動制限を強いられた鼠径部痛）と無症候群21名であった。リアルタイム超音波所見上，安静時に比べて腹部の緊張時に鼠径管横断面積が増大した場合を異常としたところ，35名中15名に両側の異常，6名に片側の異常を認めた。鼠径部痛群14名中では10名に両側の異常がみられた。両側の異常を認めた者が鼠径部痛を発生する相対危険度は両側の異常でない者に比べて8倍高いことが示された。またロジステック回帰分析の結果，両側の異常を有することと，22歳以上であることの2つの因子が鼠径部痛を有する危険因子として抽出された。一方，鼠径部痛と有意な関連を認めなかった因子は，鼠径管の片側の異常，身長，体重，蹴り脚側であった。

(3) 信頼性：ヘルニオグラフィー vs. 術中所見

ヘルニオグラフィーは，鼠径管後壁に欠損がある場合に造影剤が鼠径管に浸出することで鼠径管病変を確定する評価法である[10,22]。ヘルニオグラフィーによる評価は感度82〜98％，特異度64〜98％，陽性的中率88％と報告された[14,23,24]。ヘルニオグラフィーはヨーロッパを中心に多く実施されているが，侵襲的であり合併症の発生率が3〜6％と高いため，アメリカや日本では使用頻度は低い[6]。Litwinら[12]はアスリートの評価においてヘルニオグラフィーを用いる必要性は低いと述べた。

4）腹直筋腱断裂

鼠径管以外の病変として腹直筋腱断裂などが報告された[5]。MRI所見で腹直筋断裂像を確認できるが，症状側と有意な相関を認めなかったという報告もみられた[20]。したがって，この病変は臨床症状と必ずしも一致しない可能性がある。

2. 鼠径管内側部の病変

1）恥骨部の病変

(1) 恥骨結合炎

恥骨結合炎の発生機序として，恥骨結合部の剪断力増加[11]や，長内転筋と腹直筋の収縮による反復的ストレスによって生じる[13]と推察されている。理学所見では，恥骨結合部の圧痛と内転抵抗時の疼痛が代表的であり[5,14,25,26]，後述する内転筋腱損傷を併発することもある[14]。急性期ではMRIにて恥骨の骨髄浮腫（bone marrow oedema）や恥骨筋付着部の浮腫が確認されることがある[7,27]。骨髄浮腫の有無を評価した際の検者間一致度はκ係数＝0.85と良好であった[28]。しかし，骨髄浮腫側と症状側は低い相関（r＝0.37）であったことや[20]，無症候性のオーストラリアンフットボール選手54名のうち29名（54％）に骨髄浮腫を認めたこと[29]，さらにジュニア期サッカー選手における無症候群のうち60％に骨髄浮腫を認めたことが報告されており[30]，必ずしも骨髄浮腫と症状が一致しない場合がある。ジュニア期の場合，恥骨結合が未形成であることが影響している可能性もあり，骨髄浮腫の有無だけで恥骨結合炎の診断を確定できないことが示唆された[7]。一方，骨髄浮腫が2 cm以上の広範囲に及ぶ重度の例にかぎった場合，骨髄浮腫の有無と恥骨結合部の圧痛の有無は強い相関を認めた[29]。よって，骨髄浮腫の大きさを考慮した評価が必要かもしれない。

Verrallら[31]は鼠径部の疼痛誘発テストの感度・特異度を報告した。疼痛群47名（恥骨結合の圧痛および中等度以上の骨髄浮腫あり）と無症候群42名を対象として，3種の内転抵抗テスト（図11-1）を施行したときの疼痛出現の有無を調査した。その結果，感度30〜65％，陽性的中率67〜93％，特異度88〜95％，陰性的中率21〜46％であった（表11-2）。これらの結果より，疼痛誘発テストが陽性であれば骨髄浮腫陽性である可能性が高く，一方，疼痛誘発テストが陰性であっても骨髄浮腫陰性とはかぎらないことが示された[31]。

(2) 恥骨間円板の変性

恥骨部病変が慢性化した症例では，MRIやCTにて関節面の不整や狭小化，軟骨下嚢胞の出現，骨吸収，骨硬化を認めることがある[5]。また，近年では恥骨間円板の変性の1つとして，secondary cleft（第二の溝）と呼ばれる所見が報告された[32]。これは生理的な恥骨間円板の中心溝から下方に向かって異常な亀裂が生じる病変である。発生機序はいまだ考察の域であるが，恥骨間円板に付着する内転筋腱や結合腱による反復的な牽引ストレスが恥骨間円板周囲の関節包に亀裂をもたらすと考えられている[32]。Cunninghamら[33]は，プロ・アマサッカー選手の鼠径部痛群100名（3

11. 鼠径部痛症候群の診断・評価

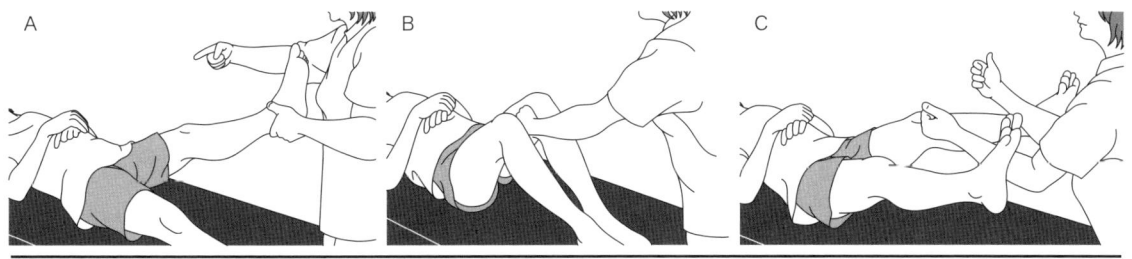

図11-1 鼠径部痛の疼痛誘発テスト（文献31より作図）
A：片脚内転テスト，B：Squeezeテスト，C：両脚内転テスト。

表11-2 鼠径部痛の疼痛誘発テストの精度（文献31より改変）

	片脚内転テスト	Squeezeテスト	両脚内転テスト	
感度	30～32%	40～49%	54～65%	中等度
陽性的中率	67～78%	75～83%	86～93%	中等度～高い
特異度	88～91%	88～93%	92～95%	高い
陰性的中率	35～46%	29～43%	21～34%	低い～中等度

ヵ月以上の鼠径部痛とMRIで骨髄浮腫を認めた者）のうち88%に症状側と一致したsecondary cleftを認め，対照群100名（恥骨部病変のないサッカー選手50名と健常漕競技選手50名）にはsecondary cleftを認めなかったと報告した。Secondary cleft診断における造影剤X線とMRIの感度・特異度はともに100%であり[32]，高い診断能を有していることが示された。Secondary cleftの有無が鼠径部痛診断における客観的な診断指標として今後確立されることが期待される。

(3) 恥骨結合不安定症・疲労骨折

恥骨結合不安定症は何らかの原因で恥骨結合に不安定性を生じた病変である。LaBanら[34]は，X線評価にて，片脚立位で撮影するフラミンゴビューを用いて，左右の恥骨が上下に2mm以上偏位したものを陽性とした。主な症状として，階段昇降や非対称性動作でクリック音を生じるなどが報告された[7]。

疲労骨折はX線所見に加えて，Noakesら[35]は12例中全例が陽性であった3つの徴候として，①片脚立位側の痛みや不快感，②運動時痛，③恥骨の圧痛をあげた。

2) 内転筋腱損傷・機能不全

内転筋腱損傷では，長内転筋に最も損傷が起こりやすく，その発生はしばしば恥骨結合炎と併存する[5]。内転筋の弱化が恥骨結合の不安定性をまねく可能性が報告された[5]。

理学所見は，内転筋の抵抗時痛と伸張痛，内転筋付着部の圧痛，キック動作で増悪することが報告された[5, 14, 26]。内転筋付着部炎のような損傷と治癒を繰り返す慢性例においては，疼痛と機能低下の悪循環に陥って身体状態を悪化させる危険性が指摘された[5]。

画像所見としては，MRIや超音波が有用である[5]。MRIでは骨膜炎や内転筋腱付着部の浮腫，断裂などを認めるが，症状側との相関は低かった（r = 0.36）と報告された[20]。超音波像では内転筋腱付着部の肥厚や断裂が低エコーに描出され，カラードップラーでは血管新生の評価も可能と報告された[7]が，詳細な評価基準などは記載されなかった。

第4章 鼠径部痛症候群

3. 鼠径管中央部（から上部）の病変

鼠径管中央部から上方にかけて生じる病変として，腸腰筋腱炎・滑液包炎が報告された[5,38]。理学所見としては局所の圧痛，屈曲抵抗時の疼痛，キック系スポーツや股関節屈曲の反復動作で疼痛が出現するのが特徴である[5]。MRI上，損傷部にはT2強調像で高輝度変化を呈すると報告された[5,38]。

図11-2 恥骨筋のストレッチ（文献25より引用）
閉鎖神経絞扼は，恥骨筋のストレッチで再現される疼痛が特徴的である。

3）閉鎖神経絞扼

閉鎖神経の前枝は内転筋や薄筋を支配し，そこに絞扼が生じると鼠径部痛を生じる原因となることがある[36]。理学所見は，運動直後の症状悪化，恥骨筋ストレッチ（**図11-2**）で再現される疼痛，大腿内側の放散痛が特徴的であると報告された[25,37]。この場合，診察時には実際に運動させた直後の所見を得ることが重要である[37]。確定診断には内転筋の針筋電図検査と閉鎖神経ブロックが行われる[25]。

C. 鼠径部痛と身体機能・活動の関係

鼠径部痛に関連した筋力低下や関節可動域制限，および活動（競技）制限への影響に関する報告を示す。

1. 筋力低下

Malliarasら[39]はオーストラリアンフットボールの男子ジュニアエリート選手29名を対象として，鼠径部痛群10名（ランニングやアジリティ動作で疼痛あり）と無症候群19名の仰臥位における内転筋力を比較した（squeezeテスト）（**図11-3左**）。その結果，鼠径部痛群の内転筋力は無症候群に比べて約20％低値を示した（**図11-3右**）。また測定肢位の影響として，仰臥位股関節

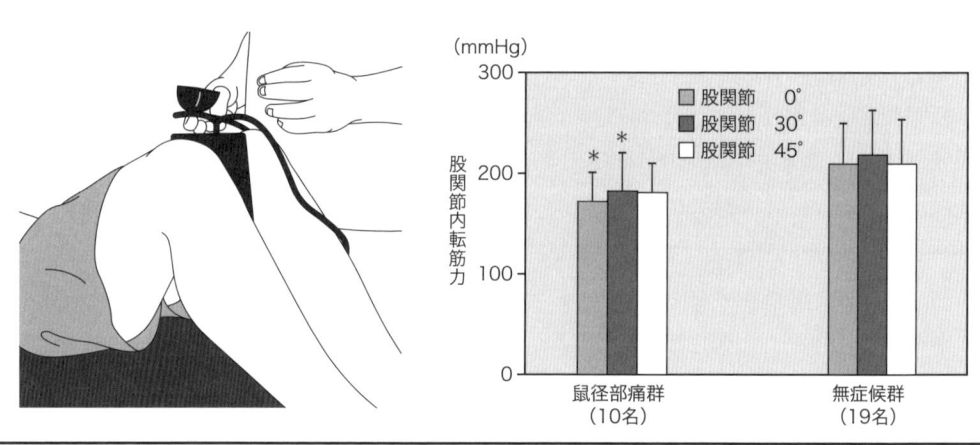

図11-3 血圧計を使用した内転筋の筋力測定（squeezeテスト）（左）と鼠径部痛と無症候群の内転筋力の比較（右）（文献39より作図）
鼠径部痛群の内転筋力は無症候群に比べて約20％低値を示した。 ＊$p < 0.05$ vs. 無症候群。

11. 鼠径部痛症候群の診断・評価

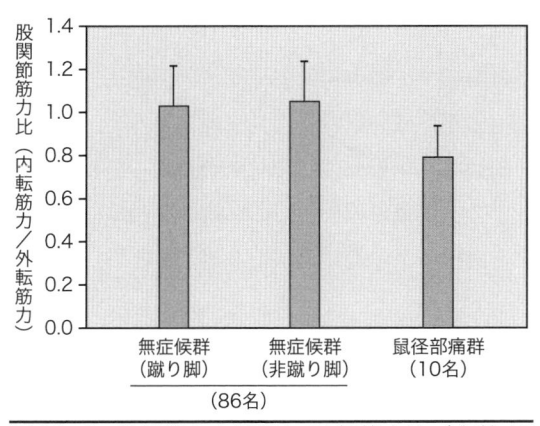

図11-4 股関節の内転筋力/外転筋力比（文献40より引用）
無症候群では外転筋力と内転筋力はほぼ同じであったが，鼠径部痛群では外転筋力に対して内転筋力が約20％低下していた。

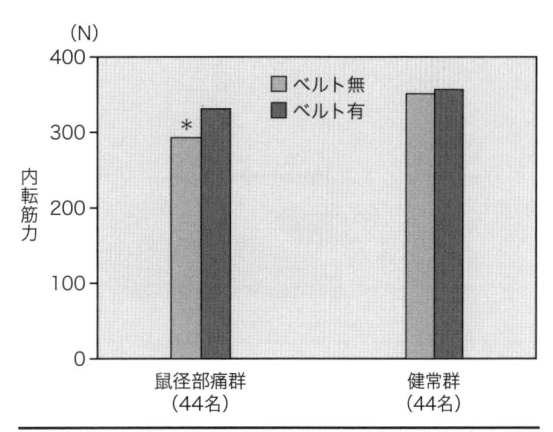

図11-5 骨盤ベルトの有無が内転筋力に及ぼす影響（文献41より引用）
ベルト着用によって内転筋力の増大と疼痛軽減（表11-3）が認められた。＊p＜0.01 vs. ベルトなし健常群。

屈曲0°位と30°位の内転筋力は両群間に有意差を認め，股関節屈曲45°位では有意差を認めなかった。

　Thorborgら[40]は，男子セミプロサッカー選手を対象として，無症候群86名と鼠径部痛群10名（測定中に鼠径部痛を生じた者）の外転筋力に対する内転筋力の比率を比較した。その結果，無症候群では外転筋力と内転筋力はほぼ同等であったが，鼠径部痛群では外転筋力に対して内転筋力が約20％低下していた（図11-4）。これらの結果から，測定時の疼痛によって筋力発揮が抑制された可能性はあるが，内転筋力と外転筋力の不均衡を評価するうえで臨床的指標になることが示唆された[40]。

　Mensら[41]は，アスリートの鼠径部痛群44名（1ヵ月以上持続した疼痛を有し，内転抵抗で疼痛が出現した者）と無症候群44名に対して，内転筋力の比較と骨盤ベルト有無の影響を調査した（図11-5）。その結果，骨盤ベルト非着用時では鼠径部痛群の内転筋力は無症候群より有意に低値を示したが，骨盤ベルト着用時では両群に有意差を認めなかった。またベルト着用によって鼠径部痛群の68％に疼痛軽減効果を認めた（表11-3）。

表11-3 骨盤ベルト使用前後の疼痛の変化

疼痛増大	2/44（4.5％）
疼痛不変	12/44（27.3％）
疼痛減少	30/44（68.2％）

この結果より，内転抵抗時に誘発される鼠径部痛は，必ずしも内転筋腱炎に由来した筋力低下や疼痛だけによるものではなく，骨盤帯の不安定性から起因した機能障害が含まれることが示唆された。

　Crowら[42]は，オーストラリアンフットボールのジュニアエリート選手113名のなかから鼠径部痛の罹患者（squeezeテスト陽性または過去6ヵ月以内に鼠径部痛を自覚した者）と鼠径部手術既往者を除外した健常者86名を対象に，内転筋力を9週にわたり毎週測定し，筋力変化と疼痛発生の関係を前向き調査した。その結果，86名中12名が2週以上続く新たな鼠径部痛を自覚した。内転筋力は疼痛を発生した週（平均3.6±1.9週目）で11.8％減，その1週前で5.8％減と測定開始時に比べて有意な減少を示した。この結果より，鼠径部痛の発生に先行して筋力低下が生じていた可能性が示唆された。

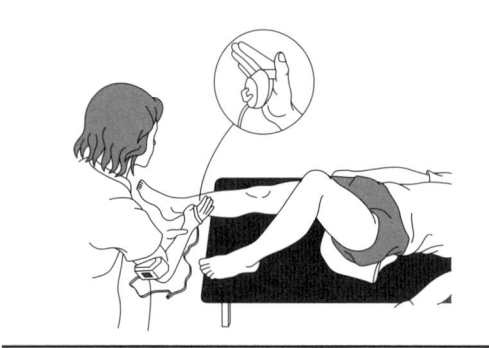

図11-6 ハンドヘルドダイナモメーターを使用した測定

2. 関節可動域制限

Verrallら[43]はオーストラリアンフットボール選手を対象に，鼠径部痛群47名（6週以上疼痛あり）のほうが無症候群42名に比べて股関節内旋・外旋の総可動域が有意に減少していたと報告した。さらに無症候者29名に対する18ヵ月の前向き調査の結果，新たに鼠径部痛を発生した4名の股関節内旋・外旋可動域は減少していた[44]。これらの結果より，股関節の回旋制限は鼠径部痛のリスク因子になりうることを示唆した[44]。一方，Malliarasら[39]は鼠径部痛群10名と無症候群19名の関節可動域に有意差を認めなかったと報告した。以上より，現在のところ関節可動域と鼠径部痛の関係にはコンセンサスが得られていない。

3. 競技復帰率

Slavotinekら[28]は，プレシーズン期における鼠径部痛，恥骨部圧痛，MRI所見異常はシーズン中の運動（活動）制限に関連する因子であり，特に鼠径部痛を有することは試合欠場に関連する因子であったと報告した。

D. 理学的評価の信頼性

1. 筋力測定

Thorborgら[45]はハンドヘルドダイナモメーター（図11-6）を使用し，健常人股関節の各運動方向のトルクを測定した。その結果，検者内信頼性はICC＝0.74〜0.99と良好な再現性を認め，測定誤差は5％以内（屈曲，外転，外旋，内旋），6％以内（内転），8％以内（伸展）であったことから，各運動方向において個体レベルの筋力変化を検出できる測定方法であると報告した。

Malliarasら[39]は，血圧計のカフを両膝で挟み込む力を股関節内転筋力の指標とした（図11-3左）。この方法における検者内信頼性はICC＝0.81〜0.94[39,46]，検者間信頼性はICC＝0.80〜0.83[39]と良好であった。

2. 疼痛・筋力の定性的評価

Hölmichら[47]は若年サッカー選手における鼠径部痛群（3週以上疼痛あり）と無症候群の各9名に対して，医師2名と理学療法士2名による疼痛と筋力の定性的評価の一致率を調査した。κ係数＞0.6で実質的な一致を示したテスト項目は，検者内では14項目中11項目，検者間では14項目中8項目であった。検者間における腸腰筋の筋力テストを除いて概ね良好な結果であった[47]。

3. 股関節鼠径部の疾患特異的QOL評価

近年，股関節鼠径部の疾患特異的QOL評価として，コペンハーゲン・ヒップ・グローインアウトカムスコア（The Copenhagen Hip and Groin Outcome Score：HAGOS）が作成された[48]。この評価は，①症状，②疼痛，③日常生活における身体機能，④スポーツやレクリエーション活動における身体機能，⑤身体活動への参加，⑥QOLに関する6領域37項目からなり，患者が5段階で自己評価し，有症状の程度を百分率で定量化するものである。HAGOSの作成にあたり，患者101名を対象に股関節鼠径部痛に関連する質問52項目から選別された37項目が採用されており，HAGOSの信頼性・妥当性・反応性は良好であることが報告された[48]。質の高い研究デザイン

に対応できる評価・効果判定指標として発展することが期待される。

E. まとめ

1. すでに真実として承認されていること
- 鼠径部痛の主病因について，科学的根拠が確立されていない。
- 複合する病態と定義の曖昧さが診断を困難にしている。

2. 議論の余地はあるが，今後の重要な研究テーマとなること
- Secondary cleftの有無が鼠径部痛の客観的な評価指標となる可能性。
- 恥骨の骨髄浮腫が広範囲に及ぶ場合は鼠径部痛との相関が強いこと。
- 鼠径部痛の発生機序として骨盤帯不安定症に起因するものが多く含まれている可能性。
- 鼠径部痛の発症に先行して股関節内転の筋力低下や股関節回旋可動域の制限が生じている可能性。

3. 真実と思われていたが実は疑わしいこと
- 恥骨の骨髄浮腫と鼠径部痛との関係（骨髄浮腫を認めても無症候性のことがある）。

F. 今後の課題
- 鼠径部痛の病態を群化した研究や質の高い前向き研究の促進。

文 献

1. Jansen JA, Mens JM, Backx FJ, Stam HJ: Diagnostics in athletes with long-standing groin pain. *Scand J Med Sci Sports*. 2008; 18: 679-90.
2. Falvey EC, Franklyn-Miller A, McCrory PR: The groin triangle: a patho-anatomical approach to the diagnosis of chronic groin pain in athletes. *Br J Sports Med*. 2009; 43: 213-20.
3. Brown RA, Mascia A, Kinnear DG, Lacroix V, Feldman L, Mulder DS: An 18-year review of sports groin injuries in the elite hockey player: clinical presentation, new diagnostic imaging, treatment, and results. *Clin J Sport Med*. 2008; 18: 221-6.
4. Gilmore J: Groin pain in the soccer athlete: fact, fiction, and treatment. *Clin Sports Med*. 1998; 17: 787-93, vii.
5. Davies AG, Clarke AW, Gilmore J, Wotherspoon M, Connell DA: Review: imaging of groin pain in the athlete. *Skeletal Radiol*. 2010; 39: 629-44.
6. Farber AJ, Wilckens JH: Sports hernia: diagnosis and therapeutic approach. *J Am Acad Orthop Surg*. 2007; 15: 507-14.
7. Koulouris G: Imaging review of groin pain in elite athletes: an anatomic approach to imaging findings. *AJR Am J Roentgenol*. 2008; 191: 962-72.
8. Lacroix VJ, Kinnear DG, Mulder DS, Brown RA: Lower abdominal pain syndrome in national hockey league players: a report of 11 cases. *Clin J Sport Med*. 1998; 8: 5-9.
9. Irshad K, Feldman LS, Lavoie C, Lacroix VJ, Mulder DS, Brown RA: Operative management of "hockey groin syndrome": 12 years of experience in National Hockey League players. *Surgery*. 2001; 130: 759-64; discussion 764-6.
10. Caudill P, Nyland J, Smith C, Yerasimides J, Lach J: Sports hernias: a systematic literature review. *Br J Sports Med*. 2008; 42: 954-64.
11. Garvey JF, Read JW, Turner A: Sportsman hernia: what can we do? *Hernia*. 2010; 14: 17-25.
12. Litwin DE, Sneider EB, McEnaney PM, Busconi BD: Athletic pubalgia (sports hernia). *Clin Sports Med*. 2011; 30: 417-34.
13. Omar IM, Zoga AC, Kavanagh EC, Koulouris G, Bergin D, Gopez AG, Morrison WB, Meyers WC: Athletic pubalgia and "sports hernia": optimal MR imaging technique and findings. *Radiographics*. 2008; 28: 1415-38.
14. Lovell G: The diagnosis of chronic groin pain in athletes: a review of 189 cases. *Aust J Sci Med Sport*. 1995; 27: 76-9.
15. Moeller JL: Sportsman's hernia. *Curr Sports Med Rep*. 2007; 6: 111-4.
16. Alam A, Nice C, Uberoi R: The accuracy of ultrasound in the diagnosis of clinically occult groin hernias in adults. *Eur Radiol*. 2005; 15: 2457-61.
17. Bradley M, Morgan D, Pentlow B, Roe A: The groin hernia - an ultrasound diagnosis? *Ann R Coll Surg Engl*. 2003; 85: 178-80.
18. Bradley M, Morgan J, Pentlow B, Roe A: The positive predictive value of diagnostic ultrasound for occult herniae. *Ann R Coll Surg Engl*. 2006; 88: 165-7.
19. Depasquale R, Landes C, Doyle G: Audit of ultrasound and decision to operate in groin pain of unknown aetiology with ultrasound technique explained. *Clin Radiol*. 2009; 64: 608-14.
20. Robinson P, Barron DA, Parsons W, Grainger AJ, Schilders EM, O'Connor PJ: Adductor-related groin pain in athletes: correlation of MR imaging with clinical find-

21. Orchard JW, Read JW, Neophyton J, Garlick D: Groin pain associated with ultrasound finding of inguinal canal posterior wall deficiency in Australian Rules footballers. *Br J Sports Med*. 1998; 32: 134-9.
22. Yilmazlar T, Kizil A, Zorluoglu A, Ozguc H: The value of herniography in football players with obscure groin pain. *Acta Chir Belg*. 1996; 96: 115-8.
23. Hamlin JA, Kahn AM: Herniography: a review of 333 herniograms. *Am Surg*. 1998; 64: 965-9.
24. Sutcliffe JR, Taylor OM, Ambrose NS, Chapman AH: The use, value and safety of herniography. *Clin Radiol*. 1999; 54: 468-72.
25. Brukner P, Bradshaw C, McCrory P: Obturator neuropathy: a cause of exercise-related groin pain. *Phys Sportsmed*. 1999; 27: 62-73.
26. Schilders E, Talbot JC, Robinson P, Dimitrakopoulou A, Gibbon WW, Bismil Q: Adductor-related groin pain in recreational athletes: role of the adductor enthesis, magnetic resonance imaging, and entheseal pubic cleft injections. *J Bone Joint Surg Am*. 2009; 91: 2455-60.
27. Morelli V, Espinoza L: Groin injuries and groin pain in athletes: part 2. *Prim Care*. 2005; 32: 185-200.
28. Slavotinek JP, Verrall GM, Fon GT, Sage MR: Groin pain in footballers: the association between preseason clinical and pubic bone magnetic resonance imaging findings and athlete outcome. *Am J Sports Med*. 2005; 33: 894-9.
29. Verrall GM, Slavotinek JP, Fon GT: Incidence of pubic bone marrow oedema in Australian rules football players: relation to groin pain. *Br J Sports Med*. 2001; 35: 28-33.
30. Lovell G, Galloway H, Hopkins W, Harvey A: Osteitis pubis and assessment of bone marrow edema at the pubic symphysis with MRI in an elite junior male soccer squad. *Clin J Sport Med*. 2006; 16: 117-22.
31. Verrall GM, Slavotinek JP, Barnes PG, Fon GT: Description of pain provocation tests used for the diagnosis of sports-related chronic groin pain: relationship of tests to defined clinical (pain and tenderness) and MRI (pubic bone marrow oedema) criteria. *Scand J Med Sci Sports*. 2005; 15: 36-42.
32. Brennan D, O'Connell MJ, Ryan M, Cunningham P, Taylor D, Cronin C, O'Neill P, Eustace S: Secondary cleft sign as a marker of injury in athletes with groin pain: MR image appearance and interpretation. *Radiology*. 2005; 235: 162-7.
33. Cunningham PM, Brennan D, O'Connell M, MacMahon P, O'Neill P, Eustace S: Patterns of bone and soft-tissue injury at the symphysis pubis in soccer players: observations at MRI. *AJR Am J Roentgenol*. 2007; 188: W291-6.
34. LaBan MM, Meerschaert JR, Taylor RS, Tabor HD: Symphyseal and sacroiliac joint pain associated with pubic symphysis instability. *Arch Phys Med Rehabil*. 1978; 59: 470-2.
35. Noakes TD, Smith JA, Lindenberg G, Wills CE: Pelvic stress fractures in long distance runners. *Am J Sports Med*. 1985; 13: 120-3.
36. McCrory P, Bell S: Nerve entrapment syndromes as a cause of pain in the hip, groin and buttock. *Sports Med*. 1999; 27: 261-74.
37. Morelli V, Weaver V: Groin injuries and groin pain in athletes: part 1. *Prim Care*. 2005; 32: 163-83.
38. Mozes M, Papa MZ, Zweig A, Horoszowski H, Adar R: Iliopsoas injury in soccer players. *Br J Sports Med*. 1985; 19: 168-70.
39. Malliaras P, Hogan A, Nawrocki A, Crossley K, Schache A: Hip flexibility and strength measures: reliability and association with athletic groin pain. *Br J Sports Med*. 2009; 43: 739-44.
40. Thorborg K, Serner A, Petersen J, Madsen TM, Magnusson P, Holmich P: Hip adduction and abduction strength profiles in elite soccer players: implications for clinical evaluation of hip adductor muscle recovery after injury. *Am J Sports Med*. 2011; 39: 121-6.
41. Mens J, Inklaar H, Koes BW, Stam HJ: A new view on adduction-related groin pain. *Clin J Sport Med*. 2006; 16: 15-9.
42. Crow JF, Pearce AJ, Veale JP, VanderWesthuizen D, Coburn PT, Pizzari T: Hip adductor muscle strength is reduced preceding and during the onset of groin pain in elite junior Australian football players. *J Sci Med Sport*. 2010; 13: 202-4.
43. Verrall GM, Hamilton IA, Slavotinek JP, Oakeshott RD, Spriggins AJ, Barnes PG, Fon GT: Hip joint range of motion reduction in sports-related chronic groin injury diagnosed as pubic bone stress injury. *J Sci Med Sport*. 2005; 8: 77-84.
44. Verrall GM, Slavotinek JP, Barnes PG, Esterman A, Oakeshott RD, Spriggins AJ: Hip joint range of motion restriction precedes athletic chronic groin injury. *J Sci Med Sport*. 2007; 10: 463-6.
45. Thorborg K, Petersen J, Magnusson SP, Hölmich P: Clinical assessment of hip strength using a hand-held dynamometer is reliable. *Scand J Med Sci Sports*. 2010; 20: 493-501.
46. Delahunt E, McEntee BL, Kennelly C, Green BS, Coughlan GF: Intrarater reliability of the adductor squeeze test in gaelic games athletes. *J Athl Train*. 2011; 46: 241-5.
47. Hölmich P, Hölmich LR, Bjerg AM: Clinical examination of athletes with groin pain: an intraobserver and interobserver reliability study. *Br J Sports Med*. 2004; 38: 446-51.
48. Thorborg K, Hölmich P, Christensen R, Petersen J, Roos EM: The Copenhagen Hip and Groin Outcome Score (HAGOS): development and validation according to the COSMIN checklist. *Br J Sports Med*. 2011; 45: 478-91.

〔河端将司〕

12. 鼠径部痛症候群の手術療法と保存療法

はじめに

前項で示されたように，スポーツ選手の鼠径部痛の原因は多岐にわたり，確定診断のための評価方法は現在のところ確立されていない。さらに，鼠径部痛症候群が慢性化すると病態はさらに複雑になり，治療しにくいスポーツ障害の1つとなる[1〜6]。本項ではスポーツ選手における鼠径部痛症候群に対する手術療法と保存療法について述べ，現在のエビデンスについてまとめることを目的とした。なお，本項では手術療法における術式についての記述は最小限にとどめる。また，最後に本邦における鼠径部痛症候群の治療法の現状をまとめた。

A. 文献検索方法

文献検索にはPubMedを使用し，言語を英語に限定して表12-1に示すキーワードを用いて検索した（2012年3月現在）。その後，表12-1に示す包含基準および除外基準から本項のテーマに合致した文献を選別した。システマティックレビューまたはレビュー報告を6件，臨床成績に関する報告を58件，鼠径部痛症例の機能不全に関する調査報告を8件採用した。さらに，引用文献からのハンドサーチにより6文献を追加し，最終的に78文献を本レビューに採用した。なお，本邦における鼠径部痛症候群の治療法の現状に関する文献検索は別に行ったが，検索方法については当該項目に記載した。

B. 鼠径部痛の治療成績レビューにおける問題点

鼠径部痛の治療成績をレビューするにあたり，診断基準が確立できていないことが問題となる。手術療法の臨床成績に関する報告では，術前に明確な確定診断のもとで手術が決定されたものはなく，保存療法に抵抗したことが一番の理由となっていた。Kluinら[7]は，鼠径ヘルニアの診断のための超音波と恥骨結合炎の診断のための骨スキャンが陰性で，かつ保存療法に抵抗した慢性鼠径部痛を有するスポーツ選手14名を対象に，腹腔鏡

表12-1 文献検索に使用したキーワードと文献の選別基準

■キーワード
- groin pain, sports(sportsman's) hernia, osteitis pubis, athletic pubalgia
- surgical, surgery, operative, operation, repair
- conservative, physical therapy, physiotherapy, treatment, rehabilitation
- sports, athlete(s)
- キーワード検索の結果，263文献の要旨を入手

■包含基準
- スポーツ選手を対象とした調査
- 手術療法の治療成績は10例以上のケースシリーズを採用
- 保存療法の治療成績は少数のケースレポートも採用

■除外基準
- アスリートを対象としていない調査
- 大部分の対象が明らかな真性の鼠径ヘルニアである調査
- 大部分の対象が明らかな器質的疾患である調査（骨折，FAI，変形性股関節症，脊柱・脊髄疾患，明らかな肉ばなれや筋断裂，など）

視下での診断的検査を行った。その結果，複数診断を含めて7例が鼠径管（腹壁）後壁の欠損，2例が非直接的な外側鼠径ヘルニア，4例が大腿ヘルニア，1例が閉鎖孔ヘルニア，3例が脂肪腫と診断され，まったく異常病変が存在しなかったのは1例のみであった。このことは，現在のところ術中所見での診断以外に確定診断が非常に困難であることを示唆する。したがって，保存療法の報告と手術療法の報告において論文間で対象の病態が同様かどうか判断が難しいことや，手術療法においても報告によって術式が異なることに注意が必要である。

C. 鼠径部痛の予後

急性発症した鼠径部痛の予後は一般的には良好であることが報告されてきた。Arnasonら[8]は，アイスランドリーグに所属する20チーム306名のサッカー選手の1シーズン中（4ヵ月間）の障害発生調査とその予後調査を行った。新たに鼠径部痛を発症した選手は22名で，そのうち3週間以内に痛みが消失したものは19名（87％），3週間経過後も痛みが継続したものは3名（13％）であった。Susmallianら[9]の慢性鼠径部痛に対する手術療法の臨床成績に関する論文によると，保存療法に抵抗したために手術にいたった割合は27％（35例）であった。以上より，鼠径部痛症例のうち，慢性化し，かつ手術療法を受けることになる対象は，約3.5％（0.13×0.27＝0.035）程度と推測できる。

一方，鼠径部痛は再発しやすい疾患として知られている。Arnasonら[8]の障害発生調査では，鼠径部痛を発症した選手のうち，鼠径部痛の既往がなかった症例の発症率は2％だったのに対し，既往のある症例の発症率は9％であった。Hölmichら[12]は，デンマークリーグに所属する55チーム977名のサッカー選手を対象とした障害発生予防介入の無作為化臨床試験のなかで，鼠径部痛の既往がある選手は既往のない選手より発症危険率が1.95倍高いと分析した。

鼠径部痛は慢性化するほど病態は複雑となり治療しにくい症候群となる[1〜6]。Lovell[10]は，鼠径部痛を有するスポーツ選手189名中50％は鼠径部痛症状が2ヵ月以上持続しており，全体の27％は複数の病態を呈していたと報告した。Ekbergら[11]は，鼠径部痛発症より3ヵ月以上経過した21名のスポーツ選手のうち，鼠径部痛につながる可能性のある病態を2つ以上呈していた症例は19名であったと報告した。

D. 手術療法

一般的に鼠径部痛の治療の第一選択は，安静および活動制限，薬物療法，注射療法，徒手療法，運動療法などの保存療法である[1〜3,5,6,13]。6週〜6ヵ月の保存療法に抵抗する場合，または鼠径部痛の原因病態が明らかに鑑別されて手術が必要と判断された場合に手術療法が考慮される[2,7,13〜19]。

手術療法における術式として，前壁の病変（いわゆるGilmore groin）や後壁の病変（いわゆるスポーツヘルニア）の修復および補強を目的としたヘルニア根治術が最も多く報告されてきた。手術療法は観血的縫縮術，メッシュを使用した観血的修復術，腹腔鏡視下修復術に分けられ，さらに腹腔鏡視下は腹腔内到達法（transabdominal preperitoneal：TAPP）と腹膜外到達法（totally extraperitoneal endoscopic：TEP）に分類される。いずれの術式も術中所見による異常部位の修復または異常領域の補強を目的とした術式である。その他，内転筋機能不全に対する大内転筋または長内転筋切離術や，閉鎖神経や陰部大腿神経，腸骨鼠径神経，腸骨下腹神経に対する神経剥離術または神経切断術が報告された。これらは単独で実施されることは少なく，ヘルニア根治術と併用

12. 鼠径部痛症候群の手術療法と保存療法

表 12-2 手術療法の臨床成績のまとめ

術式	文献数	スポーツ復帰率	復帰時期	症状消失	文献
ヘルニア根治術	32 文献 (n = 1,427)	平均 92.1 % 中央値 93 % (70〜100 %)	平均 11.1 週 中央値 9 週 (3〜32 週) n = 1,172	平均 77.6 % 中央値 81.8 % (57.4〜92.9 %) n = 647	7, 9, 13, 15, 17〜43
内転筋腱切離術	5 文献 (n = 266)	平均 79.1 % 中央値 86.4 % (63〜92 %)	平均 15.5 週 中央値 14 週 (14〜18.5 週) n = 254	平均 62.5 % 中央値 63 % (54〜67.9 %) n = 266	14, 44, 46〜48
神経除圧・切断術	2 文献 (n = 57)	80〜100 %	9〜11.6 週 n = 57	65 % n = 25	49, 50
恥骨結合搔爬術	1 文献 (n = 23)	69 %	22 週	61 %	51

表 12-3 ヘルニア根治術の術式による臨床成績の比較（観血的手術と腹腔鏡視下手術）

術式	文献数	スポーツ復帰率	復帰時期	症状消失	文献
観血的	縫縮術 10 文献 メッシュ 9 文献 n = 928	平均 91.5 % 中央値 93 % (70〜100 %)	平均 14.3 週 中央値 14 週 (4〜32 週) n = 798 例	平均 75.0 % 中央値 81.8 % (57.4〜92.9 %) n = 411 例	13, 15, 18〜34
腹腔鏡	TAPP 8 文献 TEP 5 文献 n = 499	平均 93.9 % 中央値 93.7 % (87〜100 %)	平均 6.4 週 中央値 4 週 (3〜12 週) n = 374	平均 82.3 % 中央値 83 % (73〜90 %) n = 172	7, 9, 17, 24, 35〜43

される例が多い。以下に各術式の治療成績について，スポーツ復帰，復帰時期，症状消失に関してまとめる。

1. 手術療法の治療成績

1) ヘルニア根治術の治療成績

ヘルニア根治術は 32 文献であり，そのうち観血的手術が 19 文献[13, 15, 18〜34]，腹腔鏡視下手術が 13 文献[7, 9, 17, 24, 35〜43] であった。スポーツ復帰率は平均 92.1 %，復帰時期は平均 11.1 週，症状消失率は平均 77.6 % であった（**表 12-2**）。観血的手術と腹腔鏡視下手術との臨床成績を比較すると，スポーツ復帰率（観血的平均 91.5 % vs. 腹腔鏡平均 93.9 %）と症状消失（観血的平均 75.0 % vs. 腹腔鏡平均 82.3 %）の差は小さかった。一方，復帰時期では，観血的平均 14.3 週に対して腹腔鏡平均 6.4 週と，腹腔鏡視下手術のほうが早かった（**表 12-3**）。Ingldby ら[24]は，真性の鼠径ヘルニアがない慢性鼠径部痛を有するスポーツ選手 28 名に対して観血的手術と腹腔鏡視下手術との比較を行った。その結果，腹腔鏡視下手術のほうが術後の疼痛が少なく，4 週以内にスポーツ復帰可能だった症例が多かった。

ヘルニア根治術との追加手技として長内転筋腱または大内転筋腱解離術がある[30, 34, 39, 40, 44]。Meyers ら[30]は，術前に内転筋機能不全が修正できていない症例は，弱化したまたは修復した腹壁を保護するために内転筋腱解離術が必要であると考察した。Paajanen ら[39]は，内転筋腱解離術の追加手技の適応として，内転筋腱付着部の強い圧痛があり，長時間作用ステロイド注射を使用した保存療法で効果がない場合をあげた。追加手技の効果は良好だが，ヘルニア根治術のみと比較すると回復までの期間は遅延した[39]。

表12-4 観血的メッシュ修復術後のリハビリテーションプロトコル（文献52より引用）

術後1週	腹筋，股関節周囲筋の等尺性収縮 歩行（1日5分増加），階段昇降
術後2週	腹横筋，腹斜筋トレーニング 股関節周囲筋の自動運動 自転車エルゴメーター
術後3週	股関節のストレッチ 股関節周囲筋のチューブトレーニング ジョギング，スイミング
術後4週	ランニング，強度の強い腹筋 軽い上半身のウェイトトレーニング
術後5週	ダッシュ，キック 段階的競技特異的トレーニング
術後6週	競技復帰

表12-5 腹腔鏡視下修復術後のリハビリテーションプロトコル（文献42より引用）

術後0〜1週	ウォーキング（5 km/時）
術後1〜2週	アクアトレーニング ウォーキング（20分から開始し，1日5分ずつ増加） 自転車エルゴメーター（10分4セット，2分休憩，80〜90 RPM） 腹直筋等尺性収縮，ランジ
術後2〜3週	ダイナミックな腹筋運動，シットアップ，ランニング（インターバルトレーニング）
術後3〜5週	ウェイトトレーニング 競技特異的トレーニング
術後6週	競技復帰

ホッケー選手特有の病態であるhockey player's syndrome（外腹斜筋腱膜断裂と腸骨鼠径神経絞扼）を対象とした腸骨鼠径神経切断術の追加手技が報告されている[25, 29, 32, 45]。それらの治療成績は良好であった。ただし，Polglaseら[32]によると，神経切断術を追加した群としていない群で有意差を認めなかった。よって，追加手技の必要性は不明である。

2）内転筋腱解離術の治療成績

内転筋腱解離術単独の治療成績についての論文は5件あり，うち4件は長内転筋解離術，1件は内転筋筋膜解離術であった[14, 44, 46〜48]。スポーツ復帰率は平均79.1％，復帰時期は平均15.5週，症状消失率は平均62.5％であった（**表12-2**）。

3）神経除圧術，切断術の治療成績

神経除圧術，切断術単独の治療成績についての論文は，閉鎖神経除圧術1件，腸骨鼠径神経切断術1件であった[49, 50]。それぞれのスポーツ復帰率は80％と100％，復帰時期は9週と11.6週であり，記載のあった腸骨鼠径神経切断術の症状消失率は65％であった（**表12-2**）。

4）恥骨結合掻爬術の治療成績

恥骨結合掻爬術単独の治療成績についての論文は1件あった[51]。この論文では，重度の変形を伴った恥骨結合炎に対して施行されていた。その結果，スポーツ復帰率は69％，復帰時期は22週，症状消失率は61％であった（**表12-2**）

5）再　発

鼠径部痛の術後の再発についての前向き研究はなかったが，再発に言及した後ろ向き研究において再発率は0〜9.7％で，再発時期は術後4日〜7年であった[7, 14, 22, 24, 25, 29, 34, 37, 40〜42, 49]。

2．術後リハビリテーション

ヘルニア根治術後の代表的な術後リハビリテーションプロトコルを紹介する（**表12-4**，**表12-5**）。観血的修復術と腹腔鏡視下修復術とも同様に，術後初日より歩行許可，術後3週前後でランニング開始，術後6週前後で競技復帰を目指すプロトコルが提唱された[42, 52]。近年，Paajanenら[39, 40]は，腹腔鏡視下修復術（TEP）後に特別なプロトコルは設けず，術後早期より疼痛の範囲内で競技復帰許可とした。Muschaweckら[31]のminimal repair法は局所麻酔下で行う最小侵襲の観血的縫

表12-6 内転筋腱付着部症および恥骨結合炎に対するステロイド注射の治療効果のまとめ

報告者	例数	注射部位	ステロイドおよび鎮痛剤	結果
Ashbyら[53]	33名	腱付着部症	トリアムシロノンアセトニド1%+リドカイン2%	3〜15ヵ月の経過観察で16名症状消失,13名改善,3名変化なし,1名悪化
Holtら[54]	8名	恥骨結合	リドカイン1 ml 1%+ブピバカイン1 ml 0.25%+デキサメタゾン4 mg	7名が1〜3回の注射で3〜24週後に症状消失,1名変化なし
O'Connelら[55]	プロ16名	恥骨結合	リドカイン2 mg 1%+酢酸メチルプレドニソロン20 mg+ブピバカイン1 ml 0.5%	14名が2日で競技復帰し,効果が継続したのは2週で4名,2ヵ月で5名,6ヵ月で6名
Schilderら[56]	プロ24名	恥骨間円板	トリアムシロノンアセトニド2 ml中80 mg+マーカイン3 ml 0.5%	即時効果は全例症状消失し,6週で11名,1年で16名が症状再発
Schilderら[57]	アマ28名	恥骨間円板	トリアムシロノンアセトニド2 ml中80 mg+マーカイン3 ml 0.5%	即時効果は全例症状消失し,6週で3名,1年で9名が症状再発

合術であり,術後当日退院,術直後より20 kg(44 ポンド)の重量物まで持ち上げ許可,術後2日目よりランニングと自転車駆動,5日目より完全なトレーニングを許可した。

E. 保存療法

鼠径部痛の保存療法として,安静および活動制限・薬物療法・注射療法・物理療法・徒手療法・運動療法などの治療法を組み合わせた研究が多く,注射療法と運動療法以外では単独の治療法として選択されることが少ない。ここでは注射療法と保存療法の変遷を紹介する。

1. Enthesopathy（腱付着部症）および恥骨結合炎に対する注射療法

1) 長時間作用性ステロイド系抗炎症剤と局所鎮痛剤

内転筋腱付着部症および恥骨結合炎に対する長時間作用性ステロイド系抗炎症剤と局所鎮痛剤の治療効果を表12-6にまとめた[53〜57]。87.5〜100%に症状消失の即時効果が認められたが,スポーツ復帰後の再発は多かった（表12-6）。O'Connelら[55]の報告では,6ヵ月以上恥骨結合炎の症状を有するハイレベルまたはプロスポーツ選手16名中,注射後に14名が競技復帰可能で

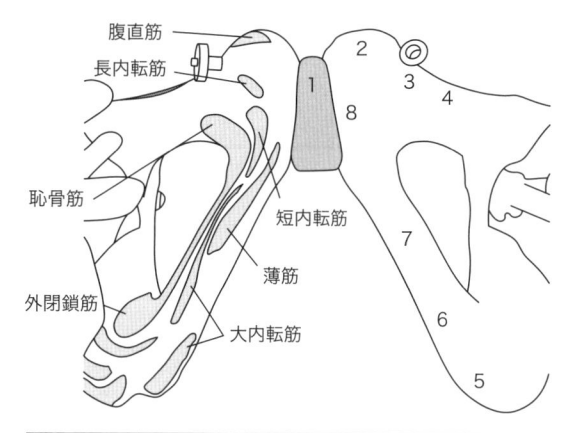

図12-1 Prolothrapyの注射部位（文献59より作図）
1：恥骨結合,2〜4：腸骨翼,5〜8：坐骨恥骨枝。

あったが,2週後の追跡調査で再発した症例は10名（71.5%）であった。Schilderら[56]は,恥骨結合炎と診断された男子プロスポーツ選手24名を対象に,MRIでの診断により内転筋腱付着部症を合併した症例17名と合併してない7名で恥骨間円板へのステロイド注射の効果の違いを比較した。6週後の追跡調査において,内転筋腱付着部症を合併していない症例は再発例がなかったが,合併した症例では11名（64.7%）が注射後平均5.4週で再発した。

2) Prolotherapy

近年,ステロイド注射に代わり,腱付着部症や

第4章 鼠径部痛症候群

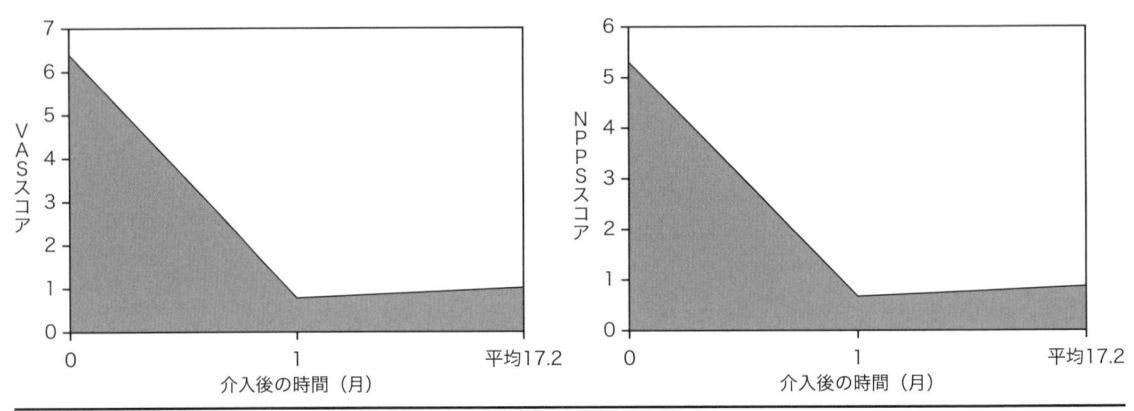

図12-2 Prolotherapyの治療効果(文献59より引用)
活動時のVAS(左)と機能障害を表わすNPPS(右)は注射後1ヵ月で有意に改善し,平均17.2ヵ月でもその効果は持続していた。

表12-7 対象10例以上の保存療法(passive treatment)の臨床成績のまとめ

報告者	例数	介入	スポーツ復帰率	復帰時期	症状消失
Smebergら[33]	25	安静,NSAIDs,ステロイド注射,物理療法,内転筋ストレッチ	64%	—	40%
Martensら[44]	28	NSAIDs,ステロイド注射,物理療法,内転筋ストレッチ	36%	12週	—
Frickerら[61]	59	NSAIDs,電気治療,ストレッチ,脊柱・骨盤マニピュレーション,鍼治療	男性40%,女性22% 復帰症例の25%再発	男性9.5ヵ月 女性7.0ヵ月	—
Kaleboら[27]	22	詳細の記載なし	63.6%	—	—

恥骨結合炎の根治療を目指したprolotherapyの治療成績が報告された[58,59]。Topolら[59]は,腱付着部症および恥骨結合炎による慢性鼠径部痛を有し,一般的な保存療法に抵抗した男性スポーツ選手(主にラグビー選手)24名を対象に,グルコース12.5%とリドカイン0.5%を恥骨結合部,腸骨翼,坐骨恥骨枝の腱付着部に注射した(図12-1)。注射後1週間は安静,2週からランニング,3週からキック動作,4週で完全復帰するプロトコルとし,症状が残存した場合は月に1回のペースで再施行した。その結果,スポーツ復帰が可能となるまでに平均2.8回(1〜6回)の注射が施行された。活動時のvisual analogue scale(VAS)と機能障害を表わすNirschl pain phase scale(NPPS)は注射後1ヵ月で有意に改善し,その効果は平均17.2ヵ月でも継続していた(図12-2)。また,6週〜3ヵ月で22名がスポーツ復帰可能となり,最終経過観察時には20名が疼痛なくスポーツ活動が可能だった。対象者を増やした同じ著者の報告[58]では,対象者72名中66名(91.7%)が平均3回の治療でスポーツ復帰が可能となり,VASは82%の改善,NPPSは79%の改善を認めた。Prolotherapyに関して,近年ではグルコース以外に多血小板血漿療法(platelet rich plasma:PRP)の試みも報告され,今後の進歩と効果の検証が待たれる。

2. 保存療法の変遷

1) Passive treatment

鼠径部痛は古くは1924年にBeerが恥骨炎症候群(osteitis pubis syndrome),1932年にSpinelliが腹直筋内転筋症候群(rectus abdo-

12. 鼠径部痛症候群の手術療法と保存療法

表12-8 対象10例以上の保存療法（active treatmentおよび全身的アプローチ）の臨床成績のまとめ

著者	例数	介入	スポーツ復帰率	復帰時期	症状消失
Hölmich ら[62]	59	active treatment（AT）と passive treatment（PT）の無作為化臨床試験	AT群79％ PT群14％	AT群18.5週 PT群—	—
Rodriguez ら[60]	44	14日間の消炎鎮痛処置，段階的負荷トレーニング	89.1％（恥骨結合炎ステージ1〜3の症例では100％）	ステージ1：3.8週 ステージ2：6.7週 ステージ3：10週	—
Verrall ら[64]	27	12週間ランニング中止，コアエクササイズ，持久性・段階的負荷トレーニング，ランニングエクササイズ	63％ 78％ 89％ 100％	5ヵ月 7ヵ月 12ヵ月 24ヵ月	41％ — 67％ 81％
Weir ら[76]	44	3週間安静，損傷機序の説明，骨盤帯・股関節・脊柱可動性改善，段階的負荷増強トレーニング	86％（平均22ヵ月経過観察で26％再発）	20週	77％
Weir ら[65]	54	Hölmich[62]のATとWeir[67]のmultimodal treatment（MT）の無作為化臨床試験	AT群55％ MT群50％	AT 17.3週 MT 12.8週	—
Paajanen[39]	30	Hölmich（1999）のATと腹腔鏡視下手術の無作為化臨床試験	AT群27％ 50％	3ヵ月 12ヵ月	7％ 47％

minis adductoris syndrome）と報告し[60]，1990年代前半まではほとんどが内転筋腱付着部炎や恥骨結合炎などと診断されていた[4,61]。保存療法としては安静および活動制限，薬物療法，物理療法，マッサージ，ストレッチ，鍼治療などのいわゆる"passive treatment"が一般的であった[27,33,44,61]。しかしpassive treatmentの治療成績は総じて不良であった（**表12-7**）。

2）Active treatment

Hölmich ら[62]は，股関節周囲筋と体幹筋の段階的強化，立位での動的安定性の改善を目的とした積極的な運動療法（active treatment）の効果を，passive treatmentとの無作為化臨床試験により比較した。対象は，厳密な包含基準および除外基準で内転筋関連痛（恥骨部痛を含む）に限定した慢性鼠径部痛を有する男性スポーツ選手59名（active treatment群29名，passive treatment群30名）で，8〜12週間の介入後に，16週で治療効果を評価した。Active treatment群とpassive treatment群の介入内容を**表12-8**に示す。その結果，治療成績と主観的評価はいずれ

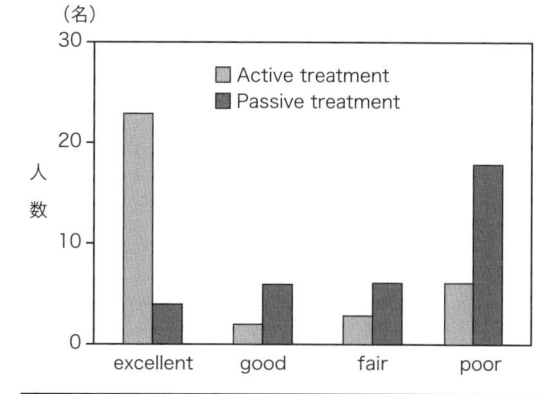

図12-3　Hölmichの無作為化臨床試験におけるactive treatment群とpassive treatment群の臨床成績の比較（文献62より作図）
圧痛なし，内転抵抗運動時痛なし，受傷前と同レベルで復帰可能のうち，達成が3つでexcellent，2つでgood，1つでfair，すべて未達成でpoor。

もactive treatment群が有意に良好であり，スポーツ復帰率もactive treatment群79％，passive treatment群14％で，active treatment群が有意に良好であった（**図12-3**，**表12-9**）。股関節内転筋力はactive treatment群で改善を認め，股関節外転可動域はactive treatment群では内転筋のストレッチを禁止していたにもかかわ

第4章 鼠径部痛症候群

表12-9 Hölmichの無作為臨床試験におけるactive treatment群とpassive treatment群の介入内容（文献62より引用）

	passive treatment群（30例）	active treatment群（29例）
頻度	週2回通院，90分（個別対応）	週3回実施，90分（通院は週に1回でグループ介入によるチェック）
内容	・レーザー1分 ・マッサージ10分 ・内転筋中心の股関節ストレッチ ・TENS 30分	〈最初の2週〉 ・内転筋等尺性（膝伸展位，屈曲位でボール挟み）：30秒10セット ・腹筋（腹直筋・腹斜筋）：10回5セット ・腹筋＋股関節屈筋（折りたたみナイフ運動）：10回5セット ・バランスボード：両脚5分，片脚1分5セット 〈3週目から〉 ・側臥位股関節内転・外転自動運動：10回5セット ・片脚立位での股関節内転・外転運動：10回5セット ・背筋：10回5セット ・協調運動（片脚立位での前後クロスカントリー運動）：10回5セット ・"Fitter"を用いた横方向のトレーニング：5分 ・バランスボード：両脚5分，片脚1分5セット ・スライドボード（スケーティング運動）：1分継続5セット ※内転筋のストレッチは禁止とし，腹筋や背筋その他の下肢筋のセルフストレッチは許可
復帰	治療開始後6週〜ジョギング開始 最低8週〜競技復帰許可	

表12-10 恥骨結合炎の重症度分類とRodriguezらの臨床成績（文献60より引用）

	恥骨結合の重症度分類	例数	臨床成績
ステージ1	キック側の内転筋関連の鼠径部痛。ウォーミングアップで寛解し，トレーニング後に痛み繰り返す。	25名	3.8週で全例競技復帰
ステージ2	両側の内転筋関連の鼠径部痛。トレーニングにて痛みが増悪する。	9名	6.7週で全例競技復帰
ステージ3	両側の内転筋と腹筋関連の鼠径部痛。長距離歩行や方向転換，坐位からの立ち上がりで疼痛増悪。スポーツの継続が困難。	1名	10週で競技復帰
ステージ4	排便，くしゃみ，歩行で疼痛の増悪。日常生活活動に支障がある。	9名	全例が手術

らず両群で改善していた。この無作為化臨床試験は追従調査が実施され，8〜12年の長期成績が報告された[63]。アンケートに返答があった59名中47名（active treatment群24名，passive treatment群23名）において，スポーツ活動への参加状況は群間に有意差はなかったが，治療成績と主観的評価はactive treatment群のほうが優れていた。この理由として，passive treatmentは治療者による個別介入だが，active treatmentはグループ介入であるために対象本人にトレーニングを啓蒙できたことが要因と考察された[63]。

Hölmichら[62]のactive treatmentを参考にした段階的負荷トレーニングによる運動療法（表12-9）の効果を検証した研究がいくつかある。Rodriguezら[60]は恥骨結合炎と診断されたエリートサッカー選手44名を対象に，14日間の徹底的な消炎鎮痛処置（イブプロフェン800 mgを1日3回と電気刺激・超音波・レーザー・クライオマッサージなどの物理療法）を行った後に段階的負荷トレーニングを実施した。その結果，恥骨結合炎の重症度分類がステージ1〜3までの35名は全例が競技復帰可能であり，軽度のものほど復帰が早かった（表12-8，表12-10）。一方，Verrallら[64]は，慢性鼠径部痛と診断されたプロのオーストラリアンフットボール選手27名を対

12. 鼠径部痛症候群の手術療法と保存療法

表 12-11 慢性鼠径部痛症例の機能不全についての報告のまとめ

機能異常	詳細	エビデンスレベル	文献
股関節可動性低下	・内旋外旋総可動域低下 ・股関節屈曲・内転・内旋制限（クアドラントテスト陽性）	前向き調査 ケース	64 16
股関節内転筋力低下	・等尺性内転筋力低下 ・内転/外転筋力比低下	前向き調査 後ろ向き調査	68, 69 73, 74
仙腸関節可動性低下	・寛骨後傾可動性低下（Gillet test 陽性）	ケース	16, 71, 77
骨盤輪不安定床	・骨盤ベルト着用による内転抵抗運動時痛軽減，筋力発揮改善	基礎研究	72
骨盤・脊柱 マルアライメント	・疼痛側寛骨前傾傾向 ・胸郭に対する骨盤帯回旋異常	ケース ケース	16, 71, 76
深部体幹筋機能不全	・腹横筋筋厚減少 ・active SLR テストでの腹横筋収縮の遅延	基礎研究 基礎研究	67 70

象に 12 週間のランニングの中止と段階的負荷トレーニングを実施した。その結果，スポーツ復帰率は良好であったが，症状消失に関して短期成績は良好とはいえなかった（**表 12-8**）。

近年，active treatment の有効性について追試的な無作為化臨床試験が報告されている。Weir ら[65]は，Hölmich ら[62]の報告と同様の包含基準と除外基準にて内転筋関連痛に限定した慢性鼠径部痛を有するスポーツ選手 54 名を対象に，温熱療法と内転筋治療のための徒手療法およびランニングプログラムを中心とした multi-modal treatment[66] と active treatment の効果を比較した。介入後 16 週の評価において，客観的評価スコアと運動時疼痛 VAS スコア，スポーツ復帰率（active treatment 群 55％，multi-modal treatment 群 50％）では群間に有意差を認めなかった。一方，復帰時期では active treatment 群が 17.3 週に対して multi-modal treatment 群が 12.8 週と，multi-modal treatment 群のほうが有意に早かった（$p < 0.05$）。Paajanen ら[39]は，内転筋関連痛に限定しないスポーツヘルニアを含む対象において手術療法（TEP）と active treatment の効果を比較した。その結果，Hölmich ら[62]の結果には及ばない成績だったと報告した。よって，active treatment は有効であるものの，画一的なアプローチは限界があることや，スポーツヘルニアを含む内転筋関連痛以外の鼠径部痛では効果が一様でないことが示唆された。

3）全身的アプローチ

2000 年代に入り，慢性鼠径部痛症例の機能障害についての報告[16,67~77]が多くなってきた（**表 12-11**）。ケースシリーズやケースレポートにおいて，①骨盤（仙腸関節）・股関節・胸腰椎のマルアライメントおよび可動性の改善，②腹横筋と骨盤底筋の確実な単独収縮からコアスタビリティトレーニング，③コアスタビリティを保持しながら股関節の筋力強化トレーニング，④コアスタビリティを保持しながら上半身・体幹・下半身の協調的運動の獲得を目的とした全身的アプローチ，といった個別の病態や機能不全に即した治療戦略が提唱された[16,71,76,77]。Wollin ら[77]は，恥骨結合炎と診断された 4 名の若年エリートサッカー選手のケースシリーズで，腹横筋や骨盤底筋に着目したスタビライゼーションを含む全身的アプローチと詳細な復帰基準を紹介し，全例が 10～16 週で完全復帰可能で 12 ヵ月の経過観察で再発はなかったと報告した。Weir ら[76]は，内転筋関連痛に限定したスポーツ選手 44 名に対して全身的アプローチを施行し，平均 20 週で 38 名

第4章 鼠径部痛症候群

表12-12 スポーツヘルニアの5つの徴候（文献16より引用）

1. 鼠径部または下腹部の深部に痛みがある
2. 痛みがダッシュ・キック・カッティングand/orシットアップのようなスポーツ動作で悪化し，安静により軽快する
3. 腹直筋and/or結合腱の付着部である恥骨枝上の圧痛がある
4. 股関節屈曲0°，45°and/or90°での内転抵抗運動時の痛みがある
5. 腹筋抵抗運動時の痛みがある

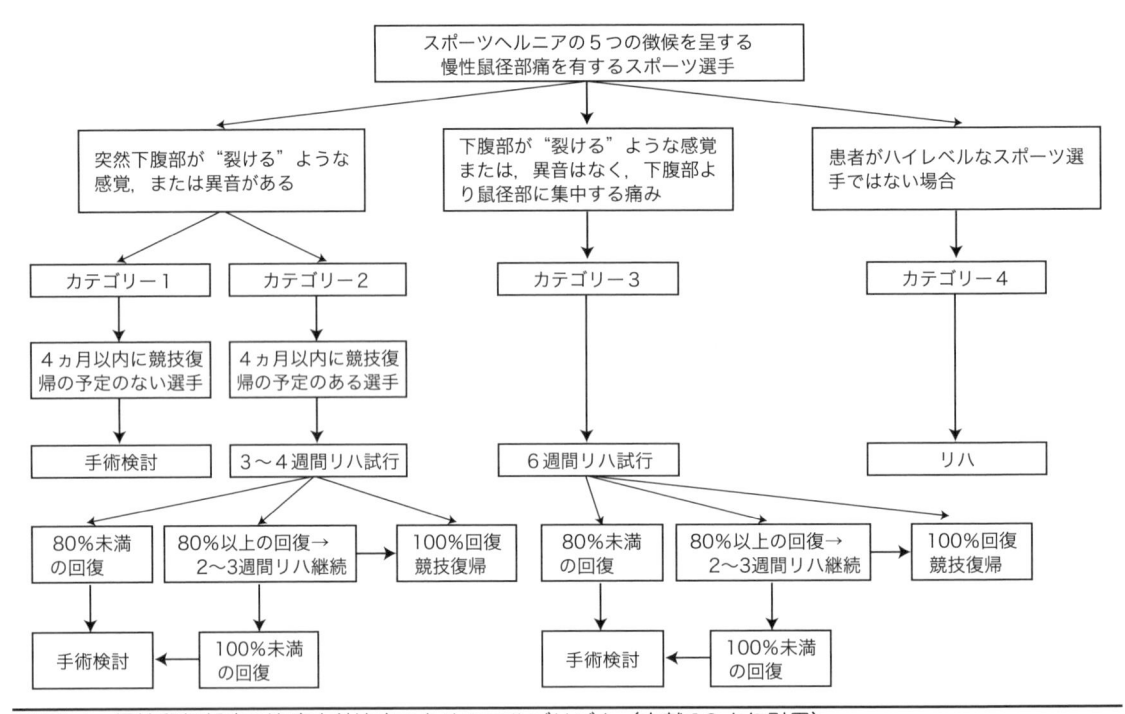

```
                スポーツヘルニアの5つの徴候を呈する
                慢性鼠径部痛を有するスポーツ選手
         ┌──────────────┬──────────────┬──────────────┐
   突然下腹部が"裂ける"ような    下腹部が"裂ける"ような感覚     患者がハイレベルなスポーツ選
   感覚，または異音がある      または，異音はなく，下腹部よ     手ではない場合
                         り鼠径部に集中する痛み
      ┌──────┐                    │                    │
   カテゴリー1  カテゴリー2         カテゴリー3            カテゴリー4
      │       │                    │                    │
  4ヵ月以内に競技復  4ヵ月以内に競技復
  帰の予定のない選  帰の予定のある選
  手            手
      │       │                    │                    │
   手術検討   3～4週間リハ試行        6週間リハ試行            リハ
      ┌───────┼────────┐         ┌────┼────┐
   80%未満  80%以上の回復→  100%回復   80%未満  80%以上の回復→  100%回復
   の回復   2～3週間リハ継続  競技復帰   の回復   2～3週間リハ継続  競技復帰
      │       │                    │       │
   手術検討  100%未満               手術検討  100%未満
            の回復                          の回復
```

図12-4 慢性鼠径部痛の治療方針決定のためのアルゴリズム（文献16より引用）

（86.4％）が完全復帰したが，平均22ヵ月の経過観察で10名（26.3％）が再発したと報告した。Kachingueら[16]によると，慢性鼠径部痛かつスポーツヘルニアの徴候（**表12-12**）を呈する6名の大学スポーツ選手に対し，理学療法士とアスレティックトレーナーによる全身的アプローチを施行し，3名が平均7.7回の治療にて完全にスポーツ復帰できた。また，残りの3名は平均6.7回の治療後に手術療法を施行し，その後平均7.2回の治療（術後平均6週）で完全にスポーツ復帰できた。

保存療法の効果について，診断名が恥骨結合炎や内転筋関連の鼠径部痛に関しては良好な臨床成績が報告されているが，他方で保存療法が奏功しない場合もある。Kachingueら[16]は，スポーツヘルニアの疑いがある慢性鼠径部痛のスポーツ選手の場合，保存療法が漫然と長引くことを危惧し，手術療法も視野に入れた計画性のある治療方針を立てる必要性を強調した（**図12-4**）。

F. 手術療法と保存療法の比較

手術療法と保存療法を比較した無作為化臨床試験は2件あった[39,45]。Ekstrandら[45]は，3ヵ月以上持続する鼠径部痛を有し，ヘルニオグラフィーにて初期鼠径ヘルニア所見または腸骨鼠径神

12. 鼠径部痛症候群の手術療法と保存療法

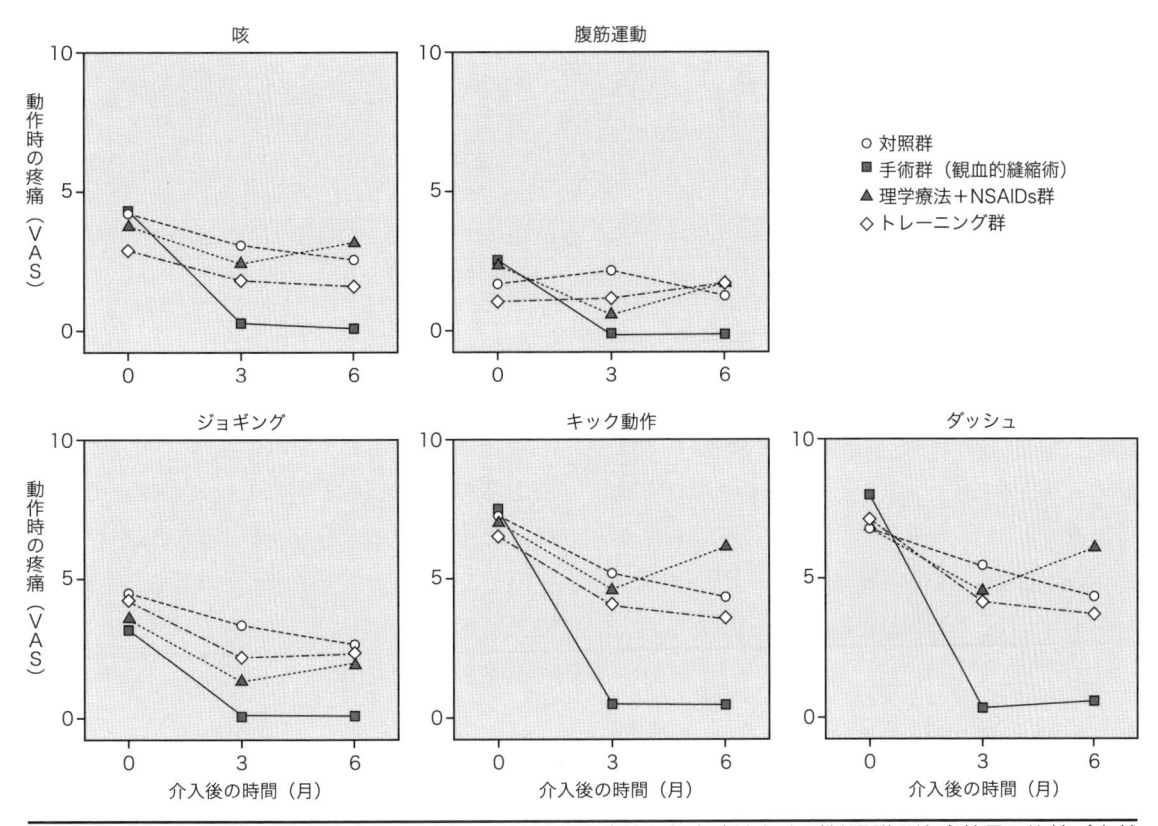

図 12-5　Ekstrand らの無作為化臨床試験における手術療法と保存療法および対照群の治療効果の比較（文献45 より引用）
6ヵ月の経過観察において，手術群がほかの3群と比較して活動時の疼痛およびスポーツ能力が改善した。

経，腸骨下腹神経の神経ブロックテストにて陽性所見があった66名の男子サッカー選手を対象に，手術療法群（観血的ヘルニア根治術＋神経切断術），腹筋トレーニング群，消炎鎮痛薬＋理学療法群，対照群の4群の比較を行った。その結果，6ヵ月の経過観察において，手術療法群のほうがほかの3群と比較して活動時の疼痛およびスポーツ能力が改善していた（**図 12-5**）。Paajanen ら[39]は，明らかな鼠径ヘルニア所見や神経絞扼障害，剥離骨折などの骨病変がなく，3～6ヵ月の保存療法に抵抗した鼠径部痛を有するスポーツ選手60名を対象に，腹腔鏡視下手術（TEP）と保存療法（Hölmich らの active treatment）[62]の比較を行った。その結果，術後1ヵ月，3ヵ月，12ヵ月の時点で運動中の疼痛，スポーツ活動への完

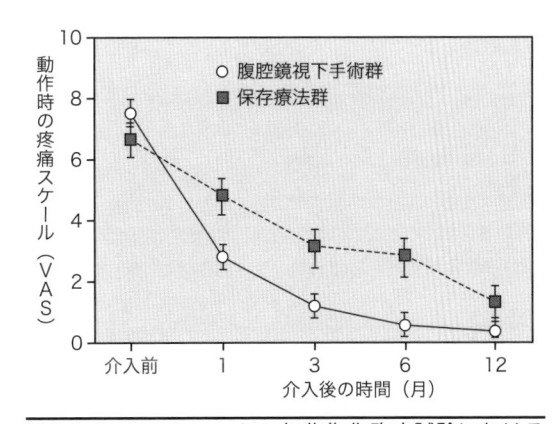

図 12-6　Paajanen らの無作為化臨床試験における手術療法と保存療法の治療効果の比較（文献39 より引用）
すべての時点で手術療法群のほうが疼痛は改善した。

表12-13 Paajanenらの無作為臨床試験における手術療法と保存療法の臨床成績の比較(文献39より引用)

	術後1ヵ月			術後3ヵ月			術後12ヵ月		
	手術群	保存群	p値	手術群	保存群	p値	手術群	保存群	p値
完全復帰 例数(%)	20 (67)	6 (20)	< 0.0001	27 (90)	8 (27)	< 0.0001	29 (97)	15 (50)	< 0.0001
症状消失 例数(%)	14 (47)	0 (0)	< 0.001	27 (90)	2 (7)	< 0.0001	29 (97)	14 (47)	< 0.0001
完全に満足 例数(%)	20 (67)	6 (20)	< 0.001	27 (90)	8 (27)	< 0.0001	30 (100)	18 (30)	< 0.0001

スポーツ復帰(受傷前活動レベル以上への復帰),症状の消失,患者満足度について記載。

全復帰,症状完全消失,患者満足度のすべての項目で手術療法群のほうが成績良好であった(図12-6,表12-13)。スポーツ選手の慢性鼠径部痛の治療に関して,現在のところは手術療法のほうが良好な臨床成績が示されているが,全身的アプローチと比較した無作為化臨床試験はまだない。

G. 鼠径部痛に対するエクササイズの予防効果

エクササイズによる鼠径部痛の予防効果を検証した無作為化臨床試験は2件あった[12,78]。Engebretsenら[78]は,ノルウェーリーグに所属する31チーム508名のサッカー選手を対象に,質問紙にてローリスク群,ハイリスク群,対照群に分けて障害予防エクササイズの効果を検証した。エクササイズは①内転筋トレーニング,②腹筋トレーニング,③サイドホップ,④スライディングボードエクササイズ,⑤ダイアゴナルウォーキングとし,介入はプレシーズンに週3回,10週間実施した。その結果,3群間に鼠径部痛の発生率に有意差を認めなかった。Hölmichら[12]は,デンマークリーグに所属する55チーム977名のサッカー選手を対象に,介入群27チーム,対照群28チームに分けてクラスター無作為化臨床試験を実施した。エクササイズは①内転筋トレーニング,②腹筋および股関節屈筋トレーニング,③片脚立位での協調運動,④坐位でのパートナー股関節内外転トレーニング,⑤腸腰筋ストレッチとし,介入は毎回の練習のウォーミングアップに組み込んで実施された。その結果,対照群に比して介入群の鼠径部痛発生率が31%減少したものの,統計学的に有意な減少とはならなかった。現在のところ,エクササイズによる鼠径部痛予防の介入効果は高くないことが示唆され,内容の吟味が必要と思われた。

H. 本邦における治療法の現状

医中誌(Japan Medical Abstracts Society: JAMAS)を用いて,「鼠径部痛」・「スポーツ」をキーワードに検索した結果,34文献(会議録除く)が検索された(2013年7月現在)。そのうち表12-1の包含基準および除外基準と本章のテーマに合致した報告は,治療成績に関する報告が2件(すべて手術療法),解説(治療成績の内容を含む)が13件であった。このうち,本邦における鼠径部痛症候群の診断・治療に関して体系化した仁賀らの報告を中心にまとめる。

本邦の鼠径部痛症候群の治療の歴史は,海外と同様に,内転筋起始部炎や腹直筋付着部炎,または恥骨結合炎の診断のもとで長期間の安静を中心とした「passive treatment」が行われてきたが,慢性化して保存療法に抵抗する場合に,スポーツヘルニアの診断のもとで手術療法が取り入れられてきた。その後,仁賀ら[79]は,術後の不良例のリハビリテーションの対応を模索するなかで,内転筋に限らず股関節周囲筋の拘縮の除去や,骨盤

12. 鼠径部痛症候群の手術療法と保存療法

の安定性，上半身から下半身の協調運動を改善させることが有効であった症例を多く経験し，これを保存療法にも適用することで現在の考えにいたったとしている。

仁賀ら[79〜81]は鼠径部痛症候群を，「股関節周辺に明らかな器質的疾患がなく，体幹から下肢の"可動性""安定性""協調性"に問題を生じた結果，骨盤周辺の機能不全に陥り，運動時に鼠径部周辺にさまざまな痛みを起こす症候群」と定義とした。治療においては，「体幹から下肢の"可動性""安定性""協調性"などの不良因子の評価から改善すべき点を判断し，機能不全に対するアスレティックリハビリテーションを指導する」として体系化した（**図12-7，図12-8**）[81,82]。上記の

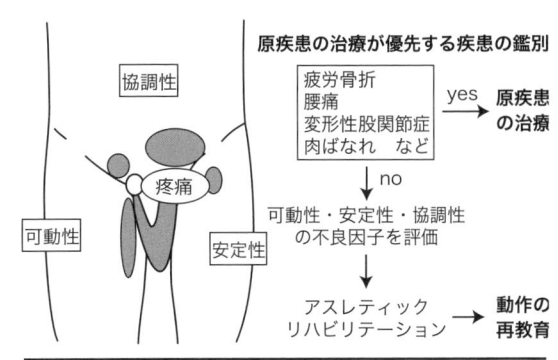

図12-7 鼠径部痛症候群の診断と治療の基本方針（文献81より引用）
アミの部分は疼痛部位を表わす。

考えに基づくアスレティックリハビリテーションは1990年代後半より施行されており[83]，つまり本項でレビューを行った「active treatment」や

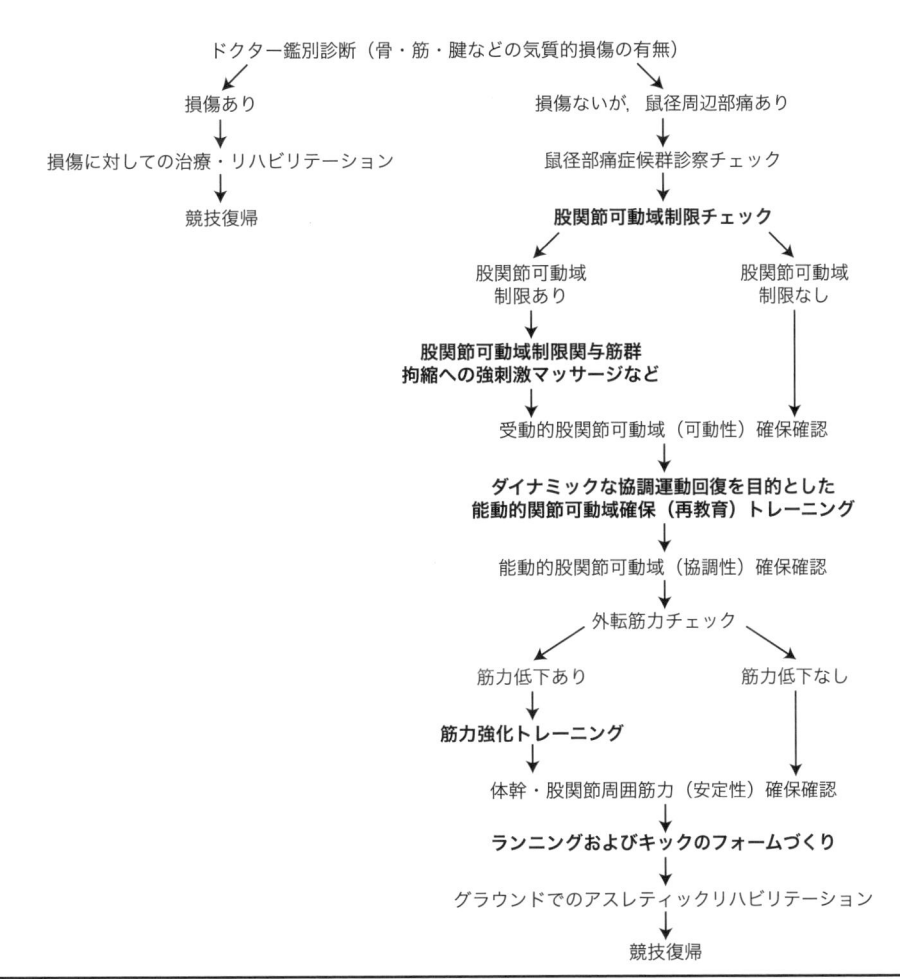

図12-8 鼠径部痛症候群のアスレティックリハビリテーションの流れ（文献82より引用）

第4章 鼠径部痛症候群

表12-14 本邦の手術療法の治療成績

報告者	症例数	術式	スポーツ復帰率	復帰時期	症状消失
出口ら[84]	12例15側	観血的ヘルニア根治術	75%（12例中9例）	—	73%（15側中11側）
浅野ら[85]	8例13側	観血的ヘルニア根治術	100%（経過観察できた7例中7例）	7.4週（6～9週）	—
大和ら[86]	62例	観血的ヘルニア根治術	90.3%（62例中56例）	7.5週（3.5～32週）	66%（術後成績がexcellent）

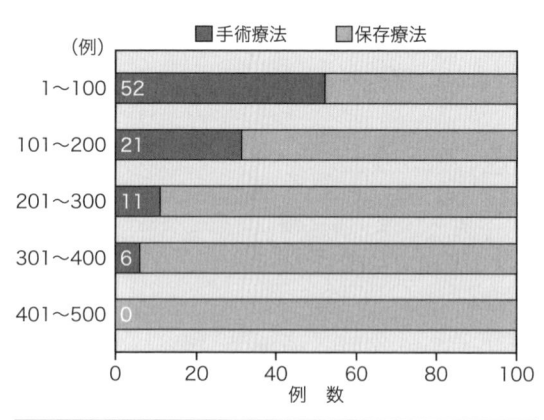

図12-9 1994～2005年における川口工業総合病院でのヘルニア根治術施行率の変遷（文献81より引用）

表12-15 手術療法と保存療法の治療成績（スポーツ復帰時期）の比較（文献80より引用）

	手術療法	保存療法
症例数	62例	67例
平均	7.5週（3.5～32週）	8.0週（1～24週）
1ヵ月以内	9%	38%
2ヵ月以内	75%	67%
3ヵ月以内	88%	81%
3ヵ月以上	13%	19%
未復帰例	6例	2例

「全身的アプローチ」の先駆け的な診断・治療ともいえる。具体的な診断・治療の詳細は文献80～83を参照していただきたい。

本邦の手術療法の治療成績では，本章でまとめた治療成績とほぼ同等の結果が報告されているが（**表12-14**）[84～86]，大和ら[86]および仁賀ら[81]は，手術を行う前に，上記の考えに基づく保存療法を行うことで手術にいたる例は年々減少し，近年では手術例はほとんどいないことを報告した（**図12-9**）。保存療法と手術療法の比較では，仁賀ら[80]が1994～1998年にスポーツヘルニアの診断のもとでヘルニア根治術を行った62例と，2002～2005年に上記の鼠径部痛症候群の定義による診断・治療のもとで保存療法を行った67例の後ろ向き調査を報告した。その結果，スポーツ復帰率（手術群90.3% vs. 保存群97.0%），復帰時期（手術群7.5週 vs 保存群8.0週）はほぼ同様であった（**表12-15**）[80]。ただし，復帰時期に関しては，保存療法群では初診からスポーツ復帰までの時期であるが，手術療法群では手術からの時期である。初診時から手術にいたるまでの期間が平均8.1週経過しているため，初診時からスポーツ復帰に要する期間では，保存療法が手術療法に劣るとは考えられないと考察した[80]。また，再発予防の観点からも，準備運動や日々のトレーニングなどに取り入れられる保存療法を積極的に行うほうがよりよい治療であると考察した[81]。仁賀らが報告してきた保存療法の治療成績（**表12-15**）は，本項でレビューを行った海外の報告と単純に比較できるものではないものの，海外の保存療法の治療成績よりも良好であり，手術療法の治療成績にも劣らない結果であった。

I. まとめ

1. すでに**真実として承認されていること**
- 手術療法の臨床成績は概ね良好である。
- ヘルニア根治術の場合，観血的手術より腹腔鏡視下手術のほうがスポーツ復帰時期は早い。
- いわゆる"passive"な保存療法の臨床成績は不良であり，"active"な運動療法のほうが臨床成績は良好である。

2. 議論の余地はあるが，今後の重要な研究テーマとなること
- 恥骨結合炎や腱付着部症の根治を目的とした注射療法（prolotherapy）の臨床成績が良好であること。
- 現在のところ，保存療法（いわゆる"active"な保存療法まで）よりも手術療法のほうが良好な臨床成績であること。
- 鼠径部痛症例の全身的な機能障害に着目したアプローチによる保存療法の今後の可能性について。
- エクササイズによる鼠径部痛予防効果の検証について。

J. 今後の課題

- 病態の解明と診断方法が確立することが必要で，そのうえで病態やスポーツ種目などを厳密にコントロールした各治療法の効果を検証する必要がある。
- 鼠径部痛症例の病態や機能不全のさらなる解明に即した治療法の考案が期待される。
- 本邦における鼠径部痛症候群の診断・治療法および治療成績のグローバル化。

文献

1. Caudill P, Nyland J, Smith C, Yerasimides J, Lach J: Sports hernias: a systematic literature review. *Br J Sports Med*. 2008; 42: 954-64.
2. Farber AJ, Wilckens JH: Sports hernia: diagnosis and therapeutic approach. *J Am Acad Orthop Surg*. 2007; 15: 507-14.
3. Jansen JA, Mens JM, Backx FJ, Kolfschoten N, Stam HJ: Treatment of longstanding groin pain in athletes: a systematic review. *Scand J Med Sci Sports*. 2008; 18: 263-74.
4. Lynch SA, Renstrom PA: Groin injuries in sport: treatment strategies. *Sports Med*. 1999; 28: 137-44.
5. Morales-Conde S, Socas M, Barranco A: Sportsmen hernia: what do we know? *Hernia*. 2010; 14: 5-15.
6. Swan KG Jr, Wolcott M: The athletic hernia: a systematic review. *Clin Orthop Relat Res*. 2007; 455: 78-87.
7. Kluin J, den Hoed PT, van Linschoten R, IJzerman JC, van Steensel CJ: Endoscopic evaluation and treatment of groin pain in the athlete. *Am J Sports Med*. 2004; 32: 944-9.
8. Arnason A, Sigurdsson SB, Gudmundsson A, Holme I, Engebretsen L, Bahr R: Risk factors for injuries in football. *Am J Sports Med*. 2004; 32 (1 Suppl): 5S-16S.
9. Susmallian S, Ezri T, Elis M, Warters R, Charuzi I, Muggia-Sullam M: Laparoscopic repair of "sportsman's hernia" in soccer players as treatment of chronic inguinal pain. *Med Sci Monit*. 2004; 10: CR52-4.
10. Lovell G: The diagnosis of chronic groin pain in athletes: a review of 189 cases. *Aust J Sci Med Sport*. 1995; 27: 76-9.
11. Ekberg O, Persson NH, Abrahamsson PA, Westlin NE, Lilja B: Longstanding groin pain in athletes. A multidisciplinary approach. *Sports Med*. 1988; 6: 56-61.
12. Hölmich P, Larsen K, Krogsgaard K, Gluud C: Exercise program for prevention of groin pain in football players: a cluster-randomized trial. *Scand J Med Sci Sports*. 2010; 20: 814-21.
13. Ahumada LA, Ashruf S, Espinosa-de-los-Monteros A, Long JN, de la Torre JI, Garth WP, Vasconez LO: Athletic pubalgia: definition and surgical treatment. *Ann Plast Surg*. 2005; 55: 393-6.
14. Atkinson HD, Johal P, Falworth MS, Ranawat VS, Dala-Ali B, Martin DK: Adductor tenotomy: its role in the management of sports-related chronic groin pain. *Arch Orthop Trauma Surg*. 2010; 130: 965-70.
15. Biedert RM, Warnke K, Meyer S: Symphysis syndrome in athletes: surgical treatment for chronic lower abdominal, groin, and adductor pain in athletes. *Clin J Sport Med*. 2003; 13: 278-84.
16. Kachingwe AF, Grech S: Proposed algorithm for the management of athletes with athletic pubalgia (sports hernia): a case series. *J Orthop Sports Phys Ther*. 2008; 38: 768-81.
17. Lloyd DM, Sutton CD, Altafa A, Fareed K, Bloxham L, Spencer L, Garcea G: Laparoscopic inguinal ligament tenotomy and mesh reinforcement of the anterior abdominal wall: a new approach for the management of chronic groin pain. *Surg Laparosc Endosc Percutan Tech*. 2008; 18: 363-8.
18. Malycha P, Lovell G: Inguinal surgery in athletes with chronic groin pain: the 'sportsman's' hernia. *Aust N Z J*

19. Steele P, Annear P, Grove JR: Surgery for posterior inguinal wall deficiency in athletes. *J Sci Med Sport*. 2004; 7: 415-21; discussion 422-3.
20. Brannigan AE, Kerin MJ, McEntee GP: Gilmore's groin repair in athletes. *J Orthop Sports Phys Ther*. 2000; 30: 329-32.
21. Brown RA, Mascia A, Kinnear DG, Lacroix V, Feldman L, Mulder DS: An 18-year review of sports groin injuries in the elite hockey player: clinical presentation, new diagnostic imaging, treatment, and results. *Clin J Sport Med*. 2008; 18: 221-6.
22. Canonico S, Benevento R, Della Corte A, Fattopace A, Canonico R: Sutureless tension-free hernia repair with human fibrin glue (tissucol) in soccer players with chronic inguinal pain: initial experience. *Int J Sports Med*. 2007; 28: 873-6.
23. Hackney RG: The sports hernia: a cause of chronic groin pain. *Br J Sports Med*. 1993; 27: 58-62.
24. Ingoldby CJ: Laparoscopic and conventional repair of groin disruption in sportsmen. *Br J Surg*. 1997; 84: 213-5.
25. Irshad K, Feldman LS, Lavoie C, Lacroix VJ, Mulder DS, Brown RA: Operative management of "hockey groin syndrome": 12 years of experience in National Hockey League players. *Surgery*. 2001; 130: 759-64; discussion 764-6.
26. Joesting DR: Diagnosis and treatment of sportsman's hernia. *Curr Sports Med Rep*. 2002; 1: 121-4.
27. Kalebo P, Karlsson J, Sward L, Peterson L: Ultrasonography of chronic tendon injuries in the groin. *Am J Sports Med*. 1992; 20: 634-9.
28. Kumar A, Doran J, Batt ME, Nguyen-Van-Tam JS, Beckingham IJ: Results of inguinal canal repair in athletes with sports hernia. *J R Coll Surg Edinb*. 2002; 47: 561-5.
29. Lacroix VJ, Kinnear DG, Mulder DS, Brown RA: Lower abdominal pain syndrome in national hockey league players: a report of 11 cases. *Clin J Sport Med*. 1998; 8: 5-9.
30. Meyers WC, Foley DP, Garrett WE, Lohnes JH, Mandlebaum BR: Management of severe lower abdominal or inguinal pain in high-performance athletes. PAIN (Performing Athletes with Abdominal or Inguinal Neuromuscular Pain Study Group). *Am J Sports Med*. 2000; 28: 2-8.
31. Muschaweck U, Berger L: Minimal repair technique of sportsmen's groin: an innovative open-suture repair to treat chronic inguinal pain. *Hernia*. 2010; 14: 27-33.
32. Polglase AL, Frydman GM, Farmer KC: Inguinal surgery for debilitating chronic groin pain in athletes. *Med J Aust*. 1991; 155: 674-7.
33. Smedberg SG, Broome AE, Gullmo A, Roos H: Herniography in athletes with groin pain. *Am J Surg*. 1985; 149: 378-82.
34. Van Der Donckt K, Steenbrugge F, Van Den Abbeele K, Verdonk R, Verhelst M: Bassini's hernial repair and adductor longus tenotomy in the treatment of chronic groin pain in athletes. *Acta Orthop Belg*. 2003; 69: 35-41.
35. Bradshaw CJ, Bundy M, Falvey E: The diagnosis of longstanding groin pain: a prospective clinical cohort study. *Br J Sports Med*. 2008; 42: 851-4.
36. Edelman DS, Selesnick H: "Sports" hernia: treatment with biologic mesh (Surgisis): a preliminary study. *Surg Endosc*. 2006; 20: 971-3.
37. Genitsaris M, Goulimaris I, Sikas N: Laparoscopic repair of groin pain in athletes. *Am J Sports Med*. 2004; 32: 1238-42.
38. Mann CD, Sutton CD, Garcea G, Lloyd DM: The inguinal release procedure for groin pain: initial experience in 73 sportsmen/women. *Br J Sports Med*. 2009; 43: 579-83.
39. Paajanen H, Brinck T, Hermunen H, Airo I: Laparoscopic surgery for chronic groin pain in athletes is more effective than nonoperative treatment: a randomized clinical trial with magnetic resonance imaging of 60 patients with sportsman's hernia (athletic pubalgia). *Surgery*. 2011; 150: 99-107.
40. Paajanen H, Syvahuoko I, Airo I: Totally extraperitoneal endoscopic (TEP) treatment of sportsman's hernia. *Surg Laparosc Endosc Percutan Tech*. 2004; 14: 215-8.
41. Srinivasan A, Schuricht A: Long-term follow-up of laparoscopic preperitoneal hernia repair in professional athletes. J Laparoendosc *Adv Surg Tech A*. 2002; 12: 101-6.
42. van Veen RN, de Baat P, Heijboer MP, Kazemier G, Punt BJ, Dwarkasing RS, Bonjer HJ, van Eijck CH: Successful endoscopic treatment of chronic groin pain in athletes. *Surg Endosc*. 2007; 21: 189-93.
43. Ziprin P, Prabhudesai SG, Abrahams S, Chadwick SJ: Transabdominal preperitoneal laparoscopic approach for the treatment of sportsman's hernia. *J Laparoendosc Adv Surg Tech A*. 2008; 18: 669-72.
44. Martens MA, Hansen L, Mulier JC: Adductor tendinitis and musculus rectus abdominis tendopathy. *Am J Sports Med*. 1987; 15: 353-6.
45. Ekstrand J, Ringborg S: Surgery versus conservative treatment in soccer players with chronic groin pain: a prospective randomised study in soccer players. *Eur J Sports Traumatol Relat Res (Testo stampato)*. 2001; 23: 141-5.
46. Akermark C, Johansson C: Tenotomy of the adductor longus tendon in the treatment of chronic groin pain in athletes. *Am J Sports Med*. 1992; 20: 640-3.
47. Dellon AL, Williams EH, Rosson GD, Hashemi SS, Tollestrup T, Hagen RR, Peled Z, Furtmueller G, Ebmer J: Denervation of the periosteal origin of the adductor muscles in conjunction with adductor fasciotomy in the surgical treatment of refractory groin pull. *Plast Reconstr Surg*. 2011; 128: 926-32.
48. Robertson IJ, Curran C, McCaffrey N, Shields CJ, McEntee GP: Adductor tenotomy in the management of groin pain in athletes. *Int J Sports Med*. 2011; 32: 45-8.
49. Bradshaw C, McCrory P, Bell S, Brukner P: Obturator nerve entrapment. A cause of groin pain in athletes. *Am J Sports Med*. 1997; 25: 402-8.
50. Ziprin P, Williams P, Foster ME: External oblique

aponeurosis nerve entrapment as a cause of groin pain in the athlete. *Br J Surg*. 1999; 86: 566-8.
51. Radic R, Annear P: Use of pubic symphysis curettage for treatment-resistant osteitis pubis in athletes. *Am J Sports Med*. 2008; 36: 122-8.
52. Hemingway AE, Herrington L, Blower AL: Changes in muscle strength and pain in response to surgical repair of posterior abdominal wall disruption followed by rehabilitation. *Br J Sports Med*. 2003; 37: 54-8.
53. Ashby EC: Chronic obscure groin pain is commonly caused by enthesopathy: 'tennis elbow' of the groin. *Br J Surg*. 1994; 81: 1632-4.
54. Holt MA, Keene JS, Graf BK, Helwig DC: Treatment of osteitis pubis in athletes. Results of corticosteroid injections. *Am J Sports Med*. 1995; 23: 601-6.
55. O'Connell MJ, Powell T, McCaffrey NM, O'Connell D, Eustace SJ: Symphyseal cleft injection in the diagnosis and treatment of osteitis pubis in athletes. *AJR Am J Roentgenol*. 2002; 179: 955-9.
56. Schilders E, Bismil Q, Robinson P, O'Connor PJ, Gibbon WW, Talbot JC: Adductor-related groin pain in competitive athletes. Role of adductor enthesis, magnetic resonance imaging, and entheseal pubic cleft injections. *J Bone Joint Surg Am*. 2007; 89: 2173-8.
57. Schilders E, Talbot JC, Robinson P, Dimitrakopoulou A, Gibbon WW, Bismil Q: Adductor-related groin pain in recreational athletes: role of the adductor enthesis, magnetic resonance imaging, and entheseal pubic cleft injections. *J Bone Joint Surg Am*. 2009; 91: 2455-60.
58. Topol GA, Reeves KD: Regenerative injection of elite athletes with career-altering chronic groin pain who fail conservative treatment: a consecutive case series. *Am J Phys Med Rehabil*. 2008; 87: 890-902.
59. Topol GA, Reeves KD, Hassanein KM: Efficacy of dextrose prolotherapy in elite male kicking-sport athletes with chronic groin pain. *Arch Phys Med Rehabil*. 2005; 86: 697-702.
60. Rodriguez C, Miguel A, Lima H, Heinrichs K: Osteitis pubis syndrome in the professional soccer athlete: a case report. *J Athl Train*. 2001; 36: 437-40.
61. Fricker PA, Taunton JE, Ammann W: Osteitis pubis in athletes. Infection, inflammation or injury? *Sports Med*. 1991; 12: 266-79.
62. Hölmich P, Uhrskou P, Ulnits L, Kanstrup IL, Nielsen MB, Bjerg AM, Krogsgaard K: Effectiveness of active physical training as treatment for long-standing adductor-related groin pain in athletes: randomised trial. *Lancet*. 1999; 353 (9151): 439-43.
63. Hölmich P, Nyvold P, Larsen K: Continued significant effect of physical training as treatment for overuse injury: 8- to 12-year outcome of a randomized clinical trial. *Am J Sports Med*. 2011; 39: 2447-51.
64. Verrall GM, Slavotinek JP, Fon GT, Barnes PG: Outcome of conservative management of athletic chronic groin injury diagnosed as pubic bone stress injury. *Am J Sports Med*. 2007; 35: 467-74.
65. Weir A, Jansen JA, van de Port IG, Van de Sande HB, Tol JL, Backx FJ: Manual or exercise therapy for longstanding adductor-related groin pain: a randomised controlled clinical trial. *Man Ther*. 2011; 16: 148-54.
66. Weir A, Veger SA, Van de Sande HB, Bakker EW, de Jonge S, Tol JL: A manual therapy technique for chronic adductor-related groin pain in athletes: a case series. *Scand J Med Sci Sports*. 2009; 19: 616-20.
67. Cowan SM, Schache AG, Brukner P, Bennell KL, Hodges PW, Coburn P, Crossley KM: Delayed onset of transversus abdominus in long-standing groin pain. *Med Sci Sports Exerc*. 2004; 36: 2040-5.
68. Crow JF, Pearce AJ, Veale JP, VanderWesthuizen D, Coburn PT, Pizzari T: Hip adductor muscle strength is reduced preceding and during the onset of groin pain in elite junior Australian football players. *J Sci Med Sport*. 2010; 13: 202-4.
69. Engebretsen AH, Myklebust G, Holme I, Engebretsen L, Bahr R: Intrinsic risk factors for groin injuries among male soccer players: a prospective cohort study. *Am J Sports Med*. 2010; 38: 2051-7.
70. Jansen J, Weir A, Denis R, Mens J, Backx F, Stam H: Resting thickness of transversus abdominis is decreased in athletes with longstanding adduction-related groin pain. *Man Ther*. 2010; 15: 200-5.
71. Jarosz BS: Individualized multi-modal management of osteitis pubis in an Australian Rules footballer. *J Chiropr Med*. 2011; 10: 105-10.
72. Mens J, Inklaar H, Koes BW, Stam HJ: A new view on adduction-related groin pain. *Clin J Sport Med*. 2006; 16: 15-9.
73. Thorborg K, Serner A, Petersen J, Madsen TM, Magnusson P, Hölmich P: Hip adduction and abduction strength profiles in elite soccer players: implications for clinical evaluation of hip adductor muscle recovery after injury. *Am J Sports Med*. 2011; 39: 121-6.
74. Tyler TF, Nicholas SJ, Campbell RJ, McHugh MP: The association of hip strength and flexibility with the incidence of adductor muscle strains in professional ice hockey players. *Am J Sports Med*. 2001; 29: 124-8.
75. Verrall GM, Slavotinek JP, Barnes PG, Esterman A, Oakeshott RD, Spriggins AJ: Hip joint range of motion restriction precedes athletic chronic groin injury. *J Sci Med Sport*. 2007; 10: 463-6.
76. Weir A, Jansen J, van Keulen J, Mens J, Backx F, Stam H: Short and mid-term results of a comprehensive treatment program for longstanding adductor-related groin pain in athletes: a case series. *Phys Ther Sport*. 2010; 11: 99-103.
77. Wollin M, Lovell G: Osteitis pubis in four young football players: A case series demonstrating successful rehabilitation. *Phys Ther Sport*. 2006; 7: 153-60.
78. Engebretsen AH, Myklebust G, Holme I, Engebretsen L, Bahr R: Prevention of injuries among male soccer players: a prospective, randomized intervention study targeting players with previous injuries or reduced function. *Am J Sports Med*. 2008; 36: 1052-60.
79. 仁賀定雄, 池田浩夫：鼠径部痛症候群の診断と治療 総論 (病態・歴史). 臨床スポーツ医学. 2006; 23: 733-41
80. 仁賀定雄, 池田浩夫, 張　禎浩, 望月智之, 吉村英哉, 坂口祐輔, 岩澤大輔：鼠径部痛症候群に対する保存

81. 仁賀定雄, 野崎信行：スポーツ障害とその予防・再発予防 鼠径部痛症候群 発症メカニズムとその予防・再発予防. 臨床スポーツ医学. 2008; 25 (臨増): 236-45.
82. 野崎信行：鼠径部痛症候群に対するアスレティックリハビリテーションの実際. 臨床スポーツ医学. 2006; 23: 779-91.
83. 野崎信行, 仁賀定雄：スポーツ選手の鼠径部痛に対するリハビリテーション. 整形・災害外科. 1998; 41: 1261-7.

療法. 臨床スポーツ医学. 2006; 23: 763-77.

84. 出口伸治, 奥江　章, 井樋直孝, 中島勝也, 岸川陽一, 本山達男, 石河利之, 林田　裕：サッカー選手のスポーツヘルニア. 整形外科と災害外科. 1997; 46: 142-6.
85. 浅野雅嘉, 田中千凱, 種村廣巳：スポーツヘルニア手術例の検討. 日本臨床外科学会雑誌. 1998; 59: 3000-4.
86. 大和幸保, 仁賀定雄：鼠径部痛症候群に対する手術療法 (Shouldice変法の経験). 臨床スポーツ医学. 2006; 23:751-62.

（佐藤正裕）

第5章
骨盤・股関節・鼠径部疾患の私の治療

　第5章では，骨盤輪不安定症，大腿骨寛骨臼インピンジメント（FAI），鼠径部痛症候群の各テーマについての論文を掲載した．この章の目的は，各疾患のエキスパートによる治療法を紹介するとともに，包括的レビューで得た知識と，実際の臨床現場での治療内容とを照合する機会を提供することである．前章までの包括的レビューとは異なり，臨床的な視点で，治療場面での診断・評価，治療法の選択，治療法の実際などについてご記載いただいた．

　本書で取り上げた多くの疾患において，エビデンスレベルの高い研究は十分とはいえず，必然的にエビデンスレベルの低い論文，バイオメカニクスや疫学などの基礎的な研究を参考にせざるをえない．その際に，一定の経験を積んだ臨床家による臨床的な推論や意思決定のプロセスに，どのような文献的情報が加味されているのかを知ることは，若手セラピストにとっては重要な道標になると思われる．したがって，本章では第1章から第4章までに記載された文献レビューの結果とともに，経験豊富な著者の臨床的な思考や意思決定にいたるプロセスを十分に盛り込んでいただいた．

　骨盤輪不安定症については野口敦先生に，骨盤輪不安定症の定義から診断，評価，そして安定化のための治療法について記載していただいた．特に骨盤輪の安定化に重要な腹横筋，多裂筋，骨盤底筋，横隔膜，そして内閉鎖筋の機能解剖学的な視点での治療方針をご提示いただいた．

　FAIについては，股関節鏡視下手術のエキスパートで，国内はもとよりアメリカ整形外科学会（AAOS）などでも多数の発表や教育研修を行っておられる内田宗志先生にご執筆いただいた．豊富な診療・手術経験と科学的検証に裏打ちされた臨床から，診断，手術法，後療法までを漏れなくご記載いただいた．

　鼠径部痛症候群については僭越ながら蒲田和芳が担当させていただいた．鼠径部痛症候群を1つの病態として捉えるのではなく，恥骨結合，股関節，鼠径靱帯付近という3つの機能異常をベースにする疾患概念を提唱するとともに，それぞれの機能異常に対する治療法を提唱させていただいた．

　本章の記載内容は十分なエビデンスの裏づけのない情報も含まれている．しかしながら，これらの臨床的な推論や意思決定の根拠となる思考は，医療の進歩において結論ではないかもしれないが，今後の研究や臨床を前進させるためのヒントを提供してくれるものと考えている．今後の検討課題を多く含むことを前提としてお読みいただけると幸いである．

第5章編集担当：蒲田　和芳

13. 骨盤輪不安定症の治療

A. 骨盤輪不安定症とは

骨盤輪不安定症は女性に多くみられ，仙腸関節や恥骨結合に異常可動性が生じ，骨盤輪が不安定になる病態を総称する．骨盤輪不安定症について，田中[1]は，

①腰仙部あるいは恥骨結合の疼痛を有すること
②仙腸関節や恥骨結合部に圧痛を有すること
③仙腸関節部や恥骨結合部への局麻剤注入により上記症状が軽快すること
④骨盤負荷テストが陽性のこと
⑤片脚起立時のX線像で恥骨結合部に異常可動性がみられること

のうち4項目を満たすものを"骨盤輪不安定症"と定義した．なお，外傷や炎症性疾患などに起因していることが明らかな症例は二次性（症候性）という理由で除外する．

B. 骨盤輪の不安定性テスト

関節を適宜最適な状態で機能させるには，さまざまな環境の変化に瞬時に対応する安定性の確保・維持が最も重要である．ここでは，数ある徒手的検査のなかで，腰椎-骨盤輪（帯）-股関節を1つのユニットとして捉え，荷重伝達機能の中心となる骨盤輪（帯）に焦点を絞り，①疼痛誘発テスト，②荷重伝達テスト，③仙腸関節機能テスト，④Trendelenburg and S1 nerve root testについて述べる．

1. 疼痛誘発テスト（pain provocation test）

疼痛誘発テストは一般に骨・関節・靱帯系の受

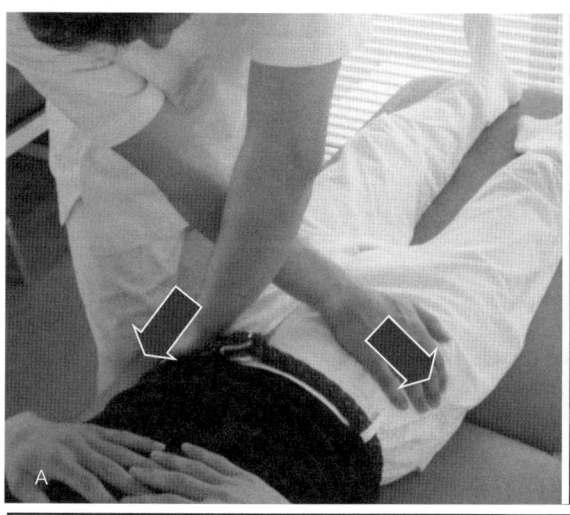

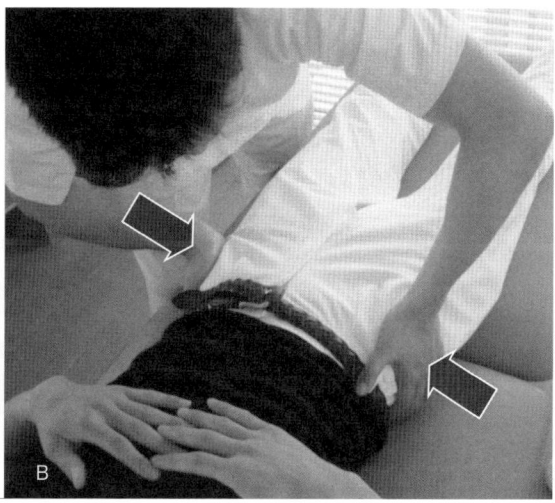

図13-1 仙腸関節ストレステスト
A：離開テスト，B：圧迫テスト．

第5章 骨盤・股関節・鼠径部疾患の私の治療

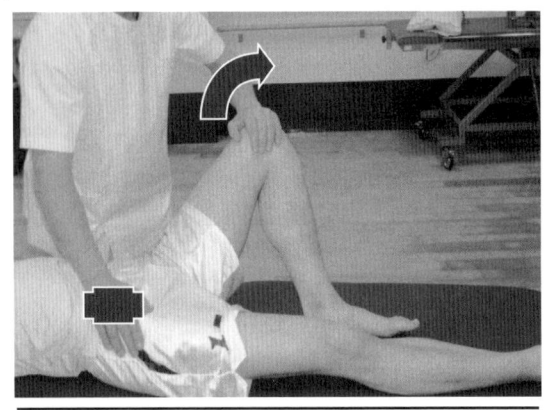

図13-2 Patrick test
制限や痛みが認められた場合，仙腸関節後方での圧迫と前方での離開ストレスのほか，内旋筋・内転筋の短縮，股関節可動域の低下，下位腰椎椎間関節障害を疑う。

動的制御を評価する検査法であり，不安定性に伴う痛みが再現された場合に陽性とする。代表的なテストに，①仙腸関節ストレステスト，②Patrick test，③仙骨後-前方加圧テスト，がある。

1）仙腸関節ストレステスト（図13-1）
(1) Distraction test（離開テスト）

骨盤の上で両腕を交差させ，両側の上前腸骨棘（ASIS）の内側面に両手を置き，後外側力を加えることにより，仙腸関節の腹側面および恥骨結合を引き離し，前方構造を離開する（後方構造に対しては圧迫）。

(2) Compression test（圧迫テスト）

両側の腸骨の前外側面に手掌を置き，左右両側から骨盤に力を加えることで，仙腸関節にストレ

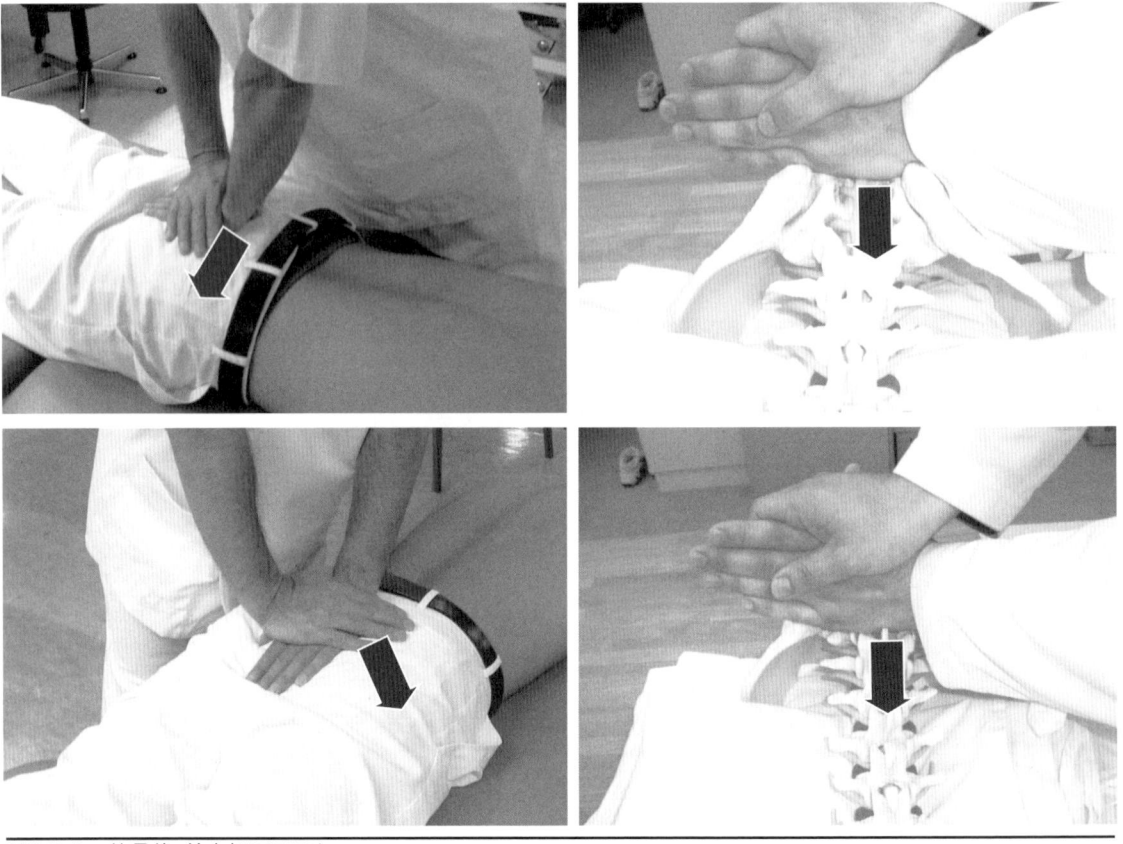

図13-3 仙骨後-前方加圧テスト
上：長背側仙腸靱帯に対して，下：仙結節靱帯・骨間仙腸靱帯に対して。

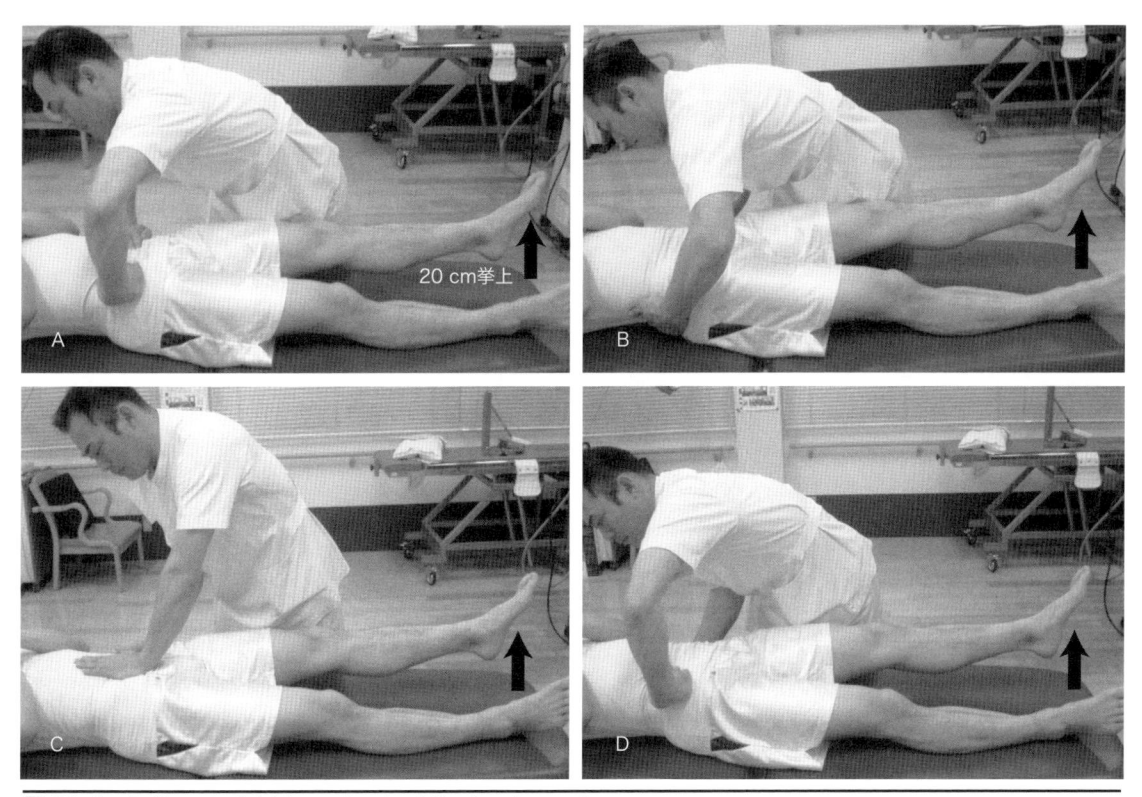

図 13-4　Active straight leg raise test for local muscles
A：ASIS レベルでの腹横筋の圧迫，B：PSIS レベルでの多裂筋の圧迫，C：恥骨結合レベルでの骨盤底筋の圧迫，D：右腹横筋と左多裂筋の圧迫。

スを与え，前方構造を圧迫する（後方構造に対しては離開）。

2）Patrick test（図 13-2）

検査側の踵を膝関節の横に置き，反対側のASIS を固定し，膝関節を外側へ倒して，外転・外旋ストレスをかける。

3）仙骨後-前方加圧テスト（図 13-3）
(1) 長背側仙腸靱帯に対して

仙骨尖正中を触診し，仙骨への前方力を加え，仙骨の起き上がり運動を起こす。20秒加圧を保持し，痛みの誘発，疼痛発現部位を評価する。

(2) 仙結節靱帯・骨間仙腸靱帯に対して

仙骨底の正中を触診し，仙骨への前方力を加え，仙骨のうなずき運動を起こす。20秒加圧を保持し，痛みの誘発，疼痛発現部位を評価する。

2. 荷重伝達テスト（load transfer test）

腰椎-骨盤輪（帯）-股関節ユニットは主に座位，起立位，歩行時などにおいて上半身から下肢へ，またはその逆へ荷重を伝達する機能を有する。われわれの住む地球上において，身体は常に重力の影響を受けている。この重力環境のもと，いかにパフォーマンスを発揮できるのかが鍵となる。

荷重伝達は task（課題）によって変化する strategy（運動戦略）であり，①骨・関節・靱帯系の受動的制御，②筋・筋膜系の能動的制御，③中枢神経系による筋の制御（神経筋系制御），④心理・認知的側面からの制御，という4つの因子がそれぞれパズルのように依存しあっている。例

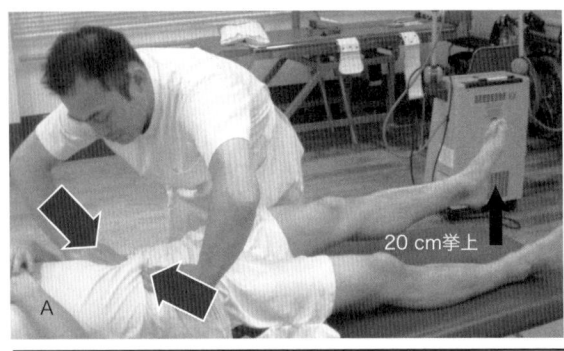

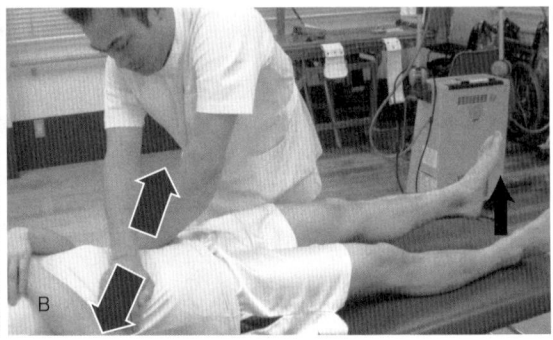

第5章 骨盤・股関節・鼠径部疾患の私の治療

図13-5 Active straight leg raise test for global muscles（1）
A：斜方向システムの圧迫，B：斜方向システムのリリース。

えば，痛みにより防御的姿勢を呈した拙い戦略では，どのような負荷に対しても同じ筋を収縮させており効率的に筋を使えていない。力の伝達の非効率的な戦略は筋・筋膜を含む結合組織に機械的ストレスを加え，さらなる痛みを引き起こし，やがて中枢神経感作を生じることになるであろう。荷重伝達機能の代表的なテストに，①Active straight leg raise test，②One leg standing test，③Forward bending test（前屈テスト）がある。

1）Active straight leg raise test

Active straight leg raise testは下肢から体幹への荷重伝達機能を評価するために用い，下肢伸展位で軽度挙上（20 cm程度）を指示する。痛みや不快感により円滑に遂行できない場合，腹横筋，多裂筋，骨盤底筋の作用を促せる（local musclesへの促通）ように圧迫し，再度下肢挙上を行わせ，その変化を比較する（図13-4）。また，local musclesが正常に機能しない場合，global muscleが代償して下肢挙上を行うため，骨盤や体幹，下肢の動きが伴うようになる。そこで過剰に働くglobal musclesをリリースし，再度下肢挙上を行わせ，その変化を比較する（図13-5，図13-6）。圧迫やリリース時に，より痛みや不快感が軽減して動作が円滑に遂行できる場合を陽性とし，荷重伝達機能の低下を示唆するものとして捉える。

下肢伸展挙上時，腹横筋は挙上や保持の際に両側とも働き，内腹斜筋は反対側が働く。また腰痛患者では，対照群に比べて挙上時の腹横筋および反対側の内腹斜筋の活動が小さいことが報告されている[2]（図13-7）。したがって，骨盤のコントロールができず，下肢の回旋が生じやすい。前部斜方向システムである腹斜筋群，反対側の内転筋群の協調した働きが必要となる（図13-8）[3]。このシステムで重要となる部分が恥骨結合部である。

恥骨結合は上方と下方でそれぞれ上恥骨靱帯と恥骨弓靱帯により補強され，それらは錐体筋や腹直筋（腱膜を含む），外腹斜筋，対側の内転筋群と腱膜様性の連結があり（図13-9）[4]，体幹から下肢，または下肢から体幹への荷重伝達機能にかかわる。骨盤内腔では恥骨弓靱帯と骨盤底筋は筋・腱膜様性の連結をもち（図13-10）[5]，骨盤底筋は間接的に前部斜方向システムとの関連性が強い。

2）One leg standing test；support phase（Stork test）

One leg standing testは仙腸関節の安定性を評価する検査で，立位で一側の母指で仙骨溝または仙骨下外側角（ILA）を，反対側の母指で上後

13. 骨盤輪不安定症の治療

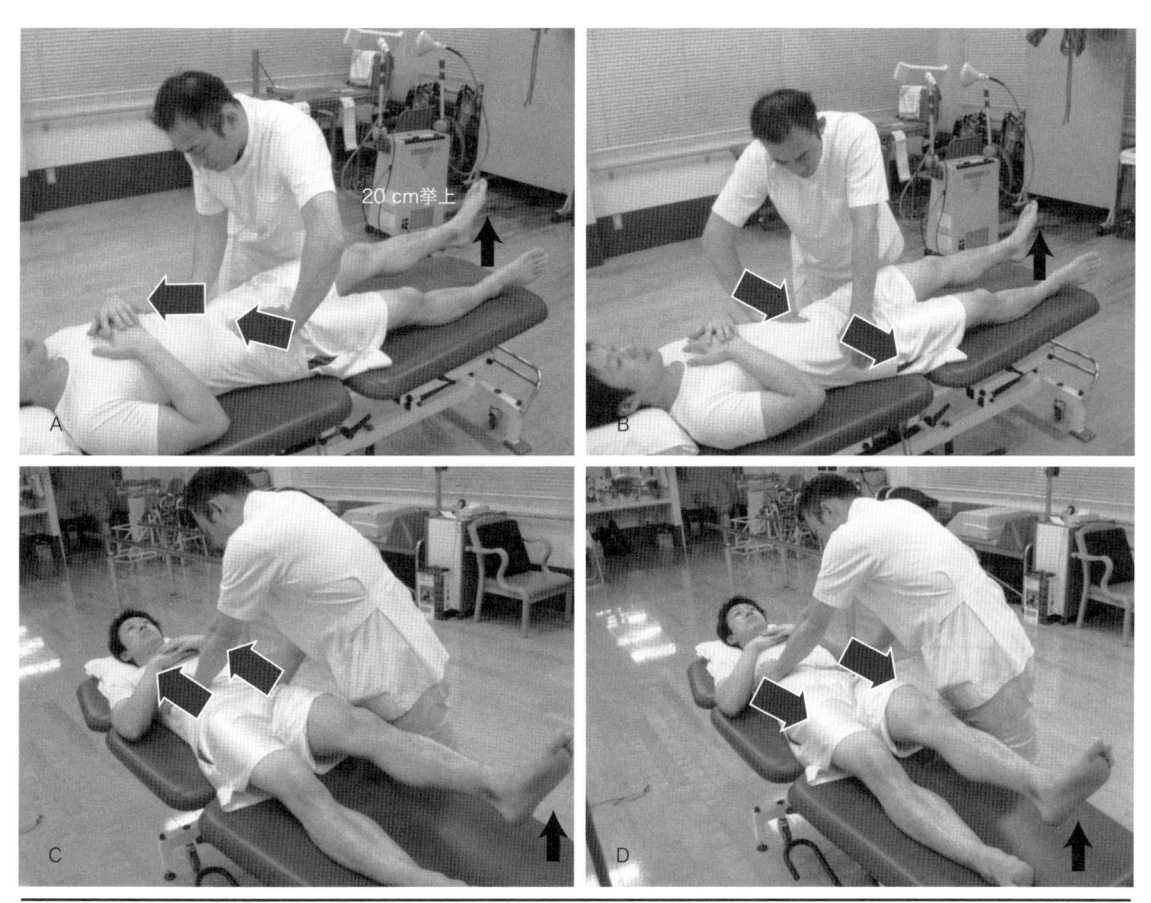

図13-6 Active straight leg raise test for global muscles（2）
A：左外腹斜筋リリースと右内腹斜筋圧迫，B：左外腹斜筋圧迫と右内腹斜筋のリリース，C：右外腹斜筋リリースと左内腹斜筋圧迫，D：右外腹斜筋圧迫と左内腹斜筋リリース。

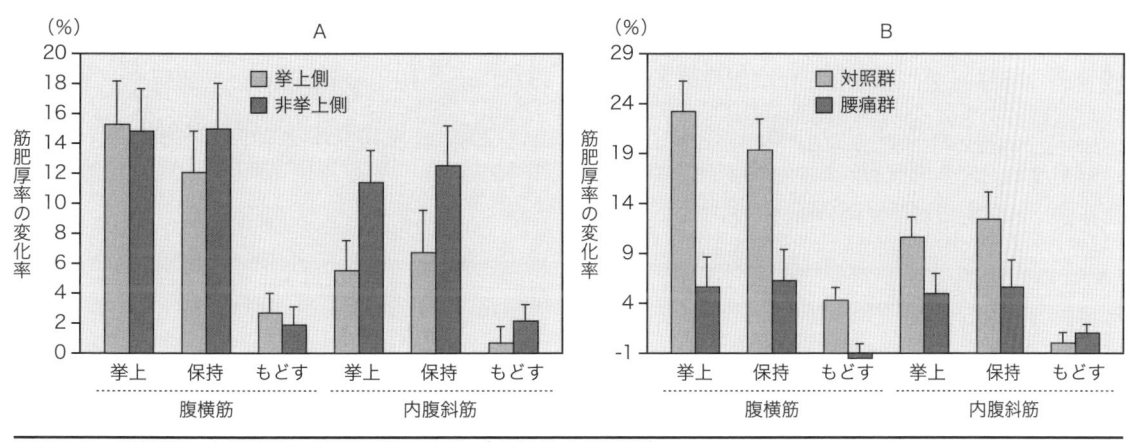

図13-7 腹横筋と内腹斜筋の筋肥厚率の変化（文献2より引用）
A：挙上側と非挙上側での比較，B：対照群と腰痛群との比較。

145

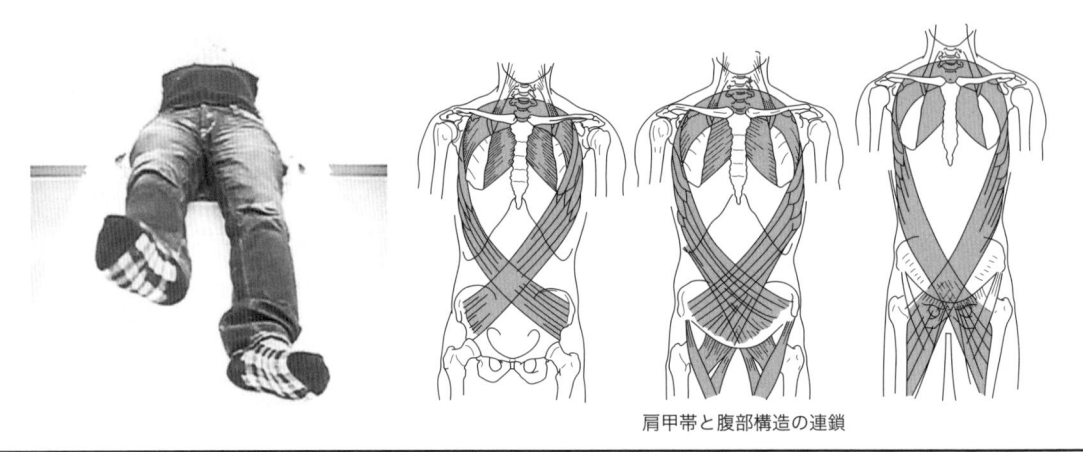

図13-8　Active straight leg raise test for global muscles（3）（文献3より引用）

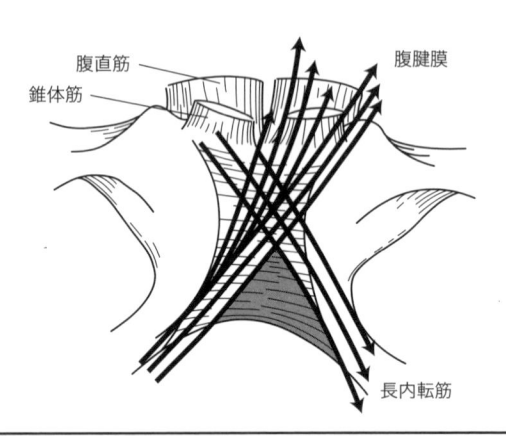

肩甲帯と腹部構造の連鎖

図13-9　恥骨結合前面部での筋・筋膜・腱膜性の連結（文献4より引用）

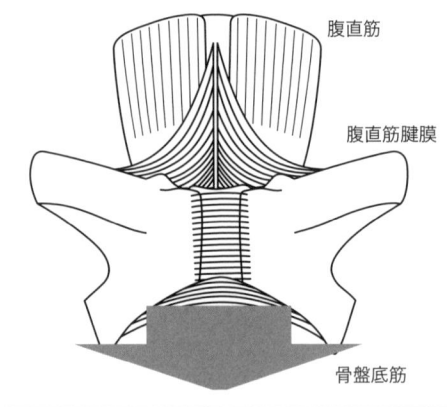

図13-10　恥骨結合部（骨盤内腔）での筋・筋膜・腱膜性の連結（文献5より改変）

腸骨棘（PSIS）を，示指と中指で腸骨稜をそれぞれ触知する。触知した側に体重を移し，反対側の股関節を70°程度屈曲させる（**図13-11**）。

正常では，支持脚側で寛骨の後方回旋と仙骨のニューテーションが起こり，仙腸関節に骨・関節・靭帯系の受動的制御によるロッキングが生じ，骨盤の傾斜や回旋，股関節の回旋はみられず，荷重伝達を可能にする（**図13-12**）[4, 6]。この荷重伝達機構が破綻すると，仙骨溝またはILAからPSISが離れるように上方に移動し寛骨の前方回旋がみられる。

3）Forward bending test（前屈テスト）

Forward bending testは仙腸関節の安定性を評価するもので，立位で両側のPSISを触知し，ゆっくり頭部から胸椎，腰椎と順に前屈するように指示する。このとき，PSISが動きはじめる時期の左右差を比較する（**図13-13**）。このテストでは，腰椎の屈曲，寛骨の前方回旋，仙骨のニューテーション，股関節の屈曲が必要となり，動作遂行における円滑性と対称性が要求される。

殿筋群やハムストリングスに過剰な緊張がある場合，寛骨の前方回旋が制限され，PSISの動きが生じない。また，一側のみに過剰な緊張がある場合にはPSISの動きに左右差が生じる。このよ

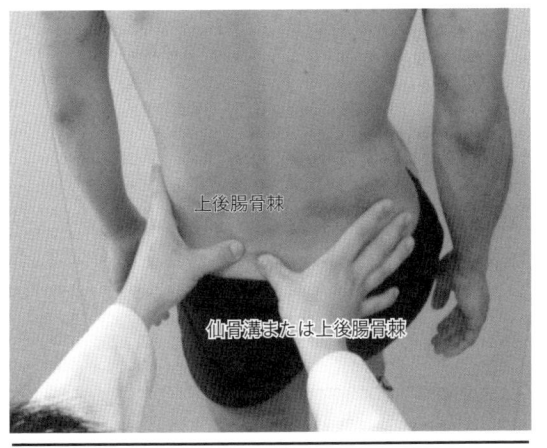

13. 骨盤輪不安定症の治療

図13-11 One leg standing test : support phase（Stork test）
荷重伝達機構が破綻すると，仙骨溝または仙骨下外側角から上後腸骨棘は離れるように寛骨の前方回旋がみられる。

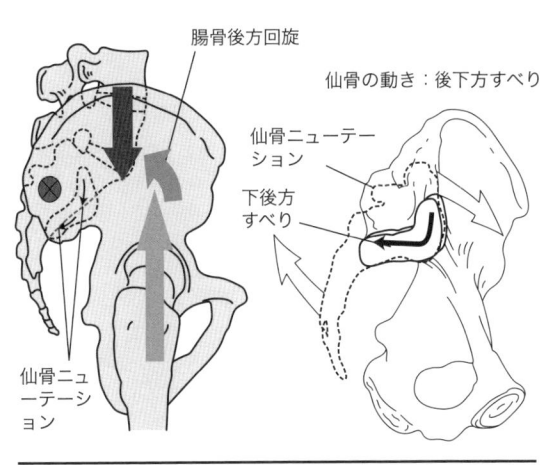

図13-12 仙骨のロッキングと動き（文献4, 6より引用）

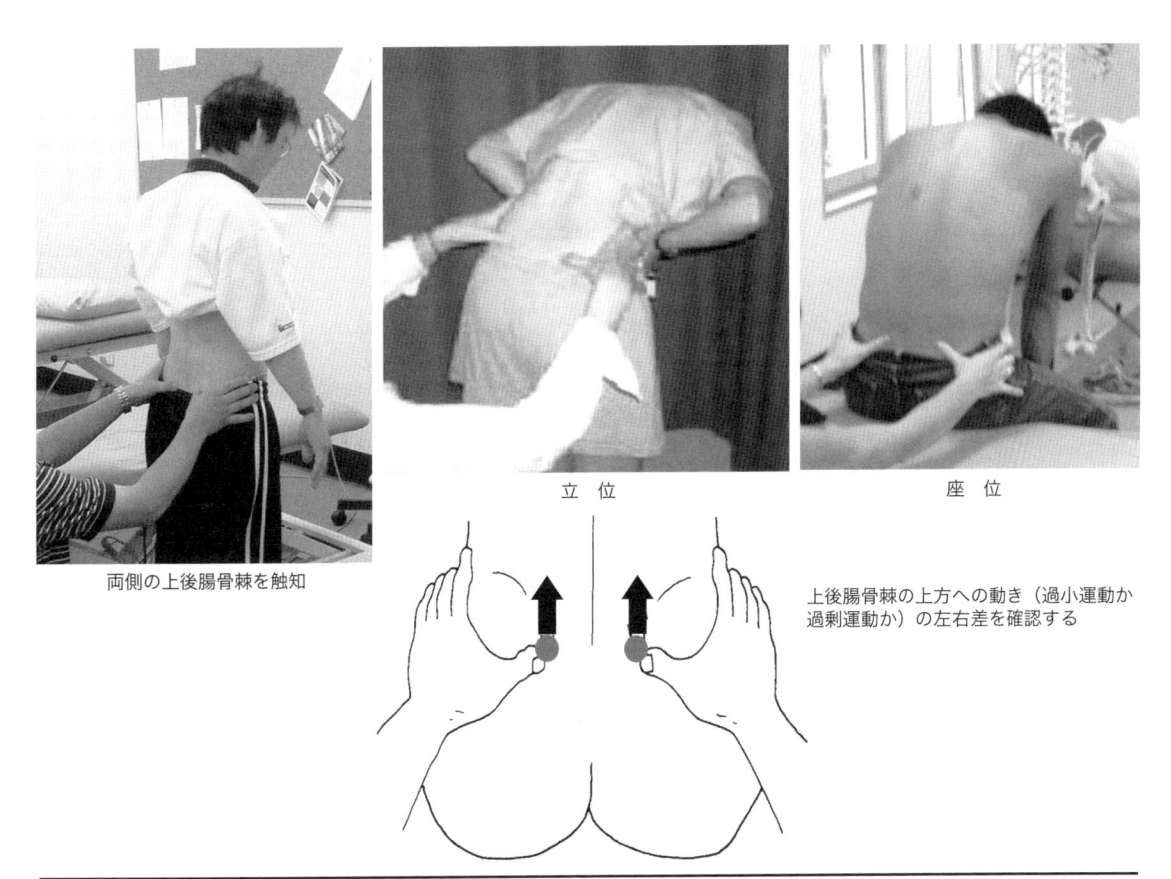

腸骨後方回旋
仙骨の動き：後下方すべり
仙骨ニューテーション
下後方すべり
仙骨ニューテーション

両側の上後腸骨棘を触知

立位　　座位

上後腸骨棘の上方への動き（過小運動か過剰運動か）の左右差を確認する

図13-13 Forward bending test（前屈テスト）
立位で上後腸骨棘の動きに左右差がみられた場合，座位で検査を行う。結果，左右差が消失した場合，下肢の抗重力筋の影響を示唆する。

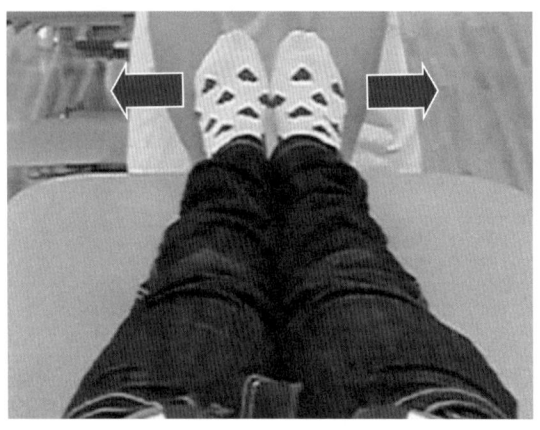

第5章 骨盤・股関節・鼠径部疾患の私の治療

図13-14 仙腸関節機能テスト
両内果が離れず下肢の内・外旋を伴わない内転・外転運動を行わせる。過剰な骨盤の動きが生じるか否かを確認する。

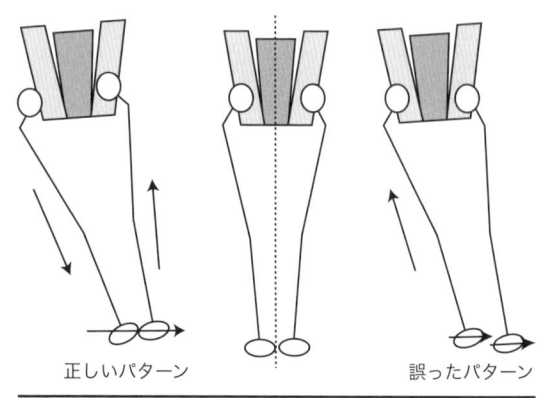

図13-15 仙腸関節機能テストにおける正しいパターンと誤ったパターン
正しいパターン：両下肢の位置は同じで手掌にのせた両踵部の重みも同じ。誤ったパターン：両下肢の位置を合わせるように骨盤の動きが過剰に起こり，両踵部の重みに左右差が生じる（前方回旋した側に重みを感じる）。

うな場合，座位で立位と同様にテストを行う。その結果，PSISの動きに改善がみられた場合，下肢の抗重力筋の影響を考慮できる。

3. 仙腸関節機能テスト

仙腸関節機能テストは，他動的な股関節運動に伴う下肢運動の左右差から仙腸関節機能の異常を検知することを目的として行う。背臥位で，両内果を合わせて両下肢踵部を手掌にのせる（**図13-14**）。両内果が離れず平行に動かすような股関節の内旋・外旋を伴わない内転・外転を行う。骨盤の位置を一定に保ったまま，内・外転が可能かどうかを左右で比較する。正常では，一側に動かした際，手掌にのせた両踵部から感じる重みは同じであるが，両下肢の位置を合わせるように骨盤の動きが過剰に起こると両踵部から感じる重みには左右差を生じる。例えば，両下肢を左方向に動かし右下肢に重みを感じた場合，右寛骨の前方回旋がみられ下肢は骨盤方向に移動していることが示唆される（**図13-15**）。

4. Trendelenburg and S1 nerve root test

仙腸関節の神経支配として，関節前面では第5腰神経と第1仙骨神経の前枝からの直接枝が，関節下方では上殿神経と第2仙骨神経後枝の外側枝が，関節後面では第5腰神経と第1仙骨神経後枝の外側枝がそれぞれ支配している。

Trendelenburg and S1 nerve root testは片脚立位にて踵のもち上げ（heel up）を4〜5回行い，骨盤の傾斜，重心線の偏移などがみられるかどうかを確認する[7]（**図13-16**）。仙腸関節機能障害がある場合，支持脚側への骨盤の下制，それに伴う体幹の反対側への側屈がみられる（**図13-17**）。

C. 骨盤輪の不安定性に対する治療への展開

骨盤輪は体幹-下肢間の力学的伝達に重要であり（**図13-18**），仙腸関節や恥骨結合の安定性が破綻すると四肢・体幹のコントロールが難しくなる。骨盤輪の安定性には骨盤底筋の機能獲得が重要である。しかし，局所的に骨盤輪のみにアプロ

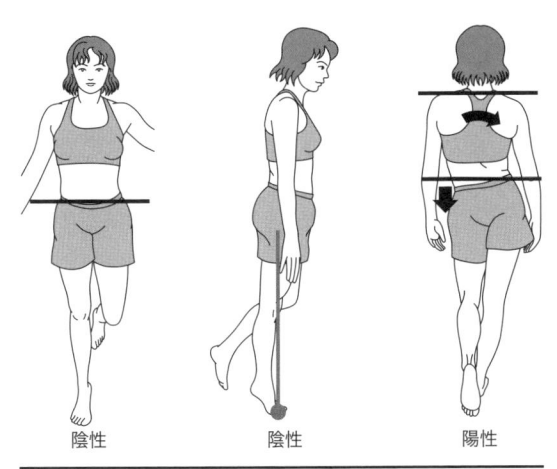

13. 骨盤輪不安定症の治療

図13-16 Trendelenburg and S1 nerve root test（文献7より作図）

図13-17 仙腸関節機能障害のある場合の片脚立位支持脚側への骨盤の下制と，それに伴う体幹の反対側への側屈がみられる。

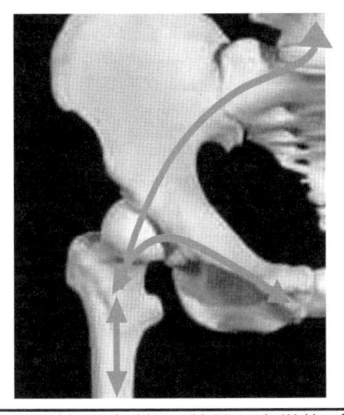

図13-18 体幹-骨盤輪-下肢間の力学的（荷重）伝達機構

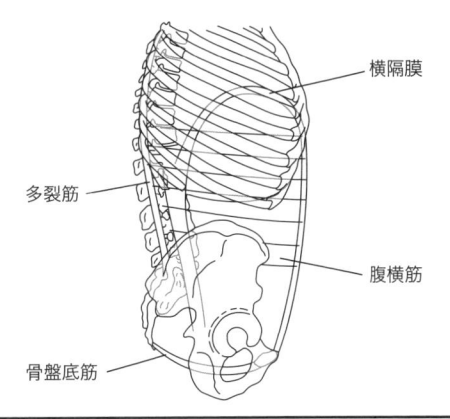

図13-19 インナーユニットマッスル（文献4より引用）

ーチしても四肢・体幹の円滑な動きが改善されるとは限らない。胸郭-脊柱-骨盤輪-股関節を含めた統合的な機能再獲得が治療のポイントとなり，これにかかわる腹横筋，多裂筋，横隔膜，骨盤底筋の再教育・再強化が必要である（**図13-19**）[4]。

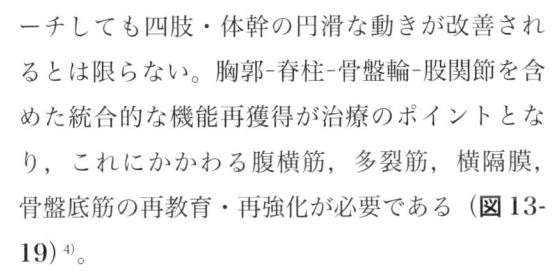

Urquhartら[8]は，腹横筋について，上部線維は胸郭の固定・安定化，中部線維は胸腰筋膜を緊張させ，腰椎の安定化，下部線維は仙腸関節の圧迫による安定化というそれぞれの機能を有し，胸郭-腰椎-骨盤の機能的安定化に寄与すると報告した。

MacDonaldら[9]は，多裂筋についてその深層線維が腰椎の安定化に関与，そして腹横筋と同調して働くと報告した。また，Hidesら[10]は，多裂筋の収縮能力は腹横筋の収縮能力に影響すると報告した。以上より，腹横筋と多裂筋の重要性は明らかである。

横隔膜の機能性を評価する場合，zone of apposition（横隔膜の胸郭内面と接している部分）を重要視する。この部位は腹部の筋と横隔膜の緊張によりコントロールされ，吸気時の下位肋骨の動きで確認できる（**図13-20**）。Boyleら[11]は，zone of appositionの減少に伴う影響について以

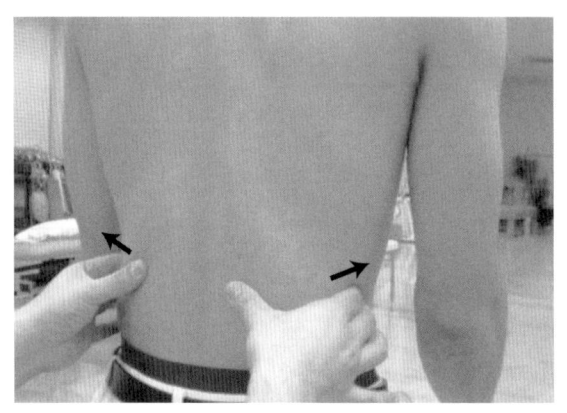

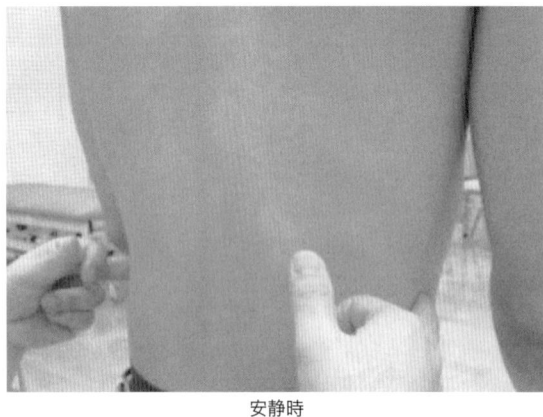

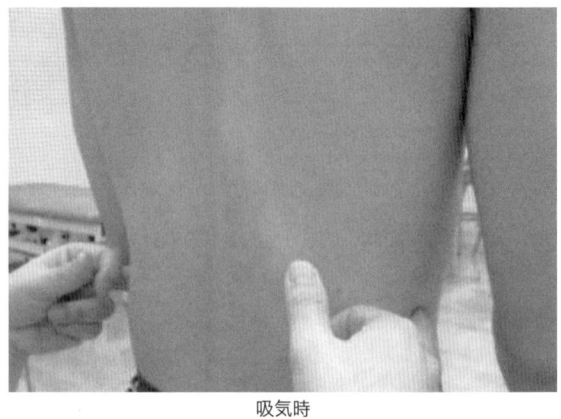

第5章 骨盤・股関節・鼠径部疾患の私の治療

図13-20 下位肋骨の外側（上方）への生理学的運動評価
吸気をさせた際、腰椎部の横隔膜がコントロールされていれば、下位肋骨は外側（上方）に動く。

表13-1 Zone of appositionの減少に伴う変化（文献11より改変）

運動耐用能の減少	腰椎前弯の増大／骨盤前傾の増大
腹腔内圧の減少	ハムストリングスの伸張性増大
呼吸減弱／呼吸困難	腹部筋の伸張性増大
呼吸効率の減少	肋骨の挙上・増大／胸骨の挙上
下位肋骨，胸郭の拡大の減少	傍脊柱筋の過活動
横隔膜位置の平坦化	腰椎骨盤帯の不安定性増大
横隔膜の短縮	腰痛，仙腸関節痛
横隔膜圧の減少	胸郭出口症候群
呼吸補助筋の過活動	頭痛
コアマッスルの神経筋制御減少	喘息

下のように紹介している（**表13-1**）。Zone of appositionは正常であれば胸郭が固定され，片脚立位において安定性を有するが，減少すると胸郭の固定性が破綻し，片脚立位における安定性が欠如する（**図13-21**）。胸郭が固定されることによって，支持脚側の腰方形筋の作用がうまく引き出され，遊脚側の骨盤の下制を促すことができる（**図13-22**）。また，二次的な作用として支持脚側の肩甲骨の下制も促すこともできる。

骨盤底筋は呼吸に伴い横隔膜と協調した関係を有する。吸気の際，骨盤底筋が弛緩することで横隔膜の収縮によって尾方に，また呼気の際，骨盤底筋が収縮することで横隔膜が弛緩し頭方に移動しやすくなる（**図13-23**）[12]。骨盤底筋に関して，Bøら[13]は，骨盤底筋の最大収縮では安静時と比

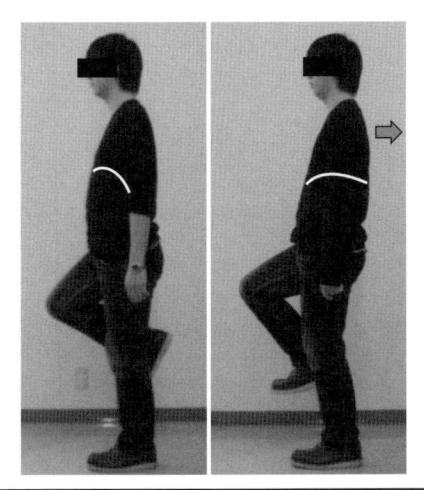

13. 骨盤輪不安定症の治療

図13-21 胸郭の固定性と片脚立位
Zone of apposition が正常であれば胸郭は固定され，片脚立位の安定性も向上する。

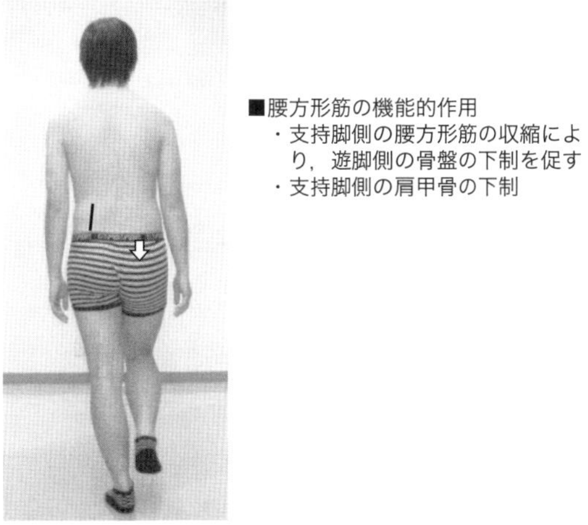

図13-22 胸郭の固定と腰方形筋
胸郭の固定が可能ならば，片脚立位の際，腰方形筋の作用をうまく引き出すことができる。したがって，横隔膜機能が重要である。

■腰方形筋の機能的作用
・支持脚側の腰方形筋の収縮により，遊脚側の骨盤の下制を促す
・支持脚側の肩甲骨の下制

較して 11.2 mm の厚さになり，膀胱が頭側にもち上がると報告した。Sjodahl ら[14]は，骨盤底筋は上・下肢の挙上においてフィードフォワード機構が働くと推察した。骨盤底筋の機能は骨盤輪の安定性に直接かかわることはいうまでもないが，そのトレーニング方法については確たるものが少ない。解剖学的に骨盤底筋と内閉鎖筋との関係に着目すると，それらは肛門挙筋腱弓を介して連結していることがわかる（**図 13-24**）[15, 16]。骨盤底筋に対して直接的にアプローチすると，どうしても力みが入り，また収縮方法がわからないなど，指示の仕方によって反応はさまざまである。そこ

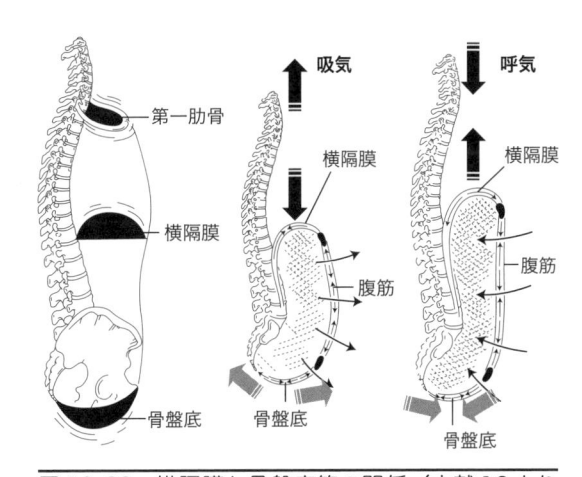

図13-23 横隔膜と骨盤底筋の関係（文献12より引用）

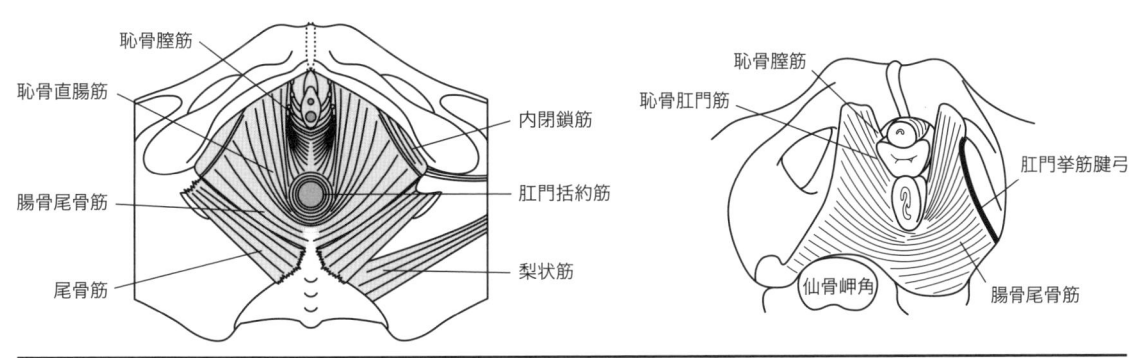

図13-24 骨盤底筋と内閉鎖筋との解剖学的関係（文献15, 16より引用）

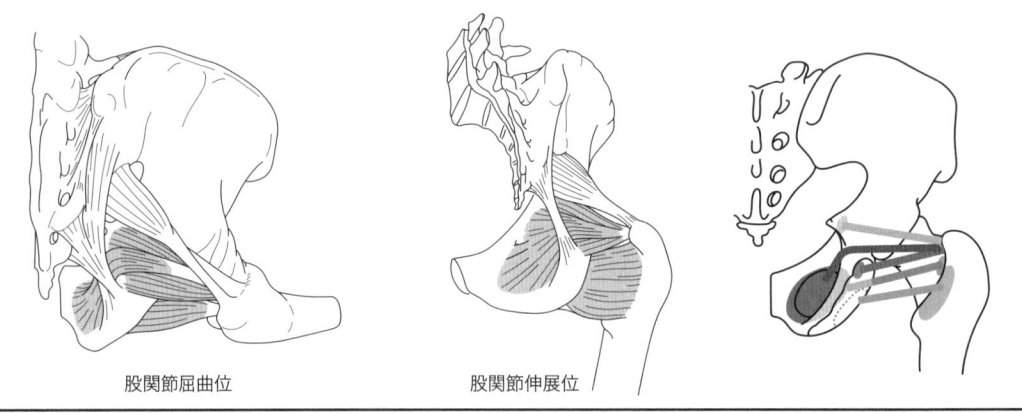

図13-25 内閉鎖筋の機能解剖学的特性
股関節屈曲位（60°以降）で内旋筋の強化が臼蓋-骨頭の安定化につながる。股関節を屈曲していくと，（屈曲60°以降）外旋作用は弱まり，内旋作用が強まる。

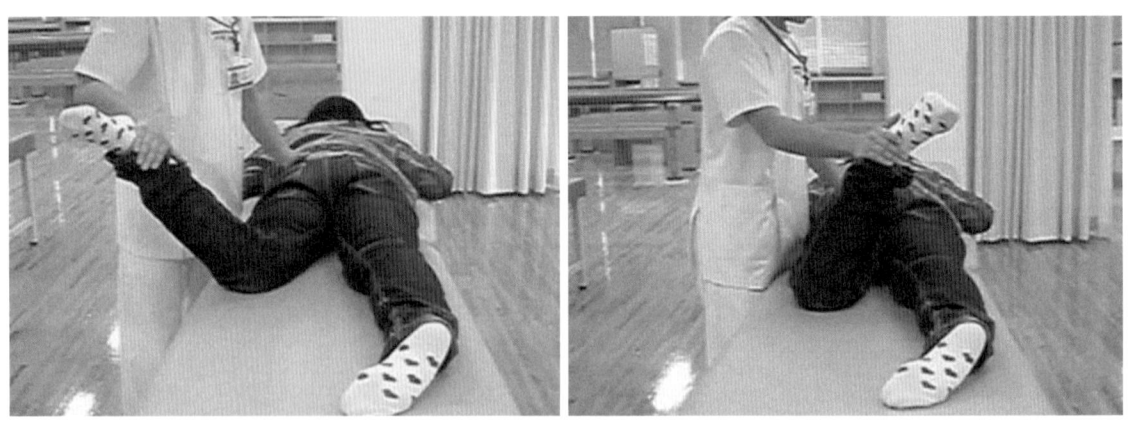

図13-26 股関節内・外旋筋の等尺性収縮テストとトレーニング
内・外旋位それぞれスタートポジション，ミドルポジション，ターミナルポジションで内・外旋筋の等尺性収縮を行わせる。どのポジションで筋の収縮力が弱いのかを評価し，治療を行う。

で骨盤底筋への間接的アプローチとして，解剖学的視点から内閉鎖筋を介した股関節内・外旋運動を紹介したい。

内閉鎖筋は股関節の深層外旋6筋の1つで上双子筋，下双子筋の間に存在し，これら3筋は同一の停止部（大腿骨転子窩）をもつため寛骨三頭筋とも呼ばれる（図13-25）[17]。股関節周囲筋は屈曲角度が増すとその作用は逆転し，屈曲60°以降において外旋作用は弱まり，内旋作用が強まる傾向にある。このため，股関節屈曲伸展0°では内旋筋よりも外旋筋が，屈曲90°では外旋筋よりも内旋筋が多く存在する[18]。なかでも大殿筋（上部線維），中殿筋（後部線維），小殿筋（後部線維），梨状筋は作用の逆転がみられ，内旋筋として働く。このように臼蓋-骨頭の安定性には，股関節屈曲位（60°以降）では内旋筋が，伸展位では外旋筋の強化が重要となる。

内・外旋筋の評価として，内・外旋位それぞれスタートポジション，ミドルポジション，ターミナルポジションで内・外旋筋の等尺性収縮を行わ

13. 骨盤輪不安定症の治療

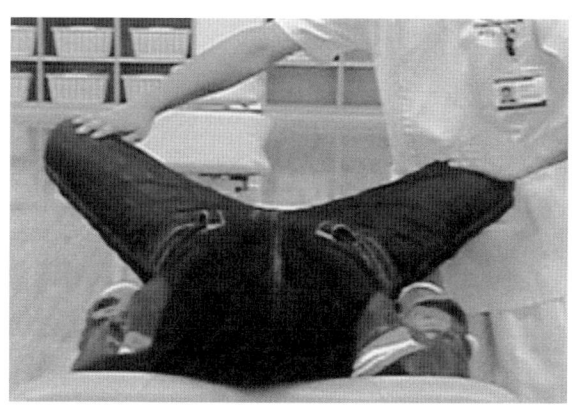

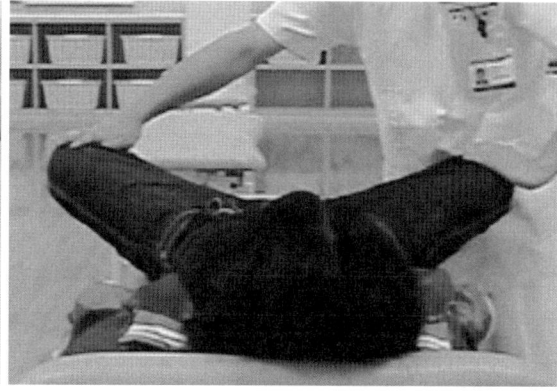

図13-27 股関節屈曲位での外旋運動の評価
膝立て背臥位で，股関節の外旋運動を評価する。負荷をかけすぎないように（自動運動でも可）ゆっくり内・外旋運動を行わせる。図の例では，トレーニング前，左下肢の外旋に制限がみられたが，ゆっくり内・外旋運動を数回行わせたところ，改善がみられた。

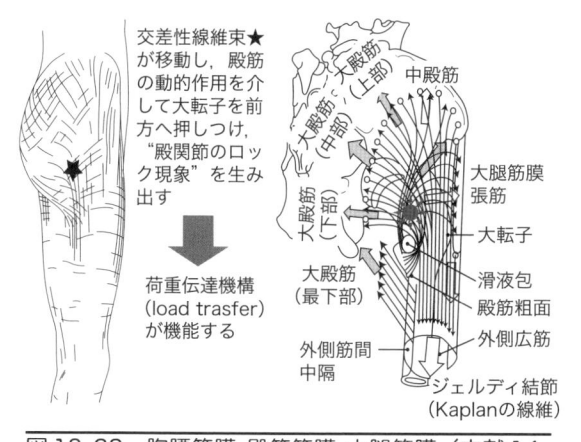

図13-28 胸腰筋膜-殿筋筋膜-大腿筋膜（文献14, 16より引用）

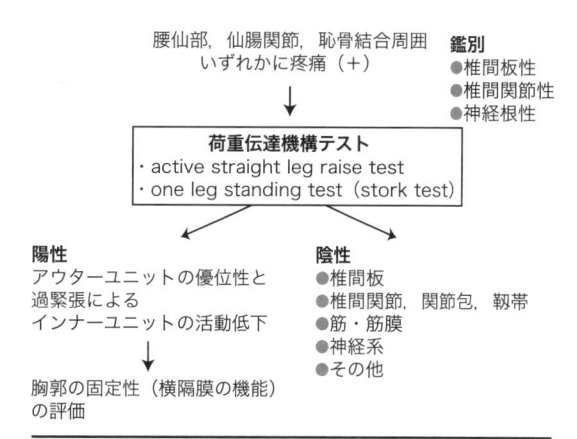

図13-29 骨盤輪不安定症に対する評価フローチャート

せ，どのポジションで筋の収縮が弱いのかを評価し，そこで収縮を促しトレーニングを行う（**図13-26**）。また，膝立て背臥位で股関節の外旋運動を評価し，負荷をかけすぎず（自動運動でも可）ゆっくり内・外旋運動を行わせる（**図13-27**）。

内閉鎖筋を介した骨盤底筋へのアプローチを効果的に行うには，表層にある筋群・筋膜を無視できない。胸郭-脊柱-盤輪-股関節を含めた統合的な機能再獲得には深層にある筋群だけではなく，表層にある筋群・筋膜の協調的なかかわりも必要である。これには，胸腰筋膜-殿筋筋膜-大腿筋膜という筋膜の連結・連鎖（スパイラルラインに相当）が存在し，荷重伝達機構が機能するためには，立位時において臼蓋-骨頭の安定化が必要であり，殿筋筋膜と大腿筋膜の交差する部分（交差性線維束）が移動し，殿筋の動的作用を介して大転子を前方へ押し付け，股関節のロック現象を生み出している[19]（**図13-28**）。

このように骨盤底筋へのアプローチに際して，表層にある胸腰筋膜-殿筋筋膜-大腿筋膜や筋群（outer unit muscles）の優位性や過緊張が横隔膜，骨盤底筋，腹横筋，多裂筋（inner unit

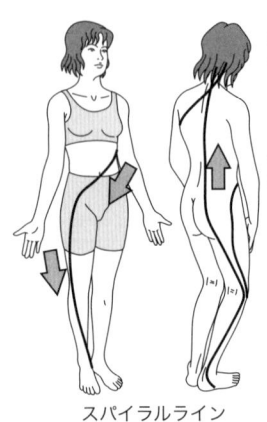

● 腹斜筋群のリリース
● 胸腰筋膜-殿筋筋膜-大腿筋膜のリリース
↓
骨盤底筋群の応答改善
● 内閉鎖筋を介しての股関節内・外旋運動
 ・股関節屈曲位での内旋運動
 ・股関節伸展位での外旋運動

スパイラルライン

図13-30 骨盤輪不安定症に対する治療フローチャート
アウターユニットの過緊張を改善し,インナーユニットを活性化する。

muscles)の活動性を低下させていることも念頭に入れておく。

D. まとめ

骨盤輪不安定症に対する評価,治療フローチャートを以下に紹介する(**図13-29**,**図13-30**)[20]。骨盤輪の不安定性を評価するものに主として,荷重伝達テスト(load transfer test)を行い,陽性であればouter unit musclesの優位性や過緊張によってinner unit musclesの活動性を低下させていると捉え,横隔膜の機能や胸郭の固定性を評価することが必要であろう。治療の進め方の基本方針は,outer unit musclesの過緊張を改善し,inner unit musclesを活性化することに主眼を置き,腹斜筋群や胸腰筋膜-殿筋筋膜-大腿筋膜のリリースを行い,骨盤底筋の応答を改善させる。そのために私見ではあるが,内閉鎖筋を介しての股関節内・外旋運動を紹介した。

文献

1. 田中宏和:骨盤輪不安定症-その臨床的・解剖学的研究-. 日整会誌. 1981; 55: 281-94.
2. Teyhen DS, Williamson JN, Carlson NH, Suttles ST, O'Laughlin SJ, Whittaker JL, Goffar SL, Childs JD: Ultrasound characteristics of the deep abdominal muscles during the active straight leg raise test. *Arch Phys Med Rehabil*. 2009; 90: 761-7.
3. Vleeming A, Mooney V, Stoeckart R: *Movement, Stability & Lumbopelvic Pain*. 2nd ed., Churchill Livingstone, 2007.
4. Lee D: *The Pelvic Girdle*. 4th ed., Churchill Livingstone, 2011.
5. 塩田悦仁 訳 (Kapandji AI 著):カパンディ関節の生理学III,脊椎・体幹・頭部. 原著第6版, 医歯薬出版, 2007.
6. 荒木秀明, 赤川精彦:体幹機能評価-股関節・仙腸関節・腰椎を一つのユニットとして捉える考え方による評価を中心に-. 理学療法. 2006; 23: 1455-62.
7. Magee DJ: *Orthopedic Physical Assessment*. 4th ed., Saunders, 2002.
8. Urquhart DM, Barker PJ, Hodges PW, Story IH, Briggs CA: Regional morphology of the transversus abdominis and obliquus internus and externus abdominis muscles. *Clin Biomech*. 2005; 20: 233-41.
9. MacDonald DA, Moseley GL, Hodges PW: The lumbar multifidus: does the evidence support clinical beliefs? *Man Ther*. 2006; 11: 254-63.
10. Hides J, Stanton W, Mendis MD, Sexton M: The relationship of transversus abdominis and lumbar multifidus clinical muscle tests in patients with chronic low back pain. *Man Ther*. 2011; 16: 573-7.
11. Boyle KL, Olinick J, Lewis C: The value of blowing up a balloon. *Am J Sports Phys Ther*. 2010; 5: 179-88.
12. Franklin E: *Pelvic Power*. Elysian Editions, 2003.
13. Bø K, Sherburn M: Evaluation of female pelvic-floor muscle function and strength. *Phys Ther*. 2005; 85: 269-82.
14. Sjodahl J, Kvist J, Gutke A, Oberg B: The postural response of the pelvic floor muscles during limb movements: a methodological electromyography study in parous woman without lumbopelvic pain. *Clin Biomech*. 2009; 24: 183-9.
15. FitzGerald MP, Kotarinos R: Rehabilitation of the short pelvic floor. I: background and patient evaluation. *Int Urogynecol J*. 2003; 14: 261-8.
16. Ashton-Miller JA, Delancey JOL: Functional anatomy of the female pelvic floor. *Ann N Y Acad Sci*. 2007; 1101: 266-96.
17. 越智淳三 訳:分冊解剖学アトラス. 第4版, 運動器, 文光堂, 1990.
18. 建内宏重:股関節の形態と運動-教科書通りが正しいとは限らない-. *Sportsmedicine*. 2009; 115: 16-9.
19. 三浦真弘, 影山幾男, 紀瑞 成, 加藤征治:腸脛靱帯の構成線維とその機能解剖学的意義について. 第9回臨床解剖研究会記録. 2005; 6: 6-7.
20. 森岡 望 監修 (フィリップ・リヒター, エリック・ヘブゲン 著):手術療法とオステオパシーにおけるトリガーポイントと筋肉連鎖, ガイヤブックス, 2009.

(野口 敦)

14. スポーツ選手の股関節痛の診察の仕方と股関節鏡視下手術

はじめに

 スポーツ選手の鼠径部痛の原因は多種多様である。今回、その一因であるFAI（femoroacetabular impingement）と股関節唇損傷に対する股関節鏡視下手術を中心に解説する。

A. 股関節鏡の歴史

 股関節鏡は、1931年にBurmanが屍体股関節に関節鏡を施行したことにはじまる[1]。わが国においても1939年に高木らが報告した。しかしその難しさゆえに、その後50年もの間、股関節鏡が普及することはなかった。1970年代後半から新しい世代の関節鏡が登場したことと、Einjnar Erikssonが牽引して関節鏡を行うことを報告したことにより関節内の観察が可能になった。さらに、2000年代にGanzら[2]によって、FAIの概念が報告されたことにより、股関節鏡視下手術の技術は飛躍的な進歩を遂げた。

B. 股関節唇の解剖

 股関節唇は臼蓋縁を覆うように直接付着し、その横断面は三角形を呈している（**図14-1**）。関節包との間には疎な結合組織や脂肪が介在しており、関節側は関節軟骨に移行している。関節唇の静的機能としては、関節軟骨面積を28%、臼蓋体積を30%増加させるといわれている。動的機能としてはsealing機能とsuction機能があるといわれている[3]。Suction機能とは、大腿骨頭と臼蓋の間の引っぱり力に対して、関節内を陰圧に保ち関節の安定性を得ることである。Sealing機能とは、関節唇が関節内を密閉することにより、少量の関節液にて、軟骨に効率よく栄養を供給可能とすることや、圧迫力を臼蓋関節軟骨に均一に負担させることを可能とする。関節唇が損傷するとこれらの機能が失われ、関節の安定性が低下し、関節症変化の原因になると考えられている。

C. 股関節唇損傷とFAI

 股関節唇損傷の主な原因はFAIである。その他に、臼蓋形成不全や外傷、滑膜性軟骨腫症などの腫瘍性病変があげられる。
 FAIは骨形態異常に伴って、臼蓋前縁と大腿骨頸部前方が衝突することによって生じる。骨形態によって、臼蓋側の過被覆によるピンサー型と、

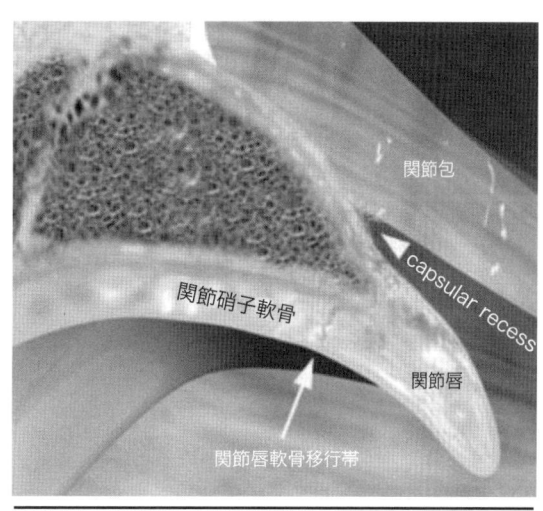

図14-1 関節唇の組織解剖（文献2より改変）

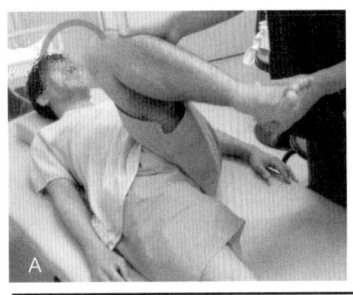

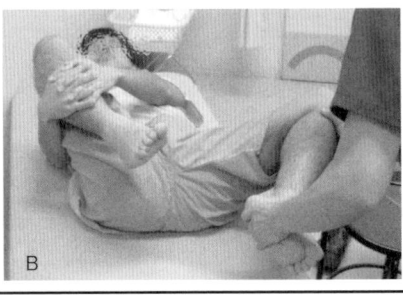

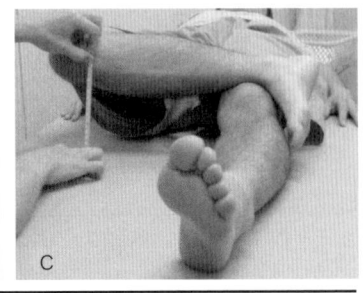

図14-2 股関節痛のための特異的なテスト
A：前方インピンジメントテスト，B：後方インピンジメントテスト，C：FABER (flexion abduction external rotation) test。

大腿骨頸部の突出によるキャム型と，その両者が合わさった混合型に分けられる（図7-4参照）[2]。

1. ピンサー型

臼蓋縁の一部または全体の過被覆（pincer）により，股関節の屈曲や外転などの運動時にピンサーと大腿骨頭-頸部移行部が衝突し，股関節唇損傷を引き起こす。FAIの3％を占める。

2. キャム型

大腿骨頭-頸部移行部が膨隆（cam）することにより，股関節運動時，キャムが臼蓋縁に衝突し股関節唇損傷を引き起こす。FAIの12％を占める。

3. 混合型

ピンサーとキャムを同時に認めるため股関節唇損傷を最も生じやすい。FAIの85％を占める。

D. 診断方法

1. 病歴の聴取

股関節痛の発症様式，疼痛部位，股関節痛を誘発する動作，スポーツ歴，職業を聴取する。股関節前方の疼痛が典型的であり，自験例でもFAIの85％に鼠径部痛がみられた。ほかに，殿部外側47％，腰部38％，大腿前面23％の割合で疼痛を認めた。股関節痛を誘発する動作としては，捻り動作，長時間の座位，座位からの立ち上がり動作，階段昇降，性交，靴下の着脱，爪切りなどが特徴的である。スポーツが発症に関与することも多く，スケート，サッカー，エアロビクス，野球，ゴルフなど，しゃがみ動作，股関節深屈曲など広い可動域が必要とされる種目での発症が多い。

2. 診　察

診察をする際には，健側も同時に診察することが大切である。また，先に健側から診察した後に患側を診察することで，痛い部位の診察に対する不安感を減らし信頼関係を構築する。診察では，圧痛部位，関節可動域，特異的なテストを行う。

圧痛部位は，自験例で腸腰筋が82％と高かった。ほかに，内転筋32％，恥骨と腰部24％，大転子と仙腸関節21％に認めた。関節可動域については，いずれも患側の可動域が小さく，特に屈曲・外転での制限が強い。Special testとしては，前方インピンジメントテスト，後方インピンジメントテスト，FABER (flexion abduction external rotation) test, hip dial testがあげられる（図14-2）。

前方インピンジメントテストは，股関節を他動的に伸展位から屈曲，内転，内旋させ，疼痛が出現した場合に陽性とする。陽性率は88.6～

99％と報告されており，当科においても陽性率94.1％であった．FAIにおける感度の高い検査法であるが，特異度は高くない．腸腰筋インピンジメントなどでも陽性となることがあるので注意が必要である．

後方インピンジメントテストは，患者に自分で対側の膝を抱えてもらい骨盤を固定し，健側股関節を屈曲位から軸圧をかけながら外転，外旋させ疼痛が誘発された場合に陽性とする．当科においては，陽性率43.8％であった．

FABER testは，仰臥位で下肢を胡座位とし，脛骨結節から診察台までの距離を計測する．患側が健側に比して5 cm以上大きければ陽性とする．股関節内の炎症の存在を疑うが，仙腸関節に異常があっても陽性となることに注意する．当科において陽性率は80.6％であった．

Hip dial testは，仰臥位で下肢を膝伸展位のまま外旋させる手技を左右同時に行い，左右差があれば陽性とする．陽性であれば腸骨大腿靱帯の弛緩を疑う．股関節唇損傷やキャム病変があると関節包と靱帯が緩むといわれている．

その他にも，腸腰筋腱のインピンジメントとの鑑別のために，患者自ら股関節屈曲，外転，外旋位から内旋させながら伸展させていく方法でスナッピングの再現をみる．

3．画像検査

FAIの画像検査としては，骨形態異常を主にみるために単純X線とCTスキャンを行い，骨形態異常によって起こる関節唇損傷や臼蓋軟骨の剥離に関してはMR関節造影を用いる．単純X線にて両股正面像（臥位・立位），大腿骨軸位像（cross table lateral view）とともに臼蓋の前方の被覆をみるためにfalse profile viewを撮影する．

1）単純X線

X線の特徴的な所見を紹介する（**図14-3**）[4]．

・Cross over sign：正面像にて臼蓋前縁と臼蓋後縁のラインが交わってみえる．臼蓋の後捻，臼蓋前上方の突出を反映し，ピンサーを示唆する．

・Prominence of the ischial spine（PRIS）：通常X線正面像において坐骨棘は臼蓋に隠れて見ることはできない．逆に臼蓋が骨盤とともに後捻していると坐骨棘は骨盤内側方向に突出してみえる

・Coxa profunda：臼蓋底のラインが腸骨坐骨線を超えて内側に位置する．臼蓋が深くなり，相対的に臼蓋外側が大腿骨頸部に近くなるため，インピンジメントの原因となる．

・Prominent posterior wall sign：両股関節正面像にて臼蓋後縁のラインが骨頭中心よりも外側を通ると陽性とする．臼蓋後壁の過被覆を反映した所見である．

・Pistol grip変形：両股関節正面像にて大腿骨頭-頸部移行部外側の膨隆を認める場合，その形状からpistol grip変形と呼ぶ．

・Os acetabuli：ピンサーと大腿骨頭-頸部移行部の繰り返す衝突により，股関節唇に骨化が生じたもの．

・CE角：正常は25〜39°であり，40°以上ではピンサーを疑う．この際にfalse profile viewにて特に前方の被覆をみることができる．

・α角：軸写像にて，骨頭径に合わせた円を骨頭に重ね，骨性膨隆がその円から突出した点をとる．その点と骨頭中心とを結ぶ線を引き，頸部軸となす角をα角という．α角は50°未満を正常とし，大腿骨頭-頸部移行部前方の骨膨隆の程度を評価する．

2）CT

CTは骨の重なっている部位の描出や，三次元での画像構成が可能である．特に大腿骨頸部軸を中心とした放射状CTはキャム病変の評価に有用である．

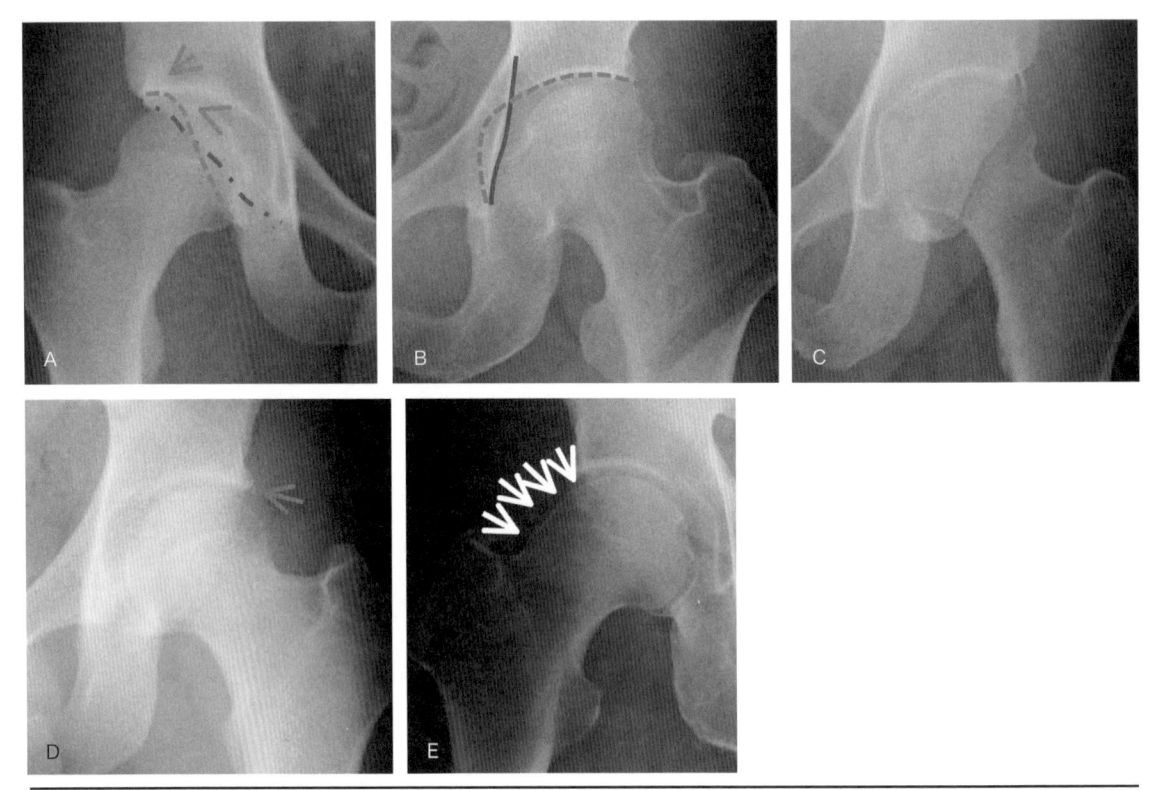

第5章 骨盤・股関節・鼠径部疾患の私の治療

図14-3 単純X線所見
A：両股関節正面像にて臼蓋前縁のラインと後縁のラインが交わってみえる（cross over sign）。また、坐骨棘が内側に突出してみえる（PRIS）。B：臼蓋底のラインが腸骨坐骨線を超えて内側に位置している（coxa profunda）。C：臼蓋後縁のラインが骨頭中心よりも外側を通る（prominent posterior wall sign）。D：股関節唇の骨化（Os acetabuli）。E：ピストルグリップ変形（大腿骨頭から頸部）。

3）MRI

関節唇の評価にはMRIが用いられることが多いが、単純MRIのみでは、感度、特異度ともに高くない。MR関節造影を行うことで断裂部に造影剤が流入することにより股関節唇損傷がより明瞭に描出される。Czernyら[5]の報告では単純MRIでは感度30％、特異度36％に対して、MR関節造影では感度90％、特異度91％であった。また、近年撮影時に下肢を牽引することで、関節腔が広がり、軟骨病変の評価に有用であるという報告がある。

E. 治療方法

X線写真でFAIが疑われた際には、まずはリハビリテーションと消炎鎮痛剤の内服などの保存療法を行う。3ヵ月以上の保存療法でも効果がない場合で、MR関節造影で関節唇損傷が疑われた際に、患者の希望により手術を検討する。われわれの施設では、股関節鏡を用いた侵襲の少ない方法を選択している。

股関節鏡視下手術方法[6]

全身麻酔下（腰椎麻酔でも可）にて牽引手術台を用いて行う。

使用するポータル：前外側ポータル（anterolateral portal）、中前方ポータル（midanterior portal）の2ポータルで行う。2ポータルでの処置では不十分な場合には、前方ポータルを追加する場合もある。最初に透視下に前外側ポータルよ

14. スポーツ選手の股関節痛の診察の仕方と股関節鏡視下手術

り関節鏡（70°斜視鏡）を関節内に挿入し，次に直視下で前外側ポータルを作製する。ポータル作製後に関節包の切開を行い，手術の操作性をよくする。

術中評価：鏡視下に関節唇の損傷部のプロービングを行い，関節唇の断裂や軟骨の層状剥離の位置や程度を確認する。

関節唇の take down：断裂した関節唇を臼蓋縁から一度剥離する。剥離の際には関節唇と軟骨の連続性が壊れないように注意して行う。

Rim trimming：寛骨臼の過剰被覆や後捻によって起こるピンサー病変に対して，寛骨臼縁の切除（rim trimming）を行う。Rim trimming の範囲は術前に単純X線とCTで計画をたてておき，手術中には透視を用いて確認しながら行う。

関節唇の再縫合：Rim trimming を行った臼蓋縁にアンカーを打ち込み関節唇を縫合する。関節唇の縫合の際にはできるだけ解剖学的形態に近い形で縫着させるために，関節唇の質に応じて垂直マットレス縫合などの工夫を行う。縫合した関節唇は，安定性をプロービングで確認するだけでなく牽引をいったん解除して移植した関節唇が大腿

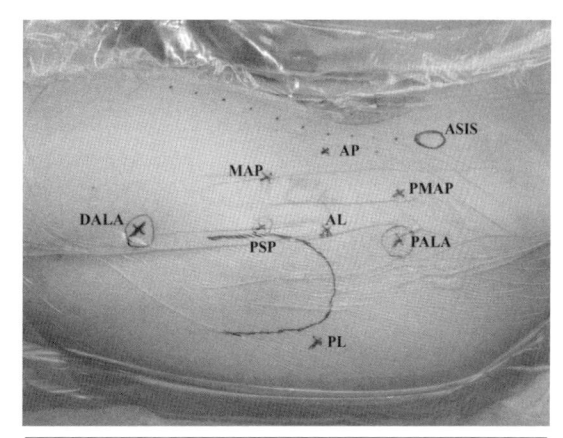

図14-4　股関節鏡視下手術で使用するポータル

骨頭をシールしていることを確認する。

関節唇の再建：関節唇の変性が強いか低形成のため，縫合が難しいときには関節唇移植を行う。当院では，腸脛靱帯を用いて再建している。

キャムの骨軟骨切除（osteochondroplasty）：関節唇の処置が終了後，牽引を解除し股関節を屈曲位にしてキャムの切除を行う。キャムの切除範囲は術中の透視を用いて確認しながら行い，切除不足に注意する。

関節包縫縮（capsular plication）：関節包の

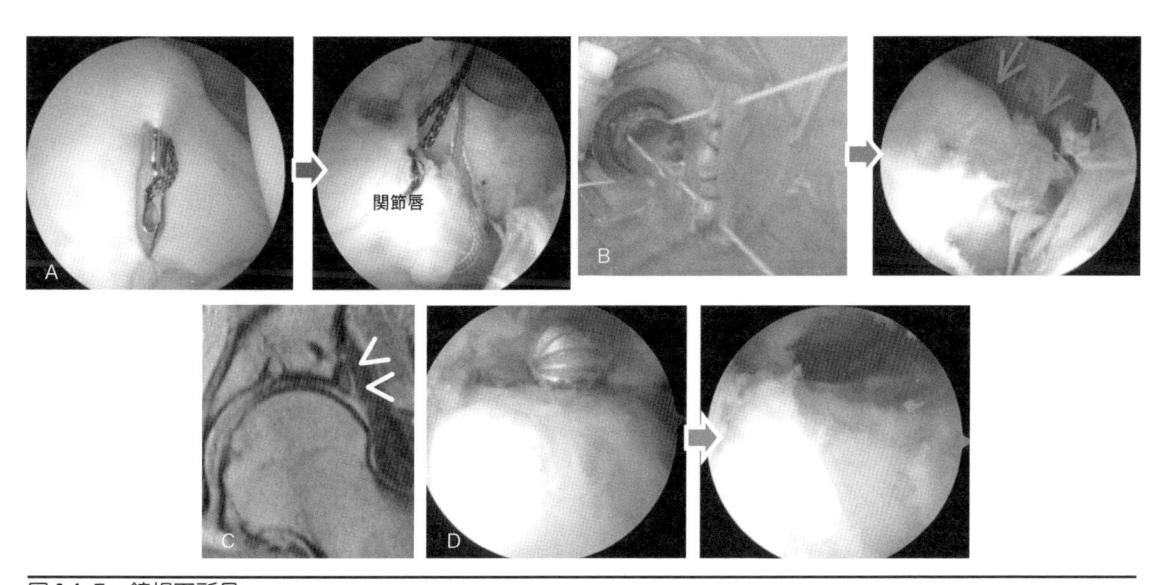

図14-5　鏡視下所見
A：関節唇縫合，B：関節唇再建，C：再建1年後MRI，D：キャムの骨軟骨切除。

第5章 骨盤・股関節・鼠径部疾患の私の治療

表14-1 術後リハビリテーションプロトコル

			1	2	3	4	5	6	7	8
Phase 1 保護と可動		Ankle pump	●							
		アイソメトリック	●	●						
		軟部組織マッサージ	●	●	●	●				
		抵抗のないエアロバイク	●	●	●	●				
		瘢痕組織のモビライゼーション	●	●	●	●	●			
		他動可動域訓練	●	●	●	●				
		Circumduction	●	●	●	●	●	●	●	●
		他動ストレッチ quad ハムストリング piriform	●	●	●	●	●	●	●	●
		Quadup rocking		●	●					
Phase 2 安定化	セクション1	丸椅子股関節回旋運動			●					
		腹臥位回旋運動 ハムストリングス			●					
		腹臥位大殿筋 プログレッション			●					
		仰向け屈曲訓練			●	●				
		立位で内旋位での外転訓練				●	●	●		
		側臥位での中殿筋訓練				●	●	●	●	
		ブリッジの訓練メニュー				●	●	●		
		他動ストレチ 屈曲 腸脛靱帯				●	●			
		水中訓練開始					●	●	●	
		プランク						●	●	
		他動可動域訓練						●	●	
		エアロバイク 抵抗なし						●	●	●
	セクション2 歩行とCKC訓練	松葉杖歩行訓練/荷重をあげる				●	●	●		
		バランストレーニング					●	●	●	
		両足 膝 1/3スクワット						●	●	
		レッグプレス						●		
		ピラティス						●		
		エリオプチカルマシーン						●		●
	セクション3 機能訓練	ファンクショナルアクティビティ								●
		ランニングプログレッション							●	●
		スケーティングプログレッション							●	●
		ゴルフプログレッション							●	●
		ダンスプログレッション							●	●
Phase 3 筋力強化		シングルレッグクローズドチェインプログレッション								●
		バランススクワット								●
		ラテラルステップダウンズ，ランジ								●
		片脚1/3ニーベント								
		サイドトゥーサイドラテラルムーブメント								
		前方ボックスランジ								

うち，特に前方の腸骨大腿靱帯は股関節の伸展，外旋に抵抗して，大腿骨頭の前方変位を抑制する重要な靱帯である。関節内処置が終了後に関節包を縫縮する。

F. 術後リハビリテーション[7]

縫合した関節唇の安静のため，術後早期の外旋運動は行わない。荷重に関しては，自己治癒環境を形成するために術後早期から2週間は約9 kgの部分荷重を行う。その後徐々に荷重を増やして

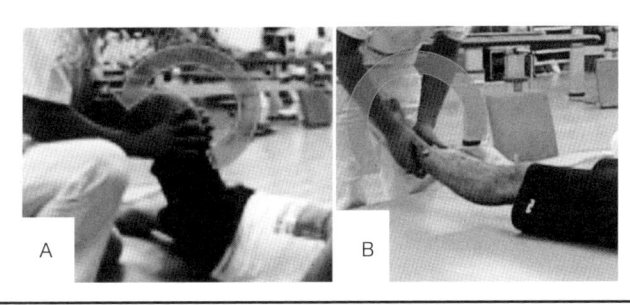

図14-6 術後リハビリテーション
A, B：Circumduction。股関節屈曲0°と70°で股関節を牽引しながら他動的にゆっくり回転させる。

いく。しかし，術中所見での軟骨損傷の程度によっては，荷重時期を遅らせることもある。術後リハビリテーションは術中所見，術後経過，股関節の外科的修復からphase 1～4の段階づけをしている（**表14-1**）。Phaseごとに目的と目標を設定し，それぞれ達成した時点で次の段階へ移行する。また，外科的修復とphaseに焦点を当てるだけではなく，特にアスリートは体力の低下を最小限にし，スポーツ復帰への考慮が必要となる。

1. Phase 1：保護と可動（術後1～4週）

可動域の回復，疼痛のコントロール，修復組織の回復，炎症の減少，筋機能抑制の予防を目標とする。Circumduction, sling therapy, 股関節周囲筋ストレッチ・ROMエクササイズ，アイソメトリックでの股関節周囲筋筋力強化，瘢痕組織モビライゼーション，無負荷でのエルゴメーター，四つばい運動，歩行訓練などを実施する。癒着防止，治癒促進のため，CPM, circumduction（股関節70°屈曲位で他動的に膝をまわす：10週間継続）を行う。これを術後急性期に怠ると，癒着や拘縮の要因となる可能性がある。Sling therapyは下肢を吊り下げることで股関節屈筋の筋活動を抑制させることが可能となる。この状態で股関節を内・外転させることで，筋の収縮感覚を鍛える練習としても有効である。

2. Phase 2：安定化（術後2～8週）

Phase 2は，修復部位を保護しながら徐々に関節可動域の拡大，筋力強化の負荷をあげていく時期である。正常歩行の獲得を目標とする。

腹臥位や丸椅子を使用した股関節内旋運動，ハムストリングス，大殿筋の等張性運動，ブリッジを開始する。正常歩行の獲得を目標に松葉杖歩行や，体重負荷運動，片脚バランス運動やバランスディスクなどを使用し神経筋コントロールを強調した運動を開始する。活動量の増加により，腸腰筋，内転筋，梨状筋の痛みが生じないよう注意する。

3. Phase 3：筋力強化

スポーツ種目に合わせて徐々に個別性のあるトレーニングを行う時期である。筋力，筋持久力，アジリティの獲得を目標に行う。1/3スクワット，フロントランジ，ステップ台を使用したスクワットなど，片脚でのCKC運動を開始する。横方向のステップなどのアジリティや持久力の強化を行う。アスレティックリハビリテーションはゴールに応じて決定する。

4. Phase 4

スポーツテストを実施し合格すれば徐々にスポーツ復帰を図る。スポーツテストのタイミングは痛みなく，正常可動域が獲得され，筋力，筋持久

力,バランスが獲得されたときである.スポーツテスト合格後から,プライオメトリクスやスポーツ特性ドリルを短時間から行っていく.復帰時期は軟部組織の治癒過程を考慮し,12週以前の復帰は避ける.

おわりに

スポーツ選手の股関節痛の診断と鑑別診断について報告した.理学所見および画像所見を注意深くとることによって,診断がつき,特に関節内病変に対しては,股関節鏡視下手術は侵襲が少なく,有用な方法と考える.

文献

1. 内田宗志:股関節鏡視下手術の実際-総論-. 臨床スポーツ医学. 2012; 29: 359-60.
2. Ganz R, Parvizi J, Beck M, Leunig M, Notzli H, Siebenrock KA: Femoroacetabular impingement: a cause for osteoarthritis of the hip. *Clin Orthop Relat Res*. 2003; (417): 112-20.
3. Tan V, Seldes RM, Katz MA, Freedhand AM, Klimkiewicz JJ, Fitzgerald RH Jr: Contribution of acetabular labrum to articulating surface area and femoral head coverage in adult hip joints: an anatomic study in cadavera. *Am J Orthop (Belle Mead NJ)*. 2001; 30: 809-12.
4. 迫田真輔:Femoroacetabular impingemenetの画像診断. *Medical Rehabilitation*. 2012; 149: 142-8.
5. Czerny C, Krestan C, Imhof H, Trattnig S: Magnetic resonance imaging of the postoperative hip. *Top Magn Reson Imaging*. 1999; 10: 214-20.
6. 内田宗志:整形外科最新トピックス:股関節鏡 Pearls and Pitfalls. 整形外科サージカルテクニック. 2012; 2: 558-61.
7. 小田 節:股関節鏡視下手術の実際-術後リハビリテーション-. 臨床スポーツ医学. 2012; 29: 423-30.

(内田宗志)

15. 鼠径部痛症候群の保存療法

はじめに

　鼠径部痛（groin pain）症候群は，最近20年間で飛躍的に注目度が上昇したスポーツ疾患である。鼠径部痛が多発する種目として，股関節を酷使するサッカー，ラグビー，ホッケー，野球，バスケットボール，長距離走があげられた[1]。その診断名として groin pain, inguinal pain, sports hernia, sportsman's hernia, osteitis pubis, athletic pubalgia などがある。診断名が複数存在することからもわかるように，鼠径部痛症候群の症状は多彩であり，その診断基準は国際的に確立されていない。

　多彩な症状を引き起こす鼠径部痛症候群の原因病変は骨病変，筋腱病変，腹壁病変，神経絞扼の4つに分類された[2]。また，その多彩な症状を整理するため，Falvey ら[3]は，上前腸骨棘，恥骨結節，上前腸骨棘から膝蓋骨上極までの中央点（3G point）を結ぶ三角形を groin triangle と定義し，疼痛部位によりその内側部，上方，内部の領域に分けた。一方，鼠径部痛症候群への介入成績に関するレビューは3件みつかったが，いずれにおいても疾患のメカニズムへの言及またはメカニズムに基づく保存療法の方針についての記載はなかった[4〜6]。本項では，このような背景を踏まえ，鼠径部痛症候群に付随する病変や症状から共通のメカニズムの推論を進め，それに対する包括的な予防法，治療方針，治療の実際を述べる。

A. 好成績をもたらす治療法

　複雑で多彩な鼠径部痛症候群において，単一の発生メカニズムが存在する可能性は小さいと思われる。しかしながら，組織損傷の分布や治療効果に関する知見を総合し，複数のメカニズムの組み合わせとして鼠径部痛症候群を捉えることは可能であると考えられる。まず治療に含めておくべき要素を拾い出すため，効果的な治療法を文献的に探索する。

　先行研究において，総じて病変が限局的であるほど治療成績は良好であった。恥骨結合炎に対するステロイド性抗炎症剤と局所鎮痛剤の効果が検証され，概ね疼痛部位が恥骨結合に限局しているほど良好な効果が得られたが，再発率は高かった[7,8]。靱帯や腱組織の増殖を促す prolotherapy[9,10]では，短期成績が良好であるとともに，約3年間の再発率が低かった。安静および活動制限，薬物療法，物理療法，マッサージ，ストレッチ，鍼治療などのいわゆる passive treatment の治療成績は総じて不良であった[11〜14]。一方，内転筋関連痛（恥骨部痛を含む）に限定した慢性鼠径部痛に対して，股関節周囲筋と体幹筋の段階的強化，立位での動的安定性の改善を目的とした積極的な運動療法（active treatment）は高いスポーツ復帰率を示した[15]。また，恥骨結合炎と診断されたサッカー選手において，消炎鎮痛治療の後に段階的な負荷トレーニングを実施したところ，重症度分類1〜3の全例が競技復帰を果たした[16]。

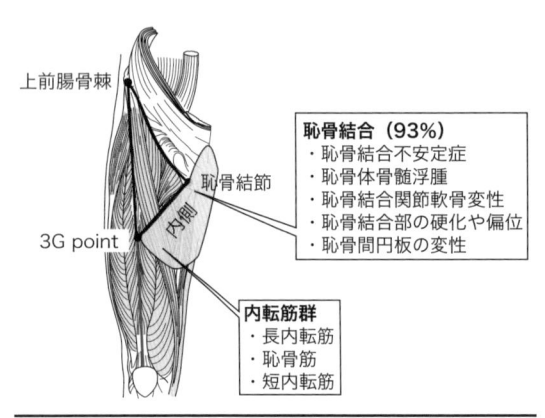

図15-1 Groin triangle 内側部における病変

近年コアスタビリティを重視したプロトコルが複数紹介された。Jarosz ら[17]は，20歳のオーストラリアンフットボール選手のケースレポートにおいて，腹横筋を含むコアスタビリティおよび内転筋の柔軟性改善を重視した包括的リハビリテーションにより，4週間で合計4回の治療によって症状が消失したと報告した。Kazhingwe ら[18]は，6症例のケースシリーズにおいて，全員に対して腰部・骨盤に対する軟部組織モビライゼーション，骨盤・股関節の関節モビライゼーション，神経筋協調性改善エクササイズ，ストレッチング，筋力トレーニングを含むリハビリテーションを競技復帰まで実施した。その結果，3名は平均7.7回の理学療法士による治療で競技復帰したが，残りの3名は保存療法では復帰できなかったため鼠径管後壁の補強術後平均6.7回の治療で競技復帰した。Weir ら[19]は，長内転筋の症状を含む44名の鼠径部痛のアスリートのケースシリーズにおいて，骨盤および股関節のモビライゼーションと腹横筋エクササイズを組み合わせたプログラムを実施したところ，40例が目標のレベルに競技復帰し，うち34例は症状消失を得たと報告した。Wollin ら[20]は，4例のオーストラリアンフットボール選手のケースシリーズにおいて，筋緊張の軽減，股関節可動域回復，動作改善，疼痛対策，ランニングにおける neoprene groin shorts 着用，腹横筋と骨盤底筋トレーニングを含むコアスタビリティ向上を含むリハビリテーションを実施したところ，10〜16週間で競技復帰を果たしたと報告した。以上のようなケースシリーズにおいて，共通してコアスタビリティ向上を主体とした包括的なリハビリテーションプログラムが用いられ，その有効性が示されはじめている。

B. 病変部位・組織へのストレス回避の方策

鼠径部痛症候群に付随する損傷については論文間でばらつきがある。Lovell ら[21]は，触診や画像所見などを含む複合的な診断により，初期の鼠径ヘルニア50％，内転筋損傷19％，恥骨結合炎14％，恥骨部不安定症4％，腸腰筋損傷3％，腸骨鼠径神経損傷2％，関連痛（脊柱）2％，股関節病変1％，その他4％と分類した。これらを含む複雑な病態を呈する鼠径部痛症候群の発生メカニズムを推定するうえで，個々の病変部位およびその組織損傷を招く力学的ストレスを特定することが必要である。以下，groin triangle の内側部，上方，内部に分けて，メカニズムの推定を進める。

1. Groin triangle の内側部

Groin triangle 内側部の病変には恥骨結合炎，内転筋損傷，閉鎖神経絞扼が含まれる（**図15-1**）。恥骨結合炎に付随する病変として，恥骨結合不安定症[22]，骨芽細胞を含んだ新しい線維性骨構造[23]，恥骨体の線維軟骨・硝子軟骨片において変性軟骨[24]，恥骨結合部の硬化や偏位[25]，恥骨間円板の変性（secondary cleft）[26]などが認められ，同時に炎症症状を伴わない点[23,24]も特徴とされた。内転筋損傷に関して，Meyers ら[1]は，100例のMRI画像から恥骨結合（93％），腹直筋（76％），長内転筋（46％），恥骨筋（38％），

短内転筋（20％），腸腰筋（6％）などに損傷を見出した。これらのメカニズムに関して，Garveyら[27]は，スポーツ活動による恥骨結合部への剪断・捻転ストレスが恥骨円板の変性を加速し，恥骨部不安定性が生じて恥骨結合炎にいたり，さらに恥骨結合に付着する長内転筋腱や腹直筋腱への負荷増大によりこれらの腱炎や断裂が生じる，と考察した。Groin triangleの内側部における症状に対して，いわゆるpassive treatmentの治療成績は不良であり[11〜14]，コアスタビリティを重視したプロトコルが効果的であった[15,17〜20]。

これらを総合すると，groin triangleの内側部の症状の原因として恥骨結合不安定性の関与が示唆される。恥骨結合不安定性が存在する骨盤において，運動に伴い左右の恥骨が互いに上下に頻回に移動するのか，あるいは一方向への偏位が固定化されているのかを実証した論文は存在しない。したがって，これら両方の病態を想定しつつ，恥骨結合不安定性に対するリハビリテーションプログラムを構築する必要があると考えられる。

2. Groin triangleの上方

Groin triangle上方の病変は鼠径管前壁と後壁の病変に集約される（図15-2）[28〜31]。代表的な鼠径管前壁の病変として，①外腹斜筋腱膜離開，②結合腱断裂，③結合腱と鼠径靱帯との離開，④結合腱の恥骨結節からの裂離，⑤明らかなヘルニア所見が認められない，の5点を特徴とするGilmore groinがあげられる[28]。また，腸骨神経の絞扼を合併する外腹斜筋腱膜の損傷はhockey player's syndromeと呼ばれる[29]。一方，鼠径管後壁の病変として，鼠径管後壁の弱化および潜在性または間接的ヘルニアを特徴としたスポーツヘルニアがあげられる[30,31]。さらに，鼠径管周辺を走行する境界神経（border nerves）として腸骨下腹神経の皮下枝，腸骨鼠径神経の皮下枝，腸骨鼠径神経と陰部大腿神経の複合枝，陰部大腿神経

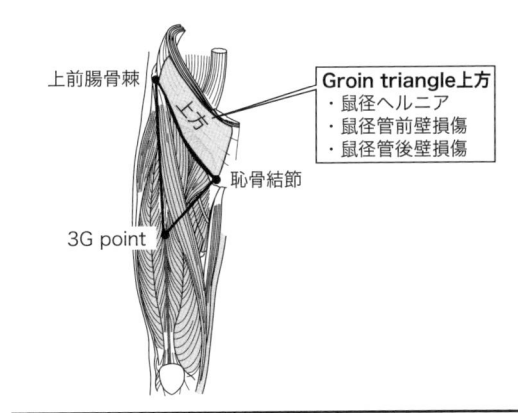

図15-2 Groin triangle上方における病変

の陰部枝，陰部大腿神経の枝などの絞扼を伴う場合もある[32〜34]。しかしながら，これらの病変のメカニズムについて説得力のある理論は提唱されていない。

鼠径管前・後壁の損傷を引き起こす力学的ストレスは特定されていない。屍体研究において，腹腔内圧上昇と腹筋群の緊張が関与することが示唆された[35]。ただし，両者はいずれも一般のアスリートに共通に起こる正常な力学的条件であり，これらのみで鼠径管前・後壁の損傷を招くことは考えにくい。鼠径管前・後壁損傷を受傷したアスリートにおいて，これらの組織が先天的に脆弱であった可能性は否定できないが，そのような解剖学的因子は文献上指摘されていない。

臨床において，鼠径部痛症候群患者において上前腸骨棘と恥骨結合間を直線で結んだ直線に対し，鼠径靱帯が遠位に凸の弯曲を呈する例にしばしば遭遇する（図15-3）。さらに，徒手療法により鼠径靱帯とその表層の皮膚との間の滑走性を改善し，腹横筋下部のトレーニングを実施することにより，弯曲していた鼠径靱帯が上前腸骨棘と恥骨結合間の直線上にもどる。その結果として，低下していた腹横筋下部の随意的収縮時の緊張（図15-4）が改善する。

筆者は，上記の文献的情報および臨床的観察に基づき，鼠径管前壁・後壁の損傷のメカニズムを

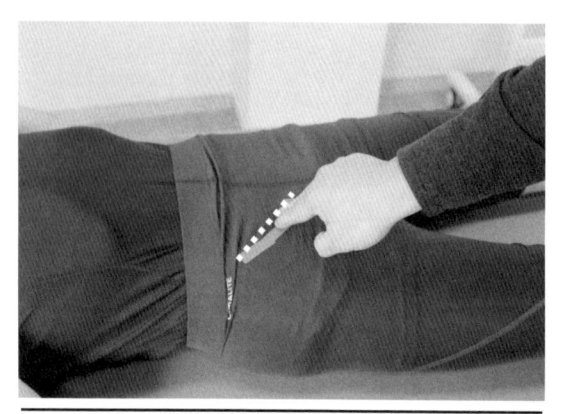

第5章　骨盤・股関節・鼠径部疾患の私の治療

図15-3　鼠径靱帯の走行異常
鼠径靱帯が上前腸骨棘と恥骨結節を結ぶ直線から下方に凸の弯曲を呈する場合がある。皮膚と鼠径靱帯の滑走不全がその原因と推測される。

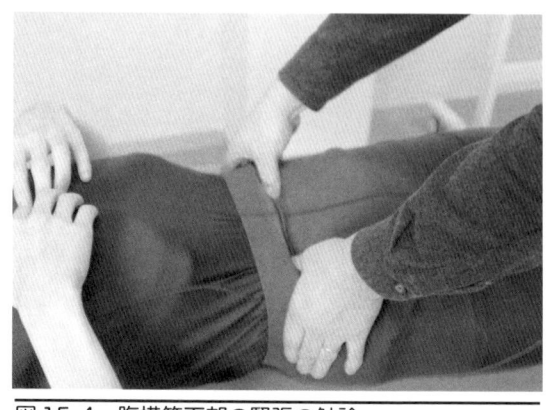

図15-4　腹横筋下部の緊張の触診
鼠径靱帯の滑走不全の前後で腹横筋下部の随意収縮時の緊張を触診する。骨盤の安定性を維持するため、圧迫に対して容易に腹横筋が凹まない緊張を得る必要がある。

図15-5　サッカーのキック動作における鼠径靱帯上部へのストレス
キックの直前の股関節伸展、腹筋群の収縮、腹圧上昇が引き起こす鼠径管前・後壁へのストレスは、鼠径靱帯の下に凸の走行変化によって増大され、鼠径管前壁・後壁の損傷をきたす原因となることが推測される。

やキック動作に伴う腹筋群の強い活動や腹腔内圧上昇は、下部腹壁や鼠径管前・後壁に過度の伸張ストレスを及ぼす（**図15-5**）。筋群の強い活動や腹腔内圧上昇はスポーツ活動において回避できないものであるため、力学的ストレスの鼠径管前・後壁への集中を回避するためには、鼠径靱帯と皮膚の間の滑走不全および恥骨結合の偏位に対して適切な対策を講じることが求められる。

3. Groin triangle の内部

Groin triangle 内部の病変として股関節関節唇損傷、腸腰筋腱炎と腸腰筋滑液包炎があげられる（**図15-6**）。腸腰筋滑液包炎は腸恥隆起上での腸腰筋腱の摩擦が原因と考察された[36]。一方、術中所見で寛骨臼蓋関節唇損傷が認められたスポーツ選手において、鼠径部痛を主訴とする例が多く含まれていた[37,38]。疼痛出現部位としては鼠径部が92％と最も多く、次いで大腿前面・膝、股関節外側、殿部の順に疼痛を認めた[37]。また、疼痛による股関節屈曲、回旋動作、外転動作の制限[38]、スナッピングやロッキング[37]が術前に認められた。

関節唇損傷の原因として、大腿骨頭前方偏位[39]

次のように推測している。まず、潜在的に股関節屈曲位において鼠径靱帯と皮膚の間の滑走不全が生じ、立位や背臥位では股関節伸展に伴い鼠径部前面の皮膚が鼠径靱帯を遠位に引き下げる。恥骨結合の偏位は、腹直筋、長内転筋、鼠径靱帯など恥骨靱帯に付着部をもつ組織の緊張を増減させ、鼠径管周辺の異常な力学的環境を助長する。このような状況において、スポーツ活動中の短距離走

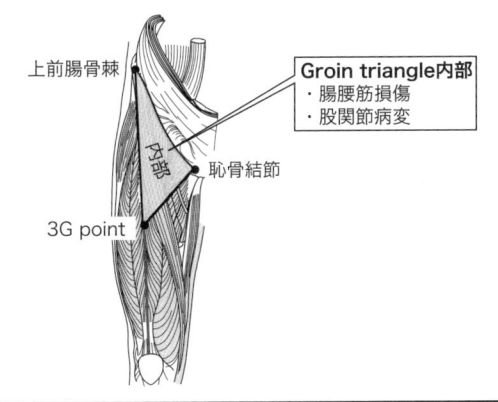

15. 鼠径部痛症候群の保存療法

図15-6 Groin triangle 内部における病変

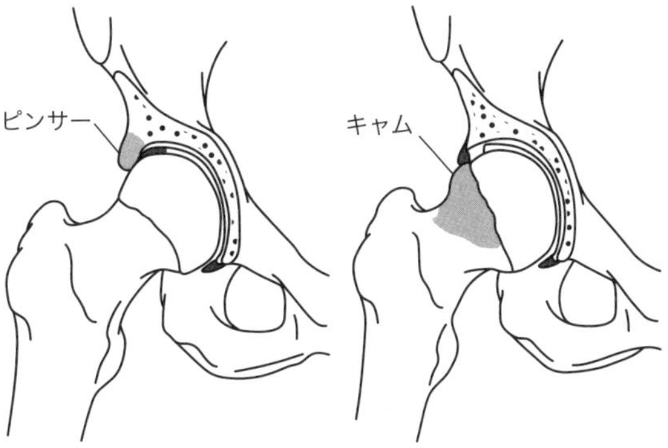

図15-7 大腿骨寛骨臼インピンジメント（femoro-acetabular impingement：FAI）を伴う骨形態変化

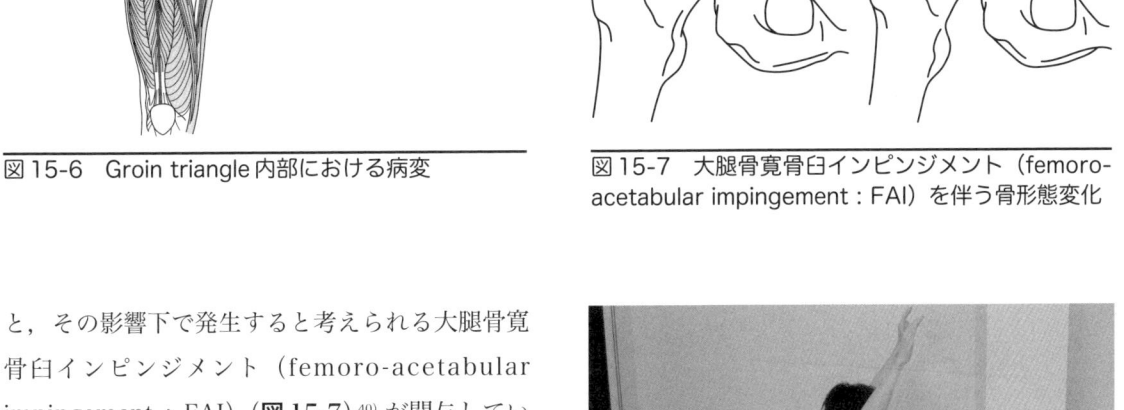

と，その影響下で発生すると考えられる大腿骨寛骨臼インピンジメント（femoro-acetabular impingement：FAI）（**図15-7**）[40]が関与している可能性が高い。そして，FAIの発生因子として，寛骨臼蓋および大腿骨頭・頸部の形態（解剖学的因子）[37,41〜43]，股関節前面の関節包・腸骨大腿靱帯の弛緩性（laxity）[44,45]，そして関節内の接触領域（コンタクトキネマティクス）の異常[46]，が推測されてきた。したがって，groin triangle 内部の疼痛に対して，鼠径部痛症候群と大腿骨頭前方偏位（または初期のFAI）のいずれかあるいは両方の存在を考慮したリハビリテーションプログラムが必要と考えられる。

股関節前面の関節包・腸骨大腿靱帯の弛緩性は大腿骨頭の前方偏位の原因となり，大腿骨頭前方偏位の存在下での股関節伸展や開排運動の反復は，その前方偏位をさらに助長する可能性がある。Sahrmann[39]はこのような大腿骨頭の異常運動をfemoral anterior glide syndromeと名づけた。一方，正常な股関節において，凹凸の法則により股関節屈曲時に大腿骨頭関節面は後方にすべり込むと考えられるが，大転子よりも後方の筋の滑走性低下は股関節屈曲時の大転子および大腿骨頭の前方偏位をもたらす可能性がある。その偏位の存在下での股関節屈曲運動の反復は，股関節最

図15-8 オーバーヘッドスクワットテスト
股関節屈曲可動域制限（FAI）が存在すると骨盤後傾，脊柱の屈曲が起こるため，写真のスクワット肢位をとることができない。

大屈曲時の前方の詰まり感（**図15-8**）を助長し，FAIの直接的な原因となる可能性がある[44]。以上のようなキネマティクスの異常は先行研究において十分に検証されていないが，FAIに対して大腿骨頭の前方偏位の改善を強く意識した治療を行うべきと考えられる。

C. 治療方針

前項の議論により，鼠径部痛を招く原因として，①恥骨結合不安定性，②鼠径靱帯滑走不全，③大腿骨頭前方偏位の関与が推測された。さらに，こ

表15-1　骨盤輪スタビライゼーションの進め方

①リアライメント
　a）恥骨結合の偏位をもたらす一側の寛骨前傾の原因となる鼠径部拘縮の解消
　b）恥骨結合の偏位をもたらす一側寛骨後傾の原因となる殿部・坐骨部の拘縮の解消
②スタビライゼーション
　a）多裂筋・大殿筋の再教育による仙腸関節の安定化
　b）腹横筋・骨盤底筋の再教育による骨盤輪の安定化

表15-2　下肢リアライメントの治療対象

①脚長差の補正・補高
②可能な限りの下肢関節可動域制限の解消
③大腿前面の拘縮の解消
④大腿後面の拘縮の解消
⑤膝関節における脛骨外旋の改善
⑦下腿外旋を促す後足部アライメントの改善

れらの存在下でスポーツ活動を継続することにより，その周囲の筋や腱の二次的な過緊張や損傷が生じる可能性がある．このため，鼠径部痛症候群のリハビリテーションプログラムには，上記の3要素とこれらの関連する二次的症状や病変への対策を含めておくことが望まれる．以下では，鼠径部痛症候群の保存療法において考慮すべき課題とその対策についての私見を述べる．

1．恥骨結合不安定性

恥骨結合不安定性は骨盤輪の機能異常の一部であり，しばしば仙腸関節不安定性を伴う．鼠径部の疼痛は主に恥骨結合不安定性の影響を，仙腸関節を含む骨盤背側に症状がある場合は仙腸関節の不安定性の影響を考慮すべきである．このため，恥骨結合不安定性に対する治療として，仙腸関節を含む骨盤輪の対称性獲得を目的とした骨盤輪リアライメント（対称化）と，得られた骨盤輪対称性を持続させるための骨盤輪スタビライゼーションが必要と考えられる．①リアライメントとして，

a）恥骨結合の偏位をもたらす一側の寛骨前傾の原因となる鼠径部拘縮の解消，b）恥骨結合の偏位をもたらす一側寛骨後傾の原因となる殿部・坐骨部の拘縮の解消，②スタビライゼーションとして，a）多裂筋・大殿筋の再教育，b）腹横筋・骨盤底筋の再教育による骨盤輪の安定化，を進める必要がある（**表15-1**）[47]．

骨盤アライメントは，立位での活動において生じる下肢からの運動連鎖によって容易に異常をきたす可能性がある．一側の鼠径部の筋の過緊張は寛骨前傾を，一側の殿部の筋の過緊張は寛骨後傾を促す．腸脛靱帯の過緊張は腸骨稜の開大を招き，仙腸関節上部の開大をもたらす可能性がある．腸脛靱帯の過緊張の原因として，膝の外旋アライメント[48〜50]，そしてそれを助長する後足部回外，足部外側アーチの降下などがあげられる．当然ながら，構築学的脚長差や膝伸展制限などで生じる機能的脚長差，そして下肢外傷による跛行の習慣化は骨盤マルアライメントの原因となる．以上のような骨盤の安定性や対称性に影響を及ぼす下肢の異常は，いずれも恥骨結合の偏位や不安定性をもたらす可能性があることを念頭に置き，恥骨結合不安定症の治療には下肢のリアライメントとスタビライゼーションも含めるべきである．下肢に対する治療として，必要に応じて①脚長差の補正・補高，②可能な限りの下肢関節可動域制限の解消，③大腿前面の拘縮の解消，④大腿後面の拘縮の解消，⑤膝関節における脛骨外旋の改善，⑥下腿外旋を促す後足部アライメントの改善，などが求められる（**表15-2**）[47,48]．

2．鼠径靱帯滑走不全

鼠径靱帯滑走不全（**図15-3**）は筆者が提唱する新しい概念であり，それを科学的に実証した先行研究は存在しない．しかしながら，鼠径靱帯が，その付着部である上前腸骨棘と恥骨とを結ぶ直線から遠位に凸の弯曲を呈することは，体表からの

表15-3 鼠径靱帯滑走不全への対策

①鼠径靱帯とその表層の皮膚との滑走性の改善
②股関節伸展位における鼠径部の皮膚の緊張緩和のための大腿後面から大腿外側，大腿前面への皮膚の滑走性の改善
③鼠径靱帯を上方に保つための腹横筋下部の持続的緊張の学習
④鼠径靱帯滑走不全に併発しやすい大腿筋膜張筋など股関節屈筋の緊張緩和

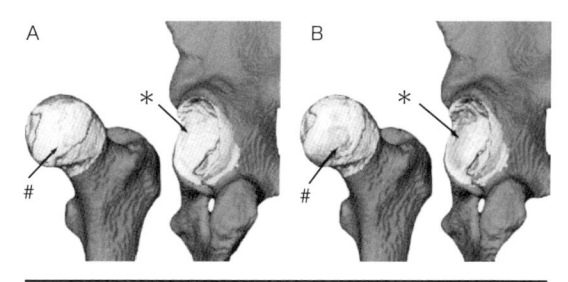

図15-9 股関節屈曲45°（A）および60°（B）における股関節のコンタクトストレス（文献52より引用）
＊，＃：異常所見（圧の集中）を示す。

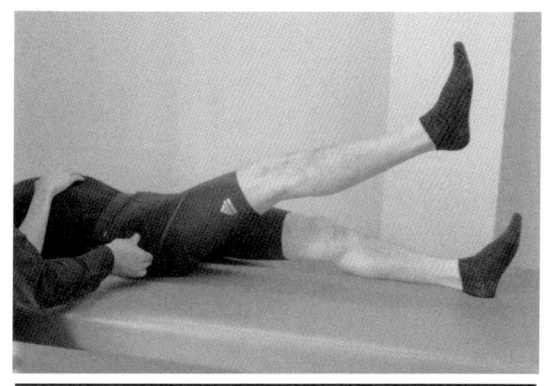

図15-10 股関節屈曲運動中の大転子異常運動パターンの評価法
自動にて下肢伸展挙上を行いつつ，他方の手で大転子の前方移動を触診し，股関節の挙上早期から大転子の前方移動が触知される状態を異常と判定する。

触診によって容易に検知される。そして，その偏位とgroin triangle上方の疼痛，不快感，筋機能不全との関連性は高頻度にみられる。科学的な証明はされていないにせよ，鼠径靱帯滑走性の改善はしばしばgroin triangle上方の症状や機能不全の改善をもたらすことから，治療上考慮されるべき要素と考えられる。鼠径靱帯滑走不全への対策は，①鼠径靱帯とその表層の皮膚との滑走性の改善，②股関節伸展位における鼠径部の皮膚の緊張緩和のための大腿後面から大腿外側，大腿前面への皮膚の滑走性の改善，③鼠径靱帯を上方に保つための腹横筋下部の持続的緊張の学習，④鼠径靱帯滑走不全に併発しやすい大腿筋膜張筋など股関節屈筋の緊張緩和，などを含む（表15-3）。

3. 大腿骨頭前方偏位

大腿骨頭前方偏位およびFAIに対する保存療法は確立されていない。FAIの発症の危険因子である骨形態（解剖学的）因子[37,43,45]，股関節前面の関節包・腸骨大腿靱帯の弛緩性[44,45]，関節内の接触領域（コンタクトキネマティクス）の異常（図15-9）[46,51]のなかで，保存療法により改善が期待されるのはコンタクトキネマティクスのみである。コンタクトキネマティクスの異常は大腿骨頭の異常キネマティクスを伴う可能性が高い。その治療においては，まず非荷重位での他動運動における異常キネマティクスの改善に取り組み，その改善が得られたうえで，筋活動を含めた自動運動，抵抗運動，荷重運動中の疼痛軽減に取り組むべきであろう。

股関節キネマティクスの臨床的な評価法として，触診による大転子の動態観察が参考になる。Sahrmann[39]は大転子の触診による股関節運動の評価法を提唱した。股関節屈曲運動中，早期より大転子の前方移動が触知された場合に"股関節屈曲運動中の大転子異常運動パターン（impairment of the movement pattern of the greater trochanter during hip flexion）"と判定する。この異常運動は下肢伸展挙上のような他動運動においても認められることから，その原因は筋活動ではなく，大転子周辺の滑液包や皮膚の滑走不全，そして大殿筋停止部付近の筋間および筋膜・皮下

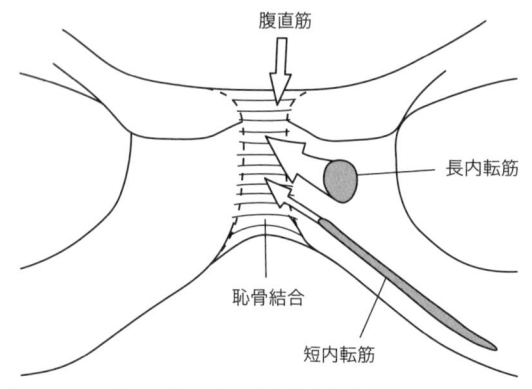

図15-11 長内転筋の起始（文献35より引用）
長内転筋の起始の一部が恥骨結合関節包に合流することを示す。

脂肪間の滑走性の低下などによる伸張性の低下が疑われる．実際に，徒手療法によってこれらの組織間の滑走性が改善されると，それに伴って屈曲運動異常は解消または軽減される．屈曲時に疼痛が出現するFAI股の治療において，多くの症例が屈曲運動異常の改善に伴って屈曲時の疼痛または股関節前部の詰まり感の軽減を呈する．

股関節前面の関節包の弛緩性[44,45]の結果生じる大腿骨頭前方偏位は，股関節開排や伸展時のgroin triangle内部の疼痛を招く．正常股関節において，これらの運動時に大転子は後方に移動し，腸骨大腿靱帯や前方関節包によって大腿骨頭の前方移動は制動される．しかし，大腿骨頭前方偏位を伴う股関節においては，大腿部後面・外側の筋膜上の皮下脂肪の滑走性低下によって大転子の後方移動が制限され，その反作用で大腿骨頭の前方偏位が増強されやすくなっていると推測される．これに対し，大転子周囲の筋膜・皮下脂肪間，滑液包，皮膚・骨膜などの組織間の滑走性を改善させる徒手療法によって大腿外側の皮膚の前方移動の改善を得ることにより，股関節開排時または伸展時の疼痛がしばしば軽減される．

以上の議論から，大腿骨頭前方偏位に対する保存療法は，①非荷重位における他動運動中の異常キネマティクスおよび症状の改善，②非荷重位での自動運動，抵抗運動時の疼痛改善，③荷重位での活動中の疼痛軽減，の順に進めるのが妥当と考えられる．さらに①の異常キネマティクス改善を得るうえでは，皮膚，皮下脂肪，滑液包などを含む大腿部から股関節にかけての軟部組織の滑走性の改善が不可欠である．

4．鼠径部周囲の二次的な疼痛への対策

鼠径部痛の主原因としてあげた①恥骨結合不安定性，②鼠径靱帯滑走不全，③大腿骨頭前方偏位がある程度改善された後，その周囲の筋や腱の二次的な過緊張や損傷に対する治療を進める．その理由は，種々の二次的な症状は主原因の解決によって寛解する場合が多く，仮に最初に症状が消失してしまうと"原因"の解決の程度を測ることができないためである．仮に局所麻酔によって症状が消失してしまうと，原因に対する治療効果の有無を判断することができなくなる．

1）内転筋群

内転筋群の過緊張の原因として骨盤および股関節のマルアライメントがあげられる．まず，長内転筋の過緊張の原因として恥骨結合の偏位があげられる．これは長内転筋の付着部の一部が恥骨弓靱帯と合流（図15-11）[52]しているためと考えられる．この場合，恥骨結合の偏位の解消によって容易に長内転筋の過緊張は解消される．次に，股関節開排または伸展時の鼠径部（恥骨筋，腸腰筋，大腿薄筋など）の過緊張の原因として，大腿骨頭前面の関節包・靱帯の弛緩性に伴う大腿骨頭の前方偏位があげられる．これらの症状は，大腿外側の皮膚の前方への滑走性改善によって大転子の後方移動が改善され，大腿骨頭の前方偏位が軽減されるとほぼ消失する．上記以外の内転筋群の過緊張の原因として，膝関節のブレースやテーピングによる大腿部の締め付けの経験，過緊張の状態でのスポーツ活動による肉ばなれの影響，の関与の

可能性がある．この場合は，皮下脂肪と筋膜，筋間の滑走不全を解消する必要がある．

2）大腿筋膜張筋

鼠径部外側（大腿筋膜張筋付近）の過緊張は股関節伸展制限，大殿筋収縮不全を招きやすい．その場合，股関節中間位での他動伸展において伸展制限があり，股関節軽度外転位での他動伸展において伸展制限が改善される．この可動域パターンは，大殿筋の収縮による自動伸展においても同様に再現される．大腿筋膜張筋は上前腸骨棘と大転子付近の大腿筋膜に付着し，股関節屈曲位では股関節屈曲，外転，内旋のモーメントアームを有するとされる．股関節伸展に伴う大腿筋膜張筋の後方への滑走性に制限が生じると，股関節伸展の主要な制限因子となる（図15-12）．一方，股関節伸展時に外側広筋上を後方に移動することにより，大腿筋膜張筋は股関節伸展を制限しない走行となる．すなわち，股関節伸展時に大腿筋膜張筋は緊張を増すことない筋となる．そして，その結果として，股関節伸筋である大殿筋機能不全の改善が加速される．この現象は鼠径部や骨盤に異常のない健常者においても高頻度に起こっている．その改善には，大腿筋膜張筋上の皮下脂肪の滑走性改善，大腿筋膜張筋と外側広筋間の滑走性改善，そしてその滑走性を持続させるための大殿筋の機能回復が必要となる．

3）腹筋群

腹筋群の過緊張は，恥骨結合の偏位と鼠径靱帯の下方への牽引の影響を強く受けて形成される．特に腹直筋の過緊張（スパスム）には恥骨結合の偏位の解消が，腹横筋または鼠径管周辺の疼痛や違和感には鼠径靱帯滑走不全の解消が不可欠である．これらの要因が解決された後にも残存する過緊張に対しては，収縮不全に陥っている腹横筋の張力を十分に回復させたうえで，過緊張を呈する

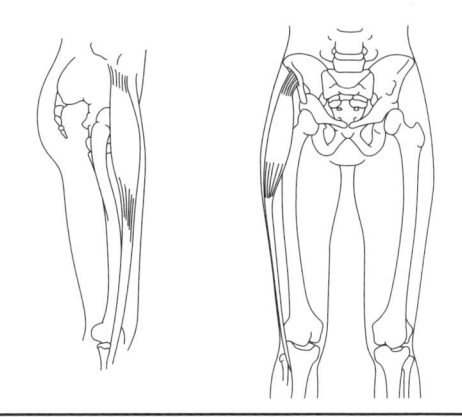

図15-12 大腿筋膜張筋の走行
大腿筋膜張筋は股関節内転位では主要な伸展制限因子となるが，外側への滑走性が得られると制限因子ではない筋へと変化する．

筋と接している皮下脂肪との滑走性を改善するように徒手的リリースを実施する．

4）骨盤底筋群・梨状筋

骨盤底筋の過緊張が鼠径部痛症候群に併発する場合がある．その原因は骨盤輪のアライメント不良，特に前額面における仙骨の傾斜（尾骨の偏位）との関連性が深いと推測される．骨盤底筋を上方からみると，尾骨を要とした扇形を呈している（図15-13A）．仙骨の前額面傾斜に伴いこの要である尾骨が左右のいずれかに偏位すると，骨盤底筋の走行が著しく歪められる．この状態でのスポーツ活動によって，尾骨の偏位とは反対側の骨盤底筋および梨状筋の過緊張が引き起こされると推測される（図15-13B）．さらに，骨盤底筋の過緊張は，矢状面において仙骨の後傾（counter nutation）を促す（図15-13C）．その結果，仙腸関節の安定性が低下し，骨盤輪がloose-packed positionとなる．

これに対して，仙骨の前額面傾斜を改善するため大殿筋機能の向上を図る必要がある．これには，尾骨の偏位とは反対側（骨盤底筋・梨状筋の過緊張の生じる側）の大殿筋の機能を向上させ，仙骨の前額面傾斜を改善し，さらには左右対称な大殿

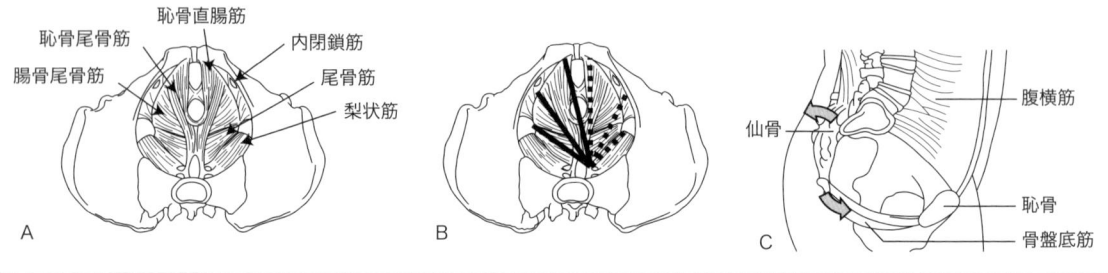

第5章　骨盤・股関節・鼠径部疾患の私の治療

図15-13　骨盤底筋・梨状筋の構造と機能
正常な骨盤底筋は尾骨を中心とする扇形を呈する。仙骨の前額面傾斜により尾骨が一方に偏位すると扇形が著明に崩れ，同側の筋はゆるみ，対側の筋は緊張を増すと推測される。骨盤底筋の単独収縮は仙骨の起き上がり（counter nutation）を招く。

筋の作用により歩行における仙骨傾斜の再発を予防する。梨状筋の過緊張は尾骨偏位の解消により自動的に解消される例が多い。過緊張となっている梨状筋のリラクゼーションは，さらなる尾骨偏位の増強を招くため禁忌である（**図15-13B**）。一方，骨盤底筋については，尾骨の位置を正常化したうえで骨盤底筋を直接圧迫することにより骨盤底筋の過緊張を解消させ，そのうえで骨盤底筋の再教育を行う。梨状筋と同様に，骨盤底筋のリラクゼーションは尾骨の偏位の修正後でなければならない。その理由は，尾骨の偏位を抑制する役割を担っている一側の骨盤底筋の緊張軽減が尾骨の偏位を増強する危険性があるためである。

D. 保存療法の基本方針

マルアライメント症候群は，「関節マルアライメントや異常キネマティクスが原因となって生じ，それによって回復が遅延する疼痛や機能低下」と定義される。すなわち，マルアライメントの修正が治療上必須であり，それが達成できないかぎりは疼痛減少や機能回復が進まない状態を意味する。マルアライメント症候群はあらゆる関節疾患に併発するものであるが，それ自体は解剖学的な異常あるいは組織損傷とは捉えられないため，整形外科診療において通常診断されることはない。

一方，リハビリテーションにおいては，解剖学的異常としての診断名と機能的異常の中心としてのマルアライメントを病態の両輪と捉え，両者の治療を同時に進めていく。骨盤を含む全身の関節疾患の大部分に微細なマルアライメントが少なからず関与している。そして，マルアライメント症候群の機能回復には，マルアライメントの修正が不可欠である。リアライン・コンセプト（ReAlign concept）は，すみやかにマルアライメントと異常キネマティクス（関節運動）を改善し，関節機能の回復と疼痛の減弱を得ようとする治療概念である。

1. 評価

リアライン・コンセプトの治療前に行う臨床評価では，**図15-14**の原因因子と結果因子を明確に区別することが重要である。結果因子は，組織の損傷や炎症の結果として起こった問題であり，これらに対する治療は「対症療法」と位置づけられる。外傷後に発生した筋力低下や可動域制限は結果因子の機能低下に含まれ，これらの改善を目的とした治療も対症療法ということになる。マルアライメントが存在している状況下で筋力トレーニングを実施すると，マルアライメントを筋や脳に記憶させ，マルアライメントからの脱出をより難しくする危険性がある。同様に無理な可動域訓

15. 鼠径部痛症候群の保存療法

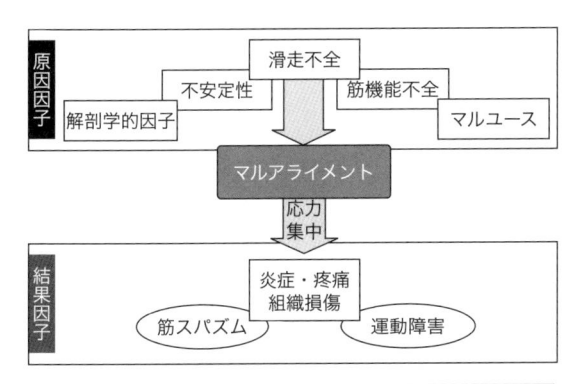

図15-14 マルアライメント症候群の病態概念
マルアライメントの結果として応力集中が起こり，疼痛，炎症，運動障害，筋スパズムなどの結果因子が生じる。これに対し，マルアライメントの原因因子を解決することによってマルアライメントの持続性のある改善が得られる。

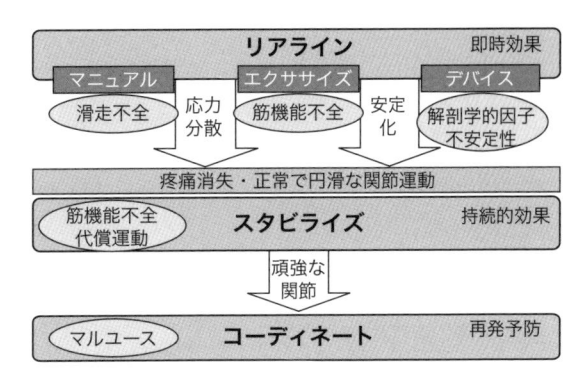

図15-15 リアライン・セラピーの流れ
微細なマルアライメントの治療の最優先課題と位置づけ，リアライン相ではマルアライメントの解消を目指す。良好なアライメントが得られたら，その状態を持続させるための筋活動を得るためのスタビライズ相へと移行する。もとの活動レベルに復帰した後もマルアライメントが再発することがないよう，コーディネート相において動作修正を図る。

練は，可動域の拡大に伴ってマルアライメントが増強する危険性がある。したがって，急性期の炎症対策や関節保護（固定など）を除き，可能なかぎり結果因子への対応よりも原因因子の治療を優先すべきである。

2. リアライン・セラピーの進め方

リアライン・セラピーの治療の成否は，まさにリアライメントの成否により決定される。マルアライメント症候群に陥った関節に対してリアライメントを行ううえでは，マルアライメントを引き起こすすべての原因因子を同定し，それらの解消を図ることが必要である。その原因として，解剖学的特徴，関節不安定性，筋機能低下，組織の滑走性低下・拘縮，マルユース（フォームの異常）などがあげられる。仮に，マニピュレーション（徒手的な関節リアライン）によって骨の位置を整えたとしても，上記の原因因子が残存する場合は短期間のうちにマルアライメントは再発する。したがって，リアライメントの効果を持続させるうえで，原因因子の解消は不可欠である。そして，原因因子の解消が得られることにより自ずとマルアライメントは改善に向かい，症状改善とその持続性向上が得られる。

原因因子は，保存療法では解決が困難な解剖学的因子と不安定性，保存療法で解決が可能な筋機能，組織の滑走不全・拘縮，マルユースに分けられる。前者については，基本的には保存療法では十分な解決が得られないものと理解し，早期から補助具（リアライン・デバイス）の助けを借りる。後者については，リハビリテーションのなかでも最も重要かつ効果的な治療上のターゲットとなる。組織の滑走不全・拘縮に対しては，組織間の滑走性を回復させる徒手療法（マニュアル・リアライン）を用いる。筋機能不全に対しては「スタビライズ相」においてリアライメントに直接貢献する筋の機能回復を進める運動療法（リアライン・エクササイズ）を行う。マルユースに対しては，「コーディネート相」において，将来にわたってマルアライメントの再発を防ぐような動作パターンの習得を進める（**図15-15**）。

①**リアライン相**：この相は関節マルアライメントと異常キネマティクスを解消する過程であり，これらの正常化と疼痛の消失がゴールとなる。リ

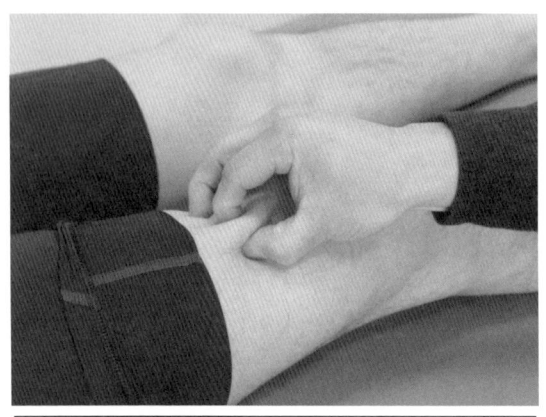

図15-16 皮下脂肪リリース
筋膜と皮下脂肪の境界部に指先を滑り込ませ，組織間の滑走性を得る．

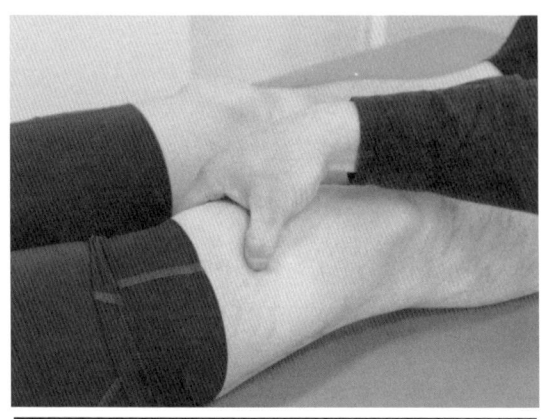

図15-17 筋間リリース
隣接する筋間に指先を滑り込ませ，筋間の滑走性を得る．

アラインを進めつつ，他動運動における疼痛の消失，自動運動や非荷重位運動における疼痛の消失，荷重運動・スポーツ動作における疼痛の消失，の順に症状の軽減を確認する．

②スタビライズ相：この相の目的は，第1段階のリアライン相で得られた良好なアライメントとキネマティクスを持続させるための筋活動の学習である．ここでのゴールは正しい筋活動パターンの学習であり，対象者が特に意識することなく良好なアライメントを維持し，日常生活を過ごすことが可能な状態である．良好な動的アライメントを反復するための筋活動パターンの学習も含まれる．

③コーディネート相：この相の目的は，スポーツ活動など高いレベルの身体活動を継続してもマルアライメントや異常キネマティクスが再発しないような動作パターンの学習である．したがって，良好な関節アライメントが持続できるようなスポーツ動作やフォームの変更・修正も含まれる．

3．滑走不全への対応

軟部組織の緊張のコントロールはリアライン・セラピーの成否を決める重要な治療要素である．緊張の強い軟部組織が同定されたら，表層から順に緊張の寛解を目的としたマニュアル・リアラインを実施する．表層とは，まず皮下脂肪とその深層にある筋膜，腸脛靱帯，滑液包などを指している．皮下脂肪を深く指先で摘み，指尖部の末節骨遠位端において筋膜から皮下脂肪をめくり取るように深く指先を筋膜と平行に滑り込ませる（**図15-16**）．この状態で深層の筋膜が動くような自動運動，他動運動，あるいは皮下脂肪をつまんでいる指を筋膜上で移動させることにより，筋膜と皮下脂肪との間の滑走性を改善することができる．通常，滑走が不良な場合は痛みを感じるが，2〜3回の自動・他動運動などによって，その痛みと抵抗感は劇的に軽減する．これによってリリースは完成されたとみなし，指先を移動させて周辺のリリースへと移行する．

皮下脂肪のリリースが完了すると，通常その深部の筋の緊張は劇的に軽減される．完成度が高い場合は，物理療法やマッサージなどほかの手段と比較にならないほどの効果が期待できる．一方で，深部の筋間・筋と骨などの間の滑走不全が存在する場合は，筋間に指尖部を滑り込ませるようにし，筋を自動運動または他動運動などによって移動させつつ，隣接する筋間の滑走性を改善する（**図15-17**）．大腿二頭筋短頭と外側広筋，大殿筋と

外側広筋，大腿筋膜張筋と外側広筋など，外側広筋を周辺すべての筋からリリースすると，股関節と膝に関与する異常な筋緊張の大部分を解消することができる．

E. 鼠径部痛症候群に対する保存療法

以下，前述したリアライン・コンセプトに基づき鼠径部痛症候群の保存療法の進め方を提唱したい．

1．リアライン相

鼠径部痛症候群には，左右の股関節と骨盤輪の3つの関節，合計5個の関節のマルアライメントが関与する可能性がある．このためリアライン相では，これら5つの関節のリアライメントを進める必要がある．持続性のあるリアライメントを実施するには，マルアライメントの原因因子の解決が不可欠である．5個の関節のマルアライメントの原因因子は，複数の関節のマルアライメントに関与する場合もある．これらを踏まえ，鼠径部痛症候群の主要因に対する治療を効率よく進めることが求められる．なお，リアライメントの手段として，マニュアル・リアライン（徒手療法），リアライン・エクササイズ（運動療法），リアライン・デバイス（補装具）がある．以下，これらリアライメントの手段について述べる．

1) 徒手療法（マニュアル・リアライン）

骨盤輪と左右の股関節のリアライメントの手順に入る前に，これらすべてのマルアライメントの原因因子の1つである組織間の滑走不全への治療を一括して行う．これにより，治療の手順が大幅に簡略化され，また運動療法の効果をより確実に，効率的に得ることができるようになる．

(1) 大腿外側・大転子付近

大腿外側において腸脛靱帯，外側広筋，大腿二頭筋，大転子と皮下脂肪との滑走不全は，健常者を含めてほぼすべての人に共通の状態である．その原因は，側臥位での睡眠による長時間に及ぶ圧迫にあると推測される．

この滑走不全が股関節内旋位で起こった場合には外旋制限が，股関節外旋位で起こった場合は内旋制限の原因となる．これが背臥位での股関節回旋肢位に左右差をもたらすと推測される．外旋制限の場合，外旋時に大腿外側の皮膚が前方に移動できない状態にあるため大転子の後方への移動が制限され，その結果大転子を支点とした外旋となって大腿骨頭の前方偏位が助長される．同様の大腿骨頭のマルアライメントは股関節伸展や開排時にも起こり，これがしばしばFAI股における疼痛の原因となる．内旋制限の場合，内旋時に大腿外側の皮膚が後方に移動できない状態にあるため大転子の前方移動が制限され，さらに重度の外旋拘縮を招く可能性がある．すなわち，大腿外側の皮下脂肪とその深部の組織との滑走性の改善は，大腿骨頭のアライメント，股関節可動域，そしてFAIの発生に強く関与していると推測される．

大腿外側の皮下脂肪リリースは，他動的に股関節を内・外旋あるいは屈曲・伸展させつつ，皮下脂肪を筋膜・腸脛靱帯・骨膜から剥がすように進められる（**図15-18**）．特定の解剖学的なポイントを意識する必要はなく，大腿外側の任意のポイントにて皮下脂肪をつまみつつ股関節を他動的に動かし，皮下脂肪と筋膜間の滑走不全が触知された部位においてリリースを行う．多くの症例において大腿外側全体に滑走不全が認められ，なかでも側臥位における荷重圧の強い大転子上の滑走不全が著明である場合が多い．股関節を内・外旋あるいは屈曲・伸展において，大腿外側の皮膚が自由に筋膜・骨膜・腸脛靱帯上を滑走できる状態を目標とする．

第5章 骨盤・股関節・鼠径部疾患の私の治療

図15-18 大腿外側の皮下脂肪リリース
腸脛靭帯上，大転子上の皮膚または皮下脂肪を深部の組織から剥がすよう，指先を組織間に滑り込ませるようにリリースする。

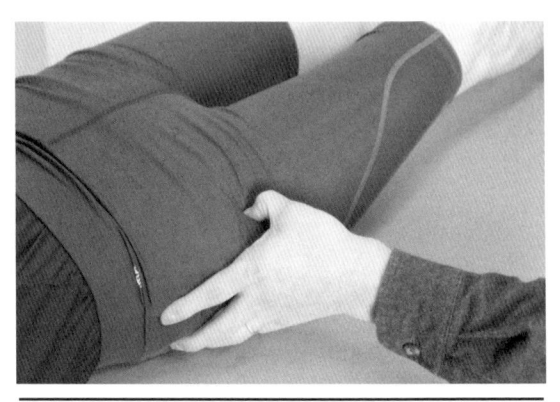

図15-19 大腿筋膜張筋リリース
大腿筋膜張筋上の皮下脂肪をリリースしたうえで，大腿筋膜張筋を外側広筋に対して外側にめくるようにリリースする。

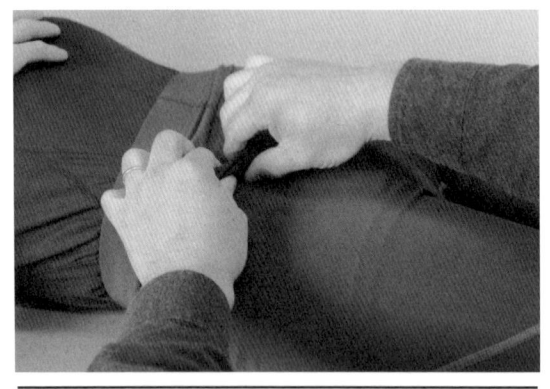

図15-20 鼠径靭帯リリース
鼠径靭帯上の皮膚をつまみ，鼠径靭帯に対して皮膚を遠位に滑らせるようにする。

(2) 鼠径部・大腿前面

鼠径部・大腿前面の滑走不全は，主に股関節伸展制限の解消と鼠径靭帯と皮膚との滑走性改善との2点に集約される。いずれに対しても，筋膜や靭帯から皮下脂肪または皮膚をリリースしたうえで，必要に応じて筋間を含む深部の組織間のリリースを行う。

前者は，大腿直筋および大腿筋膜張筋とその表層の皮下脂肪との滑走性を改善することにより，大腿直筋の柔軟性と大腿筋膜張筋の外側への滑走性を改善することを目的とする（**図15-19**）。皮下脂肪のリリースによって十分な股関節伸展可動域が得られない場合は，大腿直筋と外側広筋間，外側広筋と大腿筋膜張筋間の滑走性を改善する。

後者は，鼠径靭帯上の皮膚と鼠径靭帯との滑走性を改善することを目的とする。通常は皮膚をつまみ，鼠径靭帯に対して遠位に皮膚を移動させることにより，鼠径靭帯の上方への可動性を回復させることができる（**図15-20**）。鼠径靭帯の走行の正常化，他動股関節伸展時の大腿筋膜張筋の緊張の消失，大腿直筋の柔軟性改善の3点の達成により，この過程を終了する。また，大腿前面と大腿外側の皮膚の滑走性が改善することにより，股関節屈曲時に皮膚の余る大腿前面から皮膚の緊張の高まる大腿後面へと効果的に移動できるようになり，股関節屈曲可動域の改善にもつながる。

(3) 殿部・大腿後面

殿部・大腿後面において問題となる組織間滑走不全は，①尾骨偏位を招く一側殿部組織の過緊張，②大殿筋の収縮不全を招く大殿筋付着部の滑走不全，③股関節屈曲時または自動伸展時に必要なハムストリングスに対する大殿筋の上方への移動を阻害する筋間の滑走不全，④股関節伸展時に皮膚の前方への移動を阻害する皮下脂肪の滑走性低下，⑤下肢伸展挙上・股関節屈曲時に大転子の前

15. 鼠径部痛症候群の保存療法

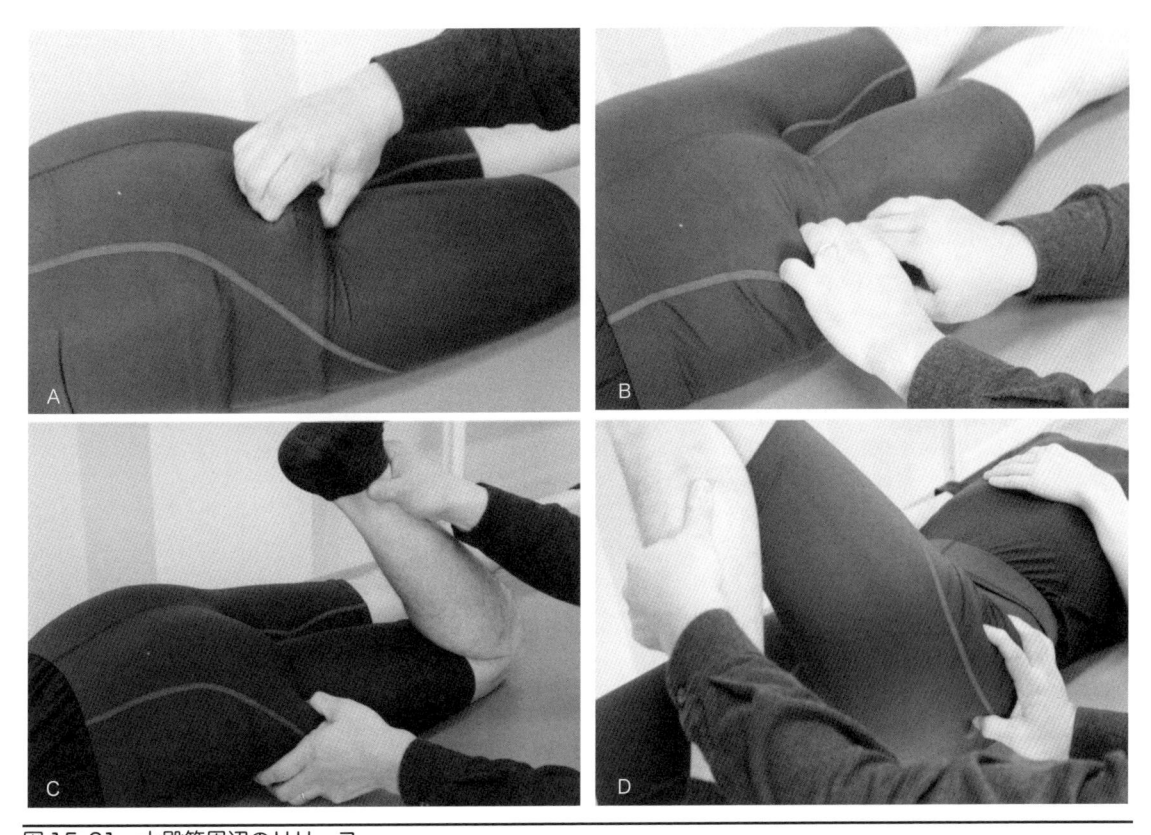

図15-21　大殿筋周辺のリリース
A：大殿筋の下縁部にそって皮下脂肪を筋膜からリリースする。B：大殿筋の下縁を坐骨に対して上方に，大腿二頭筋に対して外側にめくることによりリリースする。C：大殿筋の停止部と外側広筋の起始部の筋間に指を滑り込ませて，これらの筋間のリリースを行う。D：大転子後方で，外旋筋停止部と大殿筋間などの滑走不全を改善する。

方移動を助長する大転子から大腿後面外側にかけての皮下脂肪や筋間の滑走不全，などに分類される。これらは，座位姿勢や背臥位または側臥位での睡眠などによって徐々に形成される組織間の滑走不全であると推測される。

　上記の5項目の問題点に対して最初に改善すべき組織間滑走不全として，大殿筋膜・皮下脂肪間，大殿筋とハムストリングス（坐骨）間，大殿筋と外側広筋間があげられる。まず，大殿筋膜と皮下脂肪間について，特にハムストリングスと重なる大殿筋の下縁，外側広筋と大殿筋が隣接した付着部をもつ大腿骨近位外側部の滑走性を十分に獲得する（図15-21A）。それに加えて，大殿筋の下縁を近位にめくり上げるようにして大殿筋の近位への滑走性を獲得し，また大殿筋付着部内側を大腿二頭筋長頭から剥がすように外側に向けてめくることで大殿筋と大腿二頭筋との滑走性を獲得する（図15-21B）。さらに，大殿筋停止部と外側広筋起始部との間に指尖をすべり込ませるようにして，両筋間の滑走性を改善する（図15-21C）。これらのリリースの完成度が高まるにつれ①〜④の問題が解消される。

　大転子の前方移動を助長する因子を特定することは容易ではない。通常は，股関節屈曲において緊張する大殿筋とハムストリングスや外側広筋など大殿筋に隣接する筋との間の滑走性を改善することを最優先とする。そのうえで，大転子の前方移動が解消されていないようであれば，大転子上

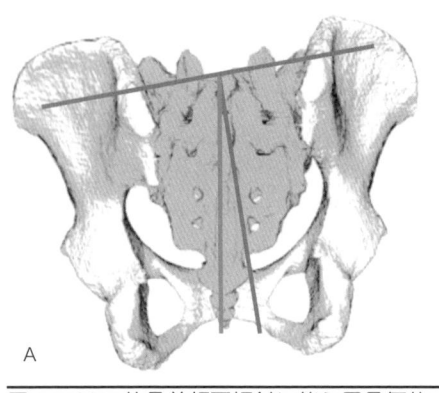

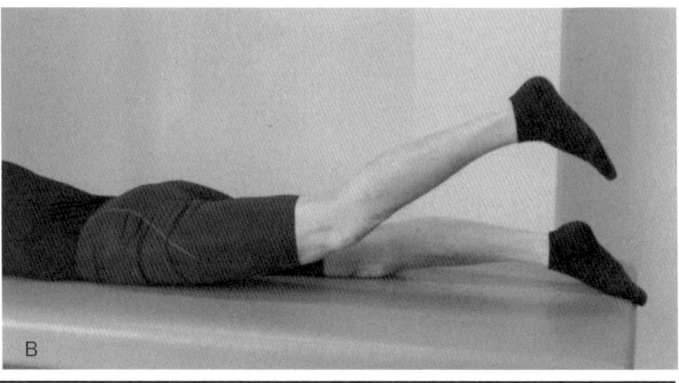

第5章 骨盤・股関節・鼠径部疾患の私の治療

図15-22 仙骨前額面傾斜に伴う尾骨偏位への対応
A：左右の後上腸骨棘を結ぶ直線の直角二等分線上に尾骨があれば正常な仙骨アライメントと定義する。図では，尾骨が左に偏位し，仙骨は前額面で右傾斜している。この場合，左大殿筋の過緊張と右大殿筋の収縮不全を疑う。
B：両側の大殿筋周囲のリリースを行ったうえで，右大殿筋の収縮を促すエクササイズを行うことにより，仙骨傾斜を正常化する。

から大転子後方（外旋筋群の付着部付近）の皮下脂肪リリース（**図15-21D**），滑液包リリース，筋間リリースなどを丁寧に進めていく。また必要に応じて，大腿遠位部の皮下脂肪と外側広筋・腸脛靱帯・大腿二頭筋の滑走性を改善する。最終的な目標は下肢伸展挙上や股関節屈曲における大転子の前方移動の消失，そしてその際の股関節前面の疼痛やつまり感の消失である。

(4) 大腿内側

大腿内側の滑走不全は，膝伸展時の開脚制限，膝屈曲時の開排制限，二次的に股関節屈曲または伸展制限をもたらす。内転筋群の過緊張がマルアライメントの原因となることはまれで，むしろ結果因子として滑走不全や過緊張が生じる例が多い。結果因子としての内転筋群の過緊張に対する組織間リリースは，骨盤輪および股関節のリアライメントの後に行うべきである。

過去のテーピングやブレース装着による大腿部の締め付けは，内転筋を含めた大腿部の筋間や筋・皮下脂肪間の滑走不全を招く。その結果として股関節伸展，屈曲，外転などの可動域制限が生じ，さらには寛骨の前後傾を招く可能性がある。

その場合は，これらの筋の過緊張を原因因子と捉え，リアライメントの前に組織間リリースを行って過緊張を解消しておく必要がある。

2）運動療法（リアライン・エクササイズ）

滑走不全が解消されたうえで，筋機能不全の改善を促すために運動療法（リアライン・エクササイズ）を行う。骨盤輪と股関節には多数の筋が関与してアライメントを変化させることを踏まえ，個々の関節のリアライメントに必要な筋を同定しつつリアライン・エクササイズを進める必要がある。

(1) 仙骨のリアライメント

骨盤輪のマルアライメントの修正において，治療中の仙腸関節の偏位の増悪を防ぐため，まず仙腸関節のリアライメントと適合性獲得を最優先とする。仙骨アライメント評価によってその必要がないことがわかれば，次の寛骨のリアライメントに進む。

体表からの仙骨のマルアライメントの判定には，左右の後上腸骨棘間を結ぶ直線の直角二等分線と尾骨との位置関係を指標にすると便利である

（図15-22A）[47]。尾骨の偏位は仙骨の前額面傾斜の指標であり，左右いずれかまたは両方の仙腸関節面の偏位（すなわち仙腸関節不安定性）の存在を示唆する。仮に尾骨が左に偏位している場合，左の殿部軟部組織の過緊張と右大殿筋の収縮不全を疑う。これに対し，前項で説明した組織間リリースで，左の殿部軟部組織の緊張寛解，右の大殿筋機能改善を得る。そのうえで，腹臥位または背臥位での右大殿筋の収縮の反復により，左に偏位した尾骨を右に引きもどし，両側の仙腸関節の適合性を改善する（図15-22B）。これらのリリースとエクササイズにより，静的・動的の両面において仙骨マルアライメントの原因因子が解消される。

仙骨マルアライメントの付随する梨状筋の過緊張に対して，物理療法や徒手療法によってこれをゆるめようとする誤った治療が行われることが多い。尾骨の右への偏位には左の梨状筋の過緊張が合併しやすい。これは，尾骨の右への偏位に対して左梨状筋が抵抗しているためである。すなわち，左梨状筋は仙骨マルアライメントの増悪を防ぐ役割を果たしている。この場合，左梨状筋の弛緩は仙骨マルアライメントの増悪を助長する可能性があり，この筋をゆるめる治療は禁忌である。この左梨状筋の過緊張は結果因子であるため，仙骨マルアライメントの解消によってこの筋の過緊張の解消を図るべきである。

（2）寛骨のリアライメント

寛骨マルアライメントは三次元的（6自由度）に判定すべきであるが，臨床的には矢状面で左右寛骨の前・後傾を対称化することにより6自由度の対称性が得られる場合が多い。前傾側の上前腸骨棘が低位となり，後傾側の上前腸骨棘は高位となる（図15-23）。加えて，恥骨結合不安定性があると，前傾側の恥骨低位が生じる。前傾側に対しては鼠径部の，後傾側に対しては殿部の軟部組

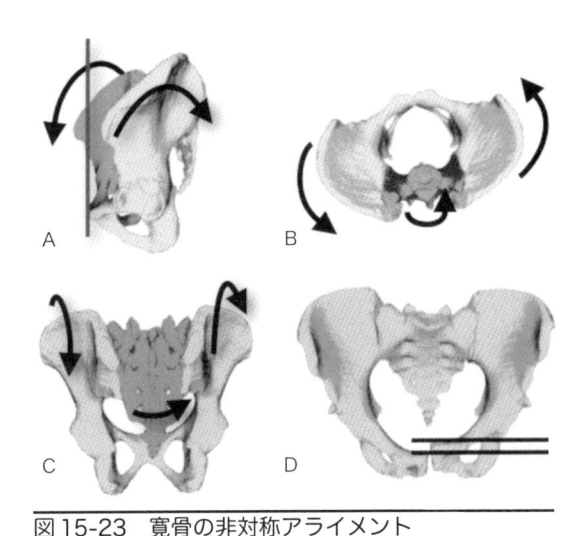

図15-23　寛骨の非対称アライメント
A：矢状面では一側の寛骨の前傾，対側の寛骨の後傾が生じる。B：水平面では前傾側の腸骨稜が前方に，後傾側の腸骨稜が後方に移動する。C：前額面（後面）では前傾側の後上腸骨棘は上方に，後傾側の後上腸骨棘は下方に移動する。D：恥骨結合の偏位が存在する場合，前傾側の恥骨は下方に，後傾側の恥骨は上方に偏位する。

織の緊張寛解が必要である。

以上の軟部組織の過緊張を解消すると，寛骨の対称性は通常改善に向かう。そのうえで，寛骨の前後それぞれにおいて対称性を獲得するためのエクササイズを実施する。寛骨後面においては，後傾位にある寛骨の上後腸骨棘を前方に押し込むことを意図した背臥位・膝屈曲位での骨盤ローリングによって対称性を確保する（図15-24A）。対称性が得られると，上後腸骨棘と床との接触感の左右差が消失する。一方，開排可動域の左右差が存在する場合は，恥骨結合の偏位が強く示唆される（図15-23D）。恥骨結合のリアライメントとして，低位にある恥骨を片側性の腹直筋の活動によって引き上げることを意図し，恥骨結合高位側でのヒールプッシュを行う（図15-24B）。その効果は，開排可動域の左右差の消失によって確認される。

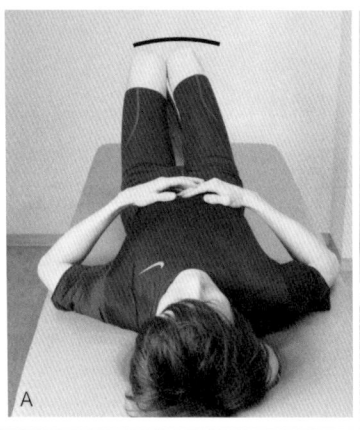

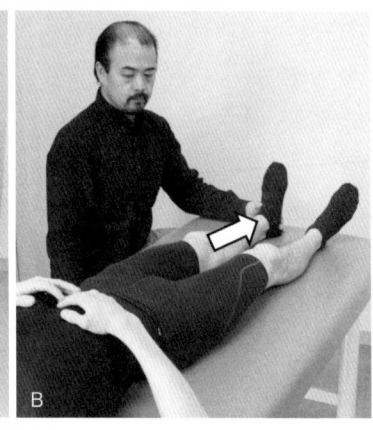

図15-24 寛骨のリアラインエクササイズ
A：寛骨前後傾に対しては後傾側に骨盤を5°程度傾けて正中にもどす骨盤ローリングエクササイズを行う．B：恥骨の上下の偏位に対しては恥骨高位側（寛骨後傾側）の足底で抵抗に対して押し込むようにすることにより，前傾側の腹直筋を収縮させて低位にある恥骨を上昇させる．

(3) 股関節のリアライメント

股関節のマルアライメントは，下肢伸展挙上中の大転子の前方移動を伴う大腿骨頭前方偏位と，臼蓋形成不全を伴う大腿骨頭後上方偏位とに大別される．前者では股関節内旋時の大腿骨頭の後方へのすべり込みが制限されていることから，股関節内旋エクササイズ（**図15-25A**）の反復，四つばい位での大腿骨頭後方へのモビライゼーションエクササイズ（**図15-25B**）などがマルアライメント改善に有効である．後者では股関節外旋時の大腿骨頭の前方移動が制限されていることから，股関節外旋エクササイズ（**図15-25C**）が有効である．いずれも，大腿外側の皮下脂肪の滑走性を十分に改善したうえで実施することによって，股関節リアライメントエクササイズがより効果的となる．

3) 補装具療法（リアライン・デバイス）

リアライメントに効果的な補装具をリアライン・デバイスと呼ぶ．骨盤輪・股関節の不安定性に対する補装具としては，コルセット，骨盤ベルト，スパッツやタイツなどの着衣が考えられる．特に上前腸骨棘レベルにおけるベルトなどによる圧迫は，仙腸関節上部の圧迫力を増し，その安定性向上に貢献する．一方，大転子レベルの圧迫は，恥骨結合の安定性向上には効果的かもしれないが，軟部組織の存在によって仙腸関節下部の安定性向上への寄与は小さいと推測される．

補装具療法の利点は，不安定性が強い骨盤において一定の安定性を獲得することを助けることができる点にある．特に産後の女性においては，骨盤輪の不安定性に加えて下部腹横筋の機能低下が顕著となることから，外的サポートは不可欠である．一方，その問題点としては，長期間の補装具の利用は，軟部組織の滑走性低下を招く点にある．単に疼痛軽減だけを目的とした骨盤ベルトや腰部サポーターなどの使用は，軟部組織の滑走不全を招き，症状の長期化を招きやすい．したがって，強い圧を伴う補装具の使用はできるかぎり短期間に止めること，そしてその結果生じる軟部組織間の滑走不全に対する対処を十分に行うことが必須である．

2. スタビライズ相

骨盤輪のスタビライゼーションは，骨格的な安定性を意味する"form closure"と筋・筋膜の機

15. 鼠径部痛症候群の保存療法

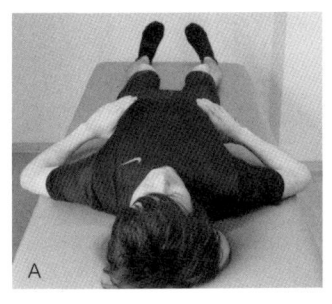

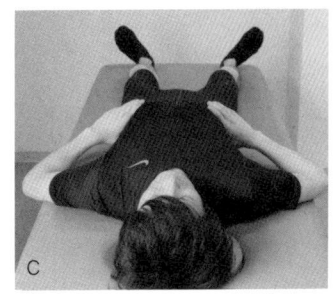

図15-25 大腿骨頭のリアラインエクササイズ
A：内旋エクササイズでは，前方に偏位した大腿骨頭の後方への移動を促す。B：大腿骨頭後方モビライゼーションエクササイズでは荷重により大腿骨頭の後方への移動を促す。C：外旋エクササイズでは，後上方に偏位した大腿骨頭の前方への移動を促す。

能によって得られる動的安定性を意味する"force closure"とに大別される。最初に，基本となるform closureを優先的に獲得するため，骨盤輪の対称性を獲得したうえで，仙骨の前傾（nutation）を促して骨盤輪のclose-packed positionを獲得する。骨盤輪の安定化に関与する筋群として，腹横筋下部（寛骨に起始する領域），骨盤底筋群，多裂筋，大殿筋，梨状筋と，大殿筋の緊張を背部に伝達する胸腰筋膜などがあげられる。骨盤輪のローカルスタビライゼーションは，①大殿筋・胸腰筋膜・多裂筋，②腹横筋下部・骨盤底筋という2つのセットでエクササイズを進める。一方，股関節のスタビライゼーションにおいて，腸腰筋と外旋筋のトレーニングが重要と考えられる。

1）大殿筋・胸腰筋膜と多裂筋

一側の大殿筋の収縮は胸腰筋膜を介して反対側の広背筋に伝達され，両側の仙腸関節を圧迫する。これが歩行の立脚相において持続的に得られることにより，切れ目のないforce closureが得られる。大殿筋の収縮不全や股関節伸展可動域制限，同側の胸腰筋膜への異常な緊張伝達は，force closureによる仙腸関節安定化メカニズムを障害する。

腰椎・仙骨レベルの多裂筋は，仙腸関節をまたいで寛骨に付着するため，主に抗重力位において持続的にforce closureを担う。大殿筋・胸腰筋膜・多裂筋の機能を向上させるエクササイズとして，一側下肢でのブリッジエクササイズ（図15-26A）や四つばい位股関節伸展エクササイズ（図15-26B）などがあげられる。これらはいずれも大殿筋を最大限に収縮させて反対側の胸腰筋膜を緊張させるとともに，下位腰椎の回旋を伴って多裂筋を特異的に強化することができる。これらを実施する前に，マニュアル・リアラインによって正常な筋や筋膜の滑走性を獲得しておくことが重要である。

2）腹横筋下部・骨盤底筋

腹横筋下部および骨盤底筋は重要な骨盤安定化筋であることはまちがいないが，これらの単独収縮は仙腸関節を開大する作用をもつことに十分な注意が必要である。腹横筋下部の単独収縮は，寛骨前面を接近させ，仙腸関節後部を開大する作用をもつ。骨盤底筋の単独収縮は尾骨を前方に引き，

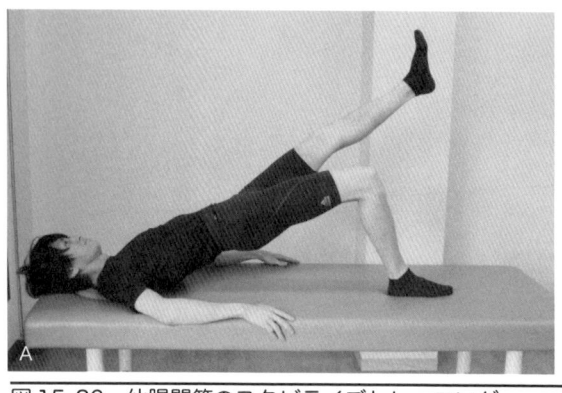

図15-26 仙腸関節のスタビライズトレーニング
A：片脚ブリッジでは大殿筋の収縮により仙骨のリアラインとともに仙腸関節の安定化を図る。B：四つばい股関節伸展エクササイズでは大殿筋とともに腰部多裂筋を収縮させ仙腸関節の安定化を図る。

仙骨の後傾（counter nutation）を促すことから，仙腸関節をloose-packed positionに導く。腹横筋や骨盤底筋の強力な収縮を伴う"くしゃみ"が急性腰痛の発症機転となることからも，場合によってこれらの筋の収縮が骨盤輪の安定性に対して負の影響をもつ危険性が理解される。腹横筋下部および骨盤底筋による骨盤安定化作用は，多裂筋や大殿筋・胸腰筋膜の緊張によるforce closureが十分得られているときのみに有効となると考えられる。このため，これらの筋のトレーニングを行う際には，腰椎前弯を保った状態で行うことが重要といえる。

腹横筋下部は恥骨結合安定化に必要な筋であり，その安定化作用は呼吸相に影響されないことが重要である。すなわち，吸気と呼気のいずれの相においても腹横筋を姿勢筋として緊張を持続できる能力が求められる。したがって，腹横筋下部のエクササイズとしては，その緊張を保ちつつ呼吸を反復することから開始する。呼吸から分離した姿勢筋としての腹横筋下部の持続的緊張が得られるようになったら，腹斜筋や腹直筋との協調性を高めるエクササイズとして骨盤ローリングエクササイズ，胸郭ローリングエクササイズなどが有効である。

骨盤底筋は腹腔内圧上昇や腹圧性尿失禁の防止に重要な役割を果たす。一方，歩行や走行といった股関節の非対称的な運動において骨盤底筋は相同筋として活動することから，これらの運動において骨盤底筋が持続的緊張を保つことは不可能である。すなわち，歩行や走行において腹横筋下部は持続的緊張を保つのに対し，骨盤底筋は相同筋として活動することを前提としてトレーニングを行う必要がある。一方で，尾骨の偏位によってもたらされる骨盤底筋の一側の過緊張は恥骨の安定化に負の影響を及ぼす。したがって，仙骨・尾骨のリアラインメントを得たうえで，左右対称な骨盤底筋のリラクゼーションを図り，そのうえで左右対称な収縮機能を獲得することが必要と考えられる。骨盤底筋のリラクゼーションには骨盤底筋を底面から圧迫するツールを活用する。図15-27の「ひめトレポール（LPN社）」上に座り，会陰部に直接圧を加えつつ呼吸を反復することにより，骨盤底筋のリラクゼーションが効果的に得られる。その次に，ひめトレポール上で骨盤底筋を随意的に収縮させることにより，骨盤底筋の収縮がたいへんよく自覚される。

3）腸腰筋・外旋筋

腸腰筋と外旋筋のトレーニングは骨盤輪および骨盤・腰椎ユニットの安定性を保ちつつ行うこと

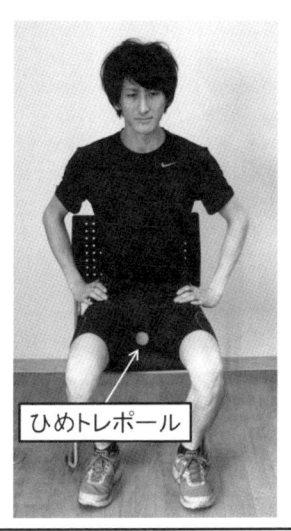

図15-27 ひめトレポールを用いた骨盤底筋のリラクゼーション
ひめトレポール上に椅子座位となり，深呼吸を繰り返したり，身体を軽く揺らすことにより，過緊張にある骨盤底筋のリラクゼーションを図る。なお，仙骨傾斜のリアラインを終了したうえでこのエクササイズを実施しなければならない。

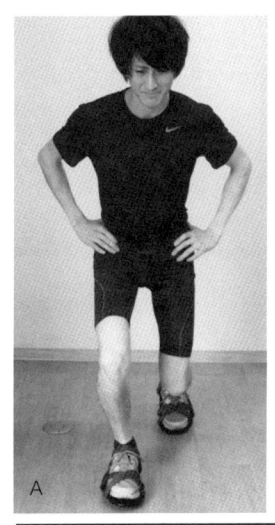

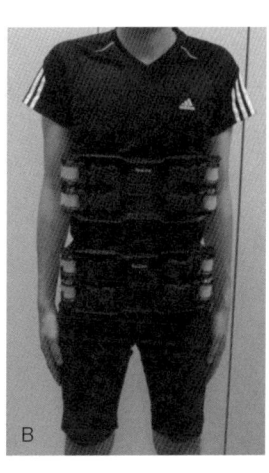

図15-28 リアライン・バランスシューズ（膝関節用）を用いたスタビライズトレーニング（A）とリアライン・コア（B）
リアライン・バランスシューズ（膝関節用）を用いて股関節外旋筋を活動させつつ，荷重位でのスタビライズエクササイズを行う。

が重要である。そのためには，脊椎運動が起こらないよう姿勢を保つ必要がある。非荷重位では端坐位での股関節屈曲による腸腰筋トレーニング，股関節開排の抵抗運動による外旋筋トレーニングが必要と考えられる。一方，荷重位においては，膝の動的外反を回避するために外旋筋の活動を得つつ，また骨盤・腰椎ユニットを安定させて股関節の分離した運動を意図したスクワットやランジトレーニングが有効である。この荷重位でのトレーニングを行ううえで，動的安定性の効果的な向上を促すリアライン・バランスシューズ膝関節用（GLAB社製）（**図15-28A**）は重要な役割を果たす。

4）その他のコアトレーニング

コアの強化法として，バランスボールトレーニング，上肢と下肢で支持して骨盤部を浮かせた状態を保つブリッジまたはプランクトレーニングなど，多種多様なコアトレーニング法が提唱されている。どの方法を用いるにしても，呼吸との連動性には十分な配慮が必要である。したがって，各種のコアトレーニング法を開始する前段階として，下部腹横筋の持続的緊張を保つこと，また呼吸を継続できることを確認しておくことが必要である。また，理想のコアの状態を体感し，その状態で股関節の分離したトレーニングを行ううえでリアライン・コア（GLAB社製）（**図15-28B**）が有効である。

3．コーディネート相

骨盤・股関節のコーディネーションは，もとの日常生活やスポーツ活動に復帰した後，1〜2年以上の期間にわたって症状再発の予防を念頭に置いた過程である。そのためには，さまざまな身体活動において，理想的な骨盤・股関節アライメントを維持できるような運動学習を目的とする。通常は，立位での前屈，後屈，側屈，回旋などの基本運動，歩行やランニングなどの二足での移動動

第5章 骨盤・股関節・鼠径部疾患の私の治療

作，そして投球，コンタクト，スイングなどスポーツ動作へと段階的に高速かつ複雑な運動学習へと進める。

F. まとめ

本項では，先行研究で得られた治療効果およびメカニズムに関する知見を理解したうえで，骨盤輪と股関節の機能異常に対する包括的な治療プログラムを紹介した。骨盤輪と左右の股関節にある5個の関節のリアライメントとスタビライゼーションを確実に進めることで，少なくとも鼠径部痛症候群の悪化のメカニズムを解決し，そのうえで結果因子としての症状の改善を図っていくことが重要であると考えられる。この治療法の有効性は臨床的に確認されてはきたが，その科学的検証は不十分である。この点を踏まえ，鼠径部痛症候群の治療法確立に向けた一助になれば幸いである。なお，本項では治療の考え方を中心に解説し，他書[47,53,54]に記載してある具体的な評価法や治療法の詳細を割愛した。

文 献

1. Meyers WC, McKechnie A, Philippon MJ, Horner MA, Zoga AC, Devon ON: Experience with "sports hernia" spanning two decades. *Ann Surg*. 2008; 248: 656-65.
2. Hureibi KA, McLatchie GR: Groin pain in athletes. *Scott Med J*. 2010; 55: 8-11.
3. Falvey EC, Franklyn-Miller A, McCrory PR: The groin triangle: a patho-anatomical approach to the diagnosis of chronic groin pain in athletes. *Br J Sports Med*. 2009; 43: 213-20.
4. Jansen JA, Mens JM, Backx FJ, Kolfschoten N, Stam HJ: Treatment of longstanding groin pain in athletes: a systematic review. *Scand J Med Sci Sports*. 2008; 18: 263-74.
5. Machotka Z, Kumar S, Perraton LG: A systematic review of the literature on the effectiveness of exercise therapy for groin pain in athletes. *Sports Med Arthrosc Rehabil Ther Technol*. 2009; 1: 5.
6. Thorborg K, Roos EM, Bartels EM, Petersen J, Holmich P: Validity, reliability and responsiveness of patient-reported outcome questionnaires when assessing hip and groin disability: a systematic review. *Br J Sports Med*. 2010; 44: 1186-96.
7. O'Connell MJ, Powell T, McCaffrey NM, O'Connell D, Eustace SJ: Symphyseal cleft injection in the diagnosis and treatment of osteitis pubis in athletes. *AJR Am J Roentgenol*. 2002; 179: 955-9.
8. Schilders E, Bismil Q, Robinson P, O'Connor PJ, Gibbon WW, Talbot JC: Adductor-related groin pain in competitive athletes. Role of adductor enthesis, magnetic resonance imaging, and entheseal pubic cleft injections. *J Bone Joint Surg Am*. 2007; 89: 2173-8.
9. Topol GA, Reeves KD: Regenerative injection of elite athletes with career-altering chronic groin pain who fail conservative treatment: a consecutive case series. *Am J Phys Med Rehabil*. 2008; 87: 890-902.
10. Topol GA, Reeves KD, Hassanein KM: Efficacy of dextrose prolotherapy in elite male kicking-sport athletes with chronic groin pain. *Arch Phys Med Rehabil*. 2005; 86: 697-702.
11. Fricker PA, Taunton JE, Ammann W: Osteitis pubis in athletes. Infection, inflammation or injury? *Sports Med*. 1991; 12: 266-79.
12. Kälebo P, Karlsson J, Sward L, Peterson L: Ultrasonography of chronic tendon injuries in the groin. *Am J Sports Med*. 1992; 20: 634-9.
13. Martens MA, Hansen L, Mulier JC: Adductor tendinitis and musculus rectus abdominis tendopathy. *Am J Sports Med*. 1987; 15: 353-6.
14. Smedberg SG, Broome AE, Gullmo A, Roos H: Herniography in athletes with groin pain. *Am J Surg*. 1985; 149: 378-82.
15. Holmich P, Uhrskou P, Ulnits L, Kanstrup IL, Nielsen MB, Bjerg AM, Krogsgaard K: Effectiveness of active physical training as treatment for long-standing adductor-related groin pain in athletes: randomised trial. *Lancet*. 1999; 353: 439-43.
16. Rodriguez C, Miguel A, Lima H, Heinrichs K: Osteitis pubis syndrome in the professional soccer athlete: a case report. *J Athl Train*. 2001; 36: 437-40.
17. Jarosz BS: Individualized multi-modal management of osteitis pubis in an Australian rules footballer. *J Chiropr Med*. 2011; 10: 105-10.
18. Kachingwe AF, Grech S: Proposed algorithm for the management of athletes with athletic pubalgia (sports hernia): a case series. *J Orthop Sports Phys Ther*. 2008; 38: 768-81.
19. Weir A, Jansen J, van Keulen J, Mens J, Backx F, Stam H: Short and mid-term results of a comprehensive treatment program for longstanding adductor-related groin pain in athletes: a case series. *Phys Ther Sport*. 2010; 11: 99-103.
20. Wollin M, Lovell G: Osteitis pubis in four young football players: a case series demonstrating successful rehabilitation. *Physical Therapy in Sport*. 2006; 7: 153-60.
21. Lovell G: The diagnosis of chronic groin pain in athletes: a review of 189 cases. *Aust J Sci Med Sport*. 1995; 27: 76-9.
22. LaBan MM, Meerschaert JR, Taylor RS, Tabor HD: Symphyseal and sacroiliac joint pain associated with pubic symphysis instability. *Arch Phys Med Rehabil*. 1978; 59: 470-2.

23. Verrall GM, Henry L, Fazzalari NL, Slavotinek JP, Oakeshott RD: Bone biopsy of the parasymphyseal pubic bone region in athletes with chronic groin injury demonstrates new woven bone formation consistent with a diagnosis of pubic bone stress injury. *Am J Sports Med*. 2008; 36: 2425-31.
24. Radic R, Annear P: Use of pubic symphysis curettage for treatment-resistant osteitis pubis in athletes. *Am J Sports Med*. 2008; 36: 122-8.
25. Major N M, Helms CA: Pelvic stress injuries: the relationship between osteitis pubis (symphysis pubis stress injury) and sacroiliac abnormalities in athletes. *Skeletal Radiol*. 1997; 26: 711-7.
26. Brennan D, O'Connell MJ, Ryan M, Cunningham P, Taylor D, Cronin C, O'Neill P, Eustace S: Secondary cleft sign as a marker of injury in athletes with groin pain: MR image appearance and interpretation. *Radiology*. 2005; 235: 162-7.
27. Garvey JF, Read JW, Turner A: Sportsman hernia: what can we do? *Hernia*. 2010; 14: 17-25.
28. Gilmore J: Groin pain in the soccer athlete: fact, fiction, and treatment. *Clin Sports Med*. 1998; 17: 787-93, vii.
29. Lacroix VJ, Kinnear DG, Mulder DS, Brown RA: Lower abdominal pain syndrome in national hockey league players: a report of 11 cases. *Clin J Sport Med*. 1998; 8: 5-9.
30. Malycha P, Lovell G: Inguinal surgery in athletes with chronic groin pain: the 'sportsman's' hernia. *Aust N Z J Surg*. 1992; 62: 123-5.
31. Morelli V, Weaver V: Groin injuries and groin pain in athletes: part 1. *Prim Care*. 2005; 32: 163-83.
32. Akita K, Niga S, Yamato Y, Muneta T, Sato T: Anatomic basis of chronic groin pain with special reference to sports hernia. *Surg Radiol Anat*. 1999; 21: 1-5.
33. Ekberg O: Inguinal herniography in adults: technique, normal anatomy, and diagnostic criteria for hernias. *Radiology*. 1981; 138: 31-6.
34. Ekberg O, Persson NH, Abrahamsson PA, Westlin NE, Lilja B: Longstanding groin pain in athletes. A multidisciplinary approach. *Sports Med*. 1988; 6: 56-61.
35. Wolloscheck T, Gaumann A, Terzic A, Heintz A, Junginger T, Konerding MA: Inguinal hernia: measurement of the biomechanics of the lower abdominal wall and the inguinal canal. *Hernia*. 2004; 8: 233-41.
36. Johnston CA, Wiley JP, Lindsay DM, Wiseman DA: Iliopsoas bursitis and tendinitis. A review. *Sports Med*. 1998; 25: 271-83.
37. Burnett RS, Della Rocca GJ, Prather H, Curry M, Maloney WJ, Clohisy JC: Clinical presentation of patients with tears of the acetabular labrum. *J Bone Joint Surg Am*. 2006; 88: 1448-57.
38. Philippon MJ, Maxwell RB, Johnston TL, Schenker M, Briggs KK: Clinical presentation of femoroacetabular impingement. *Knee Surg Sports Traumatol Arthrosc*. 2007; 15: 1041-7.
39. Sahrmann SA: Diagnosis and treatment of movement impairment syndromes. In: Sahrmann SA, ed., *Movement Impairment Syndromes of the Hip*. Mosby, St Louis, pp. 121-191, 2002.
40. Ganz R, Parvizi J, Beck M, Leunig M, Notzli H, Siebenrock KA: Femoroacetabular impingement: a cause for osteoarthritis of the hip. *Clin Orthop Relat Res*. 2003; (417): 112-20.
41. Beck M, Kalhor M, Leunig M, Ganz R: Hip morphology influences the pattern of damage to the acetabular cartilage: femoroacetabular impingement as a cause of early osteoarthritis of the hip. *J Bone Joint Surg Br*. 2005; 87: 1012-8.
42. Tannast M, Goricki D, Beck M, Murphy SB, Siebenrock KA: Hip damage occurs at the zone of femoroacetabular impingement. *Clin Orthop Relat Res*. 2008; 466: 273-80.
43. Wenger DE, Kendell KR, Miner MR, Trousdale RT: Acetabular labral tears rarely occur in the absence of bony abnormalities. *Clin Orthop Relat Res*. 2004; 426: 145-50.
44. Myers CA, Register BC, Lertwanich P, Ejnisman L, Pennington WW, Giphart JE, LaPrade RF, Philippon MJ: Role of the acetabular labrum and the iliofemoral ligament in hip stability: an *in vitro* biplane fluoroscopy study. *Am J Sports Med*. 2011; 39 Suppl: 85S-91S.
45. Philippon MJ, Schenker M: Athletic hip injuries and capsular laxity. *Operative Techniques in Orthopaedics*. 2005; 15: 261-6.
46. Safran MR, Giordano G, Lindsey DP, Gold GE, Rosenberg J, Zaffagnini S, Giori NJ: Strains across the acetabular labrum during hip motion: a cadaveric model. *Am J Sports Med*. 2011; 39 Suppl: 92S-102S.
47. 平沼憲治, 岩崎由純, 蒲田和芳：コアセラピーの理論と実践. 講談社, 東京, 2011.
48. 蒲田和芳, 生田 太, 米田 佳, 花田謙司, 吉田大佑, 宮路剛史：変形性膝関節症に対するリアライン・プログラムの有効性と限界. 臨床スポーツ医学. 2011; 28: 617-23.
49. 蒲田和芳, 米田 佳, 生田 太, 宮路剛史：変形性膝関節症に関する臨床研究の成果と今後の課題. 理学療法. 2010; 27: 859-69.
50. 吉田大佑, 能 由美, 堀 泰輔, 田邊桃子, 今村宏太郎, 蒲田和芳：内側型変形性膝関節症に対する下腿内旋エクササイズの即時効果. 日本臨床整形外科学会誌, 2013 (in press).
51. Martin DE, Tashman S: The biomechanics of femoroacetabular impingement. *Operative Techniques in Orthopaedics*. 2010; 20: 248-54.
52. Robinson P, Salehi F, Grainger A, Clemence M, Schilders E, O'Connor P, Agur A: Cadaveric and MRI study of the musculotendinous contributions to the capsule of the symphysis pubis. *AJR Am J Roentgenol*. 2007; 188: W440-5.
53. 蒲田和芳：コアセラピー. In：腰痛のリハビリテーションとリコンディショニング－Skill-Up リハビリテーション＆リコンディショニング－, 文光堂, 東京, pp. 124-142, 2011.
54. 蒲田和芳：コアセラピー. In：新人・若手理学療法士のための最近治験の臨床応用ガイダンス～筋・骨格系理学療法～. 文光堂, 東京, 2013 (予定).

（蒲田和芳）

索　引

【あ行】

アウターユニット　58
アスレティックリハビリテーション　133
圧迫テスト　50

インナーユニット　58
インピンジメント
　　──寛骨臼唇　15
　　──大腿臼蓋　79
　　──大腿骨寛骨臼　82
インピンジメントテスト　81, 86
　　──後方　88
　　──前方　86
　　──肢位　19

エクササイズの予防効果，鼠径部痛に対する　132

横隔膜　149
横筋筋膜　105

【か行】

外傷性股関節脱臼　81
外転筋　23
　　──モーメントアーム　23
外腹斜筋腱膜　105
解剖，股関節唇の　155
顆軸　14
荷重伝達テスト　141, 143
画像検査　157
画像診断　88
片脚立位X線撮影　48
下殿動脈　92

カラードップラーイメージング　49
観血的修復術　122
観血的縫縮術　122
寛骨　3
　　──リアライメント　179
寛骨臼アライメント　16
寛骨臼蓋関節唇損傷　166
寛骨臼唇インピンジメント　15
寛骨臼前捻角　15
寛骨臼の発達　14
関節唇　17
　　──再建術　94
　　──修復術　94
　　──切除術　94
　　──損傷の発生メカニズム　82
　　──ストレスパターン　81
　　──治癒能力　92
　　──歪み　18
関節内密封　18
関節軟骨損傷　79
関節包内圧　17
関節包内運動　19

機能評価，骨盤　45, 48
キャム型　15, 82, 156
臼蓋関節唇損傷　79
　　──分類　80
臼蓋形成不全　82
臼蓋形成不全股関節　15
臼蓋-骨頭の安定性　152
境界神経　107
胸郭の固定性　150

索　引

胸郭ローリングエクササイズ　182
胸腰筋膜　5, 7
胸腰筋膜-殿筋筋膜-大腿筋膜　153
筋力低下　116

頸体角　13
牽引力　18
検者内信頼性　45

コアスタビリティ　164
交差性線維束　153
後方インピンジメントテスト　88
肛門挙筋　6
肛門挙筋腱弓　151
コーディネート相　174
股関節
　　——キネマティクス　169
　　——鏡視下手術　158
　　——屈筋群のモーメント　22
　　——周囲のキネマティクス　108
　　——接触力　14
　　——脱臼　81
　　——内・外旋運動　152
　　——リアライメント　180
　　——ロック現象　153
股関節外転筋の付着部　23
股関節鏡　155
股関節唇　86
　　——解剖　155
股関節唇損傷　87, 155
　　——手術療法　94
　　——保存療法　94
　　——診断基準　89
股関節痛　155
股関節包の弛緩性　83
骨間仙腸靱帯　143
骨形態異常　82
骨髄浮腫　114
骨盤機能評価　44, 45, 48

骨盤筋膜腱弓　6
骨盤帯　3
骨盤帯痛
　　——妊娠に関連した　33, 36, 56, 60
　　——リスク要因　37
　　——予防効果　64
骨盤底筋　5, 6, 8, 9, 149, 150, 171, 182
骨盤底筋群トレーニング　64
骨盤内運動　46
骨盤捻転テスト　51
骨盤のランドマーク　45
骨盤ベルト　58, 117
骨盤輪　3
　　——安定化エクササイズ　58, 63
　　——安定性　148
　　——スタビライゼーション　168
　　——不安定症　33, 44, 56, 141
骨盤ローリングエクササイズ　182
コペンハーゲン・ヒップ・グローインアウトカムス
　　コア　118
混合型　156
コンタクトキネマティクス　166, 169

【さ行】

坐骨大腿靱帯　16
作用の逆転　152

シーリング　17
疾患特異的QOL評価　118
自動下肢伸展挙上テスト　48
手術療法，股関節唇損傷に対する　94
術後リハビリテーション　124, 160
上後腸骨棘　44, 144
小殿筋　23
上殿動脈　92
神経絞扼　112
神経除圧術　124
神経切断術　124
靱帯の機械的性質　17

188

索 引

靱帯の平均付着位置　17
診断基準，股関節唇損傷の　89
診断的ブロック注射　52
伸展筋　25

スタビライズ相　174
スティッフネス　8
ストレッチ，恥骨筋の　116
スパイラルライン　153
スポーツヘルニア　106, 113, 122, 130, 164

静的アライメント評価　44
前屈テスト　46, 144
仙結節靱帯　143
仙骨　3
　——スラストテスト　52
　——リアライメント　178
　——ロッキング　147
仙骨下外側角　144
仙骨角　44
仙骨溝　44
仙骨後-前方加圧テスト　142, 143
全身的アプローチ　129
剪断力　8
仙腸関節　3, 4, 8
　——機能テスト　141, 148
　——機能不全　33, 39, 56, 57
　——機能不全の診断　53
　——神経支配　148
　——ストレステスト　142
　——ブロック　52
前捻角　14
前壁障害　105
前方インピンジメントテスト　86

鼠径管後壁　105
　——の破綻　113
鼠径管前壁　104
　——の断裂　112

　——の破綻　112
鼠径管中央部から上部の病変　116
鼠径三角　105
鼠径靱帯滑走不全　168, 170
鼠径部痛　101, 116, 121, 122
　——エクササイズの予防効果　132
　——競技別発生頻度　102
　——治療　122
　——病態　104
　——保存療法　125
　——罹患期間　103
鼠径部痛症候群　101, 112, 121, 163
　——本邦における治療法の現状　132
鼠径ヘルニア　121
組織間滑走不全　177

【た行】

大腿臼蓋インピンジメント　79
大腿筋膜張筋　23, 171
大腿骨α角　15
大腿骨頭安定化機能　18
大腿骨寛骨臼インピンジメント　82
大腿骨幹の長軸　13
大腿骨頭前方偏位　166, 169, 170
大腿骨頭の長軸　13
大腿骨と寛骨臼アライメントとの関係　16
大腿スラストテスト　52
大殿筋　5, 6, 25
　——モーメントアーム　25
大内転筋　26
第二の溝　114
大腰筋　21
　——付着部　22
多裂筋　5, 7, 10, 149
単純Ｘ線　157
短内転筋　26

恥骨間円板の変性　114
恥骨筋のストレッチ　116

189

索　引

恥骨結合　3, 4, 108, 144
　　――機能不全　33, 38, 56, 59
　　――掻爬術　124
　　――不安定症　115, 164, 168, 170
恥骨結合炎　107, 114, 121, 164
　　――注射療法　125
恥骨結合離開　38
　　――リスク要因　38
恥骨総移動量　48
恥骨大腿靱帯　16
恥骨部の病変　114
恥骨部不安定性　109
注射療法,恥骨結合炎に対する　125
中殿筋　23
　　――回旋モーメントアーム　24
超音波　49, 113
腸脛靱帯　23
　　――靱帯下圧力　13
腸骨筋　21
腸骨鼠径神経損傷　105
腸骨大腿靱帯　16, 83
長内転筋　26
長背側仙腸靱帯　143
腸腰筋　21
腸腰筋滑液包炎　109
腸腰筋腱炎　109
治療法の現状,鼠径部痛症候群の　132

頭頸軸　14
疼痛出現部位　80
疼痛誘発テスト　50, 141

【な行】

内転筋　26
　　――関連痛　163
　　――機能不全　123
　　――損傷　108
内転筋群のモーメントアーム　26
内転筋腱解離術　124

内転筋腱損傷　115
内閉鎖筋　6, 151

妊娠に関連した骨盤帯痛　33, 36, 56, 60
妊婦用下着　72

【は行】

背臥位-長座位テスト　47
剥離骨折　109
破断強度　106
鍼治療　66

皮下脂肪リリース　175
尾骨筋　6
尾骨偏位　176
病歴の聴取　156
疲労骨折　109, 115
ピンサー型　82, 156

フィードフォワード機構　151
腹横筋　5, 149
腹横筋下部　9
腹臥位膝屈曲テスト　47
腹腔鏡視下手術　122, 123, 131
腹腔内圧上昇　166
腹腔内到達法　122
腹壁強度　106
腹膜外到達法　122
腹筋群　171
フラミンゴビュー　115

閉鎖神経絞扼　109, 116
ヘッセルバッハ三角　105
ヘルニア根治術　122, 123
ヘルニオグラフィー　114
片脚立位X線撮影　48

保存療法,股関節唇損傷に対する　94

索　引

【ま行】

マニピュレーション　57
マニュアル・リアライン　175
慢性骨盤痛　33, 34
　　――発生要因　35
慢性前立腺炎/慢性骨盤痛　35

モーメントアーム　21
　　――大殿筋　25
　　――中殿筋　24
　　――内転筋群　26

【や行】

腰背筋膜　26
腰方形筋　150
予防効果，骨盤帯痛　64

【ら行】

リアライメント
　　――寛骨　179
　　――股関節　180
リアライン・エクササイズ　175, 178
リアライン・コンセプト　172
リアライン・セラピー　173
リアライン相　173
リアライン・デバイス　175
リアライン・バランスシューズ膝関節用　183
離開テスト　50
理学療法　58
梨状筋　6, 171
リスク要因
　　――骨盤帯痛　37
　　――恥骨結合離開　38
立位股関節屈曲テスト　45
リハビリテーションプロトコル　124

レーザー療法　58

ローリングエクササイズ，胸郭　182

ロッキング　146
ロック現象，股関節の　153

【欧文】

active straight leg raise test（ASLR）　48, 144
active treatment　126, 131, 133

bone marrow oedema　114
border nerves　107

cartilage strain　93
center edge（CE）角　14
chronic prostatitis/chronic pelvic pain　35
close-packed position　181
coxa profunda　157
cross over sign　157
CT　157

Doppler imaging of vibrations（DIV）　8

FAI（Functional Assessmant Inventory）　95
femoral anterior glide syndrome　166
femoroacetabular impingement（FAI）　82, 155
flexion abduction external rotation（FABER）test　87
force closure　9, 181
form closure　9, 180
forward bending test　144, 146

Gilmore groin　105, 122, 164
groin disruption　106
groin pain　79, 163
groin pain syndrome　101
groin triangle　104, 163

hockey player's syndrome　105, 124, 165
HOS sports　95

inner unit muscles　153

load transfer test　143

magnetic resonance arthrogram（MRA）　88
Modified Harris Hip Score（MHHS）　94
MRI　88, 158
multi-modal treatment　129

one leg standing test　144, 147
Os acetabuli　157
outer unit muscles　153

passive treatment　126, 132, 164
Patrick position　19
Patrick test　142, 143
Patrick-Faber test　51
pistol grip 変形　157
posterior condylar line　14
prolotherapy　125
prominence of the ischial spine（PRIS）　157
prominent posterior wall sign　157

radiosteromeric analysis（RSA）　46

roentgen stereophotogrammetric analysis（RSA）　7

secondary cleft　114
squeeze test　116
stability ratio　93
Stork test　147

The Copenhagen Hip and Groin Outcome Score（HAGOS）　118
3G point　163
Tonnis grade　94
totally extraperitoneal endoscopic（TEP）　122
trans epicondylar line　14
transabdominal preperitoneal（TAPP）　122
Trendelenburg and S1 nerve root test　141, 148

UCLA score　95

X 線撮影　48, 157

zone of apposition　149, 150

Sports Physical Therapy Seminar Series⑧
骨盤・股関節・鼠径部のスポーツ疾患治療の科学的基礎　　　（検印省略）

2013年10月28日　第1版　第1刷
2016年 5 月14日　　同　　第2刷

監修　福　林　　　徹
　　　蒲　田　和　芳
編集　永　野　康　治
　　　山　内　弘　喜
　　　吉　田　昌　弘
　　　鈴　川　仁　人
発行者　長　島　宏　之
発行所　有限会社　ナップ
〒111-0056　東京都台東区小島 1-7-13　NKビル
TEL 03-5820-7522／FAX 03-5820-7523
ホームページ http://www.nap-ltd.co.jp/
印　刷　三報社印刷株式会社

© 2013　Printed in Japan　　　　　　　　　　ISBN978-4-905168-26-3

JCOPY　〈(社) 出版者著作権管理機構 委託出版物〉
本書の無断複写は著作権法上での例外を除き禁じられています。複写される場合は，そのつど事前に，(社) 出版者著作権管理機構（電話 03-3513-6969, FAX 03-3513-6979, e-mail: info@jcopy.or.jp）の許諾を得てください。

Sports Physical Therapy Seminar Series
【監修】福林 徹・蒲田和芳

ACL損傷予防プログラムの科学的基礎
B5判・160頁・図表164点・本体価格3,000円
ISBN978-4-931411-74-6

【主要目次】
- 第1章　ACL損傷の疫学および重要度
- 第2章　ACL損傷の危険因子
- 第3章　ACL損傷のメカニズム
- 第4章　ACL損傷の予防プログラム

肩のリハビリテーションの科学的基礎
B5判・200頁・図表31点・本体価格3,000円
ISBN978-4-931411-79-1

【主要目次】
- 第1章　肩のバイオメカニクス
- 第2章　外傷性脱臼
- 第3章　腱板損傷
- 第4章　投球障害肩
- 第5章　スポーツ復帰

足関節捻挫予防プログラムの科学的基礎
B5判・138頁・図表161点・本体価格2,500円
ISBN978-4-931411-91-3

【主要目次】
- 第1章　足関節のバイオメカニクス
- 第2章　足関節捻挫
- 第3章　足関節捻挫後遺症
- 第4章　足関節捻挫の予防プログラム

筋・筋膜性腰痛のメカニズムとリハビリテーション
B5判・160頁・図表170点・本体価格3,000円
ISBN978-4-931411-92-0

【主要目次】
- 第1章　腰痛と運動療法
- 第2章　バイオメカニクス
- 第3章　運動機能
- 第4章　スポーツ動作と腰痛の機械的機序
- 第5章　私の腰痛治療プログラム

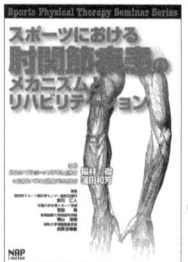

スポーツにおける肘関節疾患のメカニズムとリハビリテーション
B5判・168頁・図表230点・本体価格3,000円
ISBN978-4-905168-02-7

【主要目次】
- 第1章　肘関節のバイオメカニクス
- 第2章　野球肘
- 第3章　テニス肘
- 第4章　肘関節脱臼
- 第5章　肘関節疾患に対する私の治療－臨床現場からの提言－

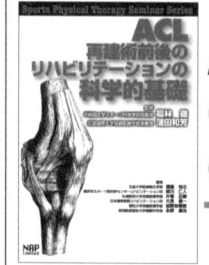

ACL再建術前後のリハビリテーションの科学的基礎
B5判・256頁・図表282点・本体価格3,000円
ISBN978-4-905168-12-6

【主要目次】
- 第1章　ACL損傷に対する治療法の選択とタイミング／第2章　ACL再建術の基礎／第3章　再建術式／第4章　術後管理（～2週）／第5章　術後早期（2～12週）／第6章　術後後期（12週～）／第7章　競技復帰／第8章　私のACL再建術と術後リハビリテーション

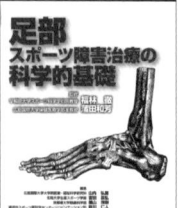

足部スポーツ障害治療の科学的基礎
B5判・182頁・図表239点・本体価格3,000円
ISBN978-4-905168-19-5

【主要目次】
- 第1章　足部の解剖学・運動学・アライメント評価
- 第2章　足部のバイオメカニクス
- 第3章　前足部障害（Lisfranc関節を含む）
- 第4章　中足部・後足部障害（Lisfranc関節より後方）
- 第5章　足部障害に対する運動療法とスポーツ復帰

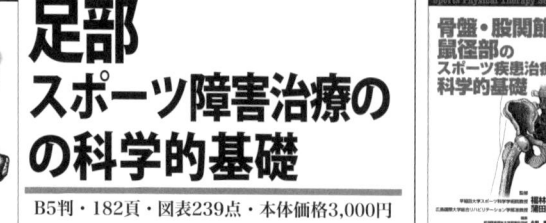

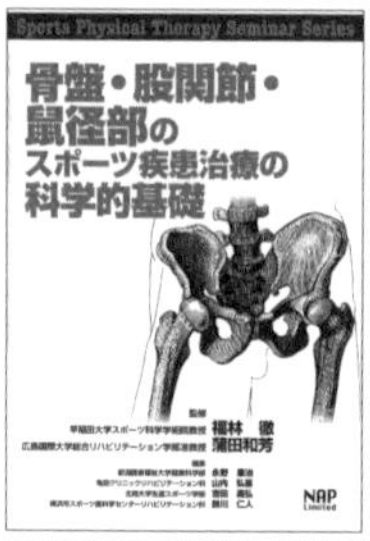

骨盤・股関節・鼠径部のスポーツ疾患治療の科学的基礎
B5判・198頁・図表237点・本体価格3,000円
ISBN978-4-905168-26-3

【主要目次】
- 第1章　骨盤・股関節の機能解剖
- 第2章　骨盤輪不安定症
- 第3章　股関節病変
- 第4章　鼠径部痛症候群
- 第5章　骨盤・股関節・鼠径部疾患の私の治療

NAP Limited　〒111-0056 東京都台東区小島1-7-13 NKビル
TEL 03-5820-7522／FAX 03-5820-7523
http://www.nap-ltd.co.jp/　ナップ